CHUSTKA

Joanna Sałyga

Piotr Sałyga

Wydawnictwo Znak / Kraków 2013

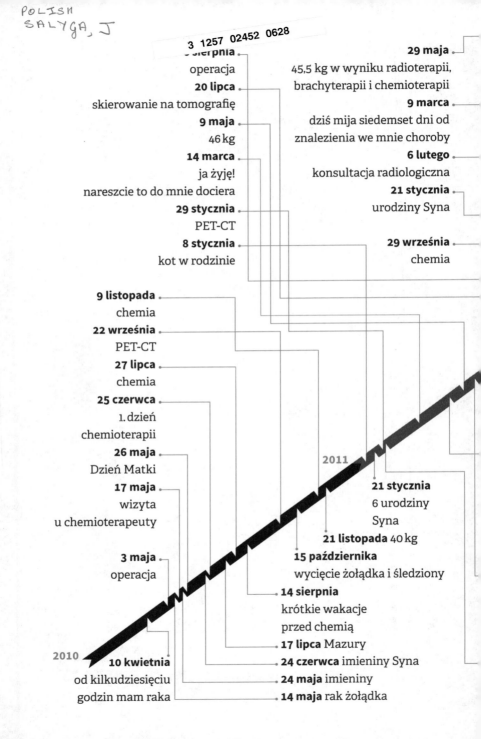

3 sierpnia
operacja
20 lipca
skierowanie na tomografię
9 maja
46 kg
14 marca
ja żyję!
nareszcie to do mnie dociera
29 stycznia
PET-CT
8 stycznia
kot w rodzinie

29 maja
45,5 kg w wyniku radioterapii,
brachyterapii i chemioterapii
9 marca
dziś mija siedemset dni od
znalezienia we mnie choroby
6 lutego
konsultacja radiologiczna
21 stycznia
urodziny Syna

29 września
chemia

9 listopada
chemia
22 września
PET-CT
27 lipca
chemia
25 czerwca
1. dzień
chemioterapii
26 maja
Dzień Matki
17 maja
wizyta
u chemioterapeuty

2011

21 stycznia
6 urodziny
Syna
21 listopada 40 kg
15 października
wycięcie żołądka i śledziony
14 sierpnia
krótkie wakacje
przed chemią
17 lipca Mazury
24 czerwca imieniny Syna
24 maja imieniny
14 maja rak żołądka

3 maja
operacja

2010
10 kwietnia
od kilkudziesięciu
godzin mam raka

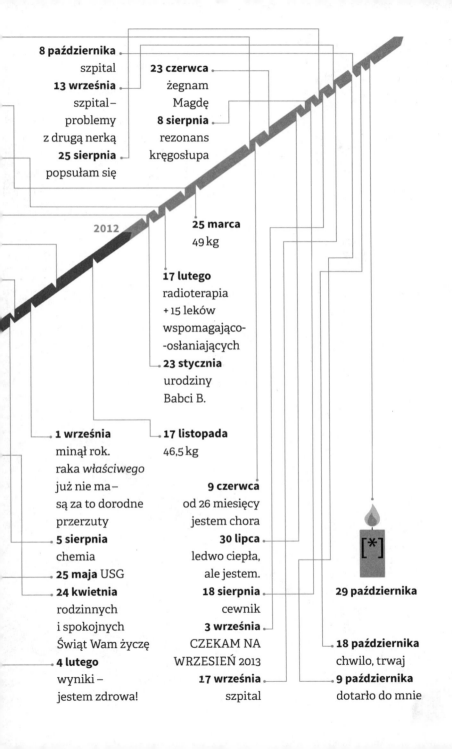

8 października
szpital
13 września
szpital –
problemy
z drugą nerką
25 sierpnia
popsułam się

23 czerwca
żegnam
Magdę
8 sierpnia
rezonans
kręgosłupa

2012

25 marca
49 kg

17 lutego
radioterapia
+ 15 leków
wspomagająco-
-osłaniających
23 stycznia
urodziny
Babci B.

1 września
minął rok.
raka *właściwego*
już nie ma –
są za to dorodne
przerzuty
5 sierpnia
chemia
25 maja USG
24 kwietnia
rodzinnych
i spokojnych
Świąt Wam życzę
4 lutego
wyniki –
jestem zdrowa!

17 listopada
46,5 kg

9 czerwca
od 26 miesięcy
jestem chora
30 lipca
ledwo ciepła,
ale jestem.
18 sierpnia
cewnik
3 września
CZEKAM NA
WRZESIEŃ 2013
17 września
szpital

[*]

29 października

18 października
chwilo, trwaj
9 października
dotarło do mnie

Poznaliśmy się 13 grudnia 2009.

Była piękną i inteligentną kobietą. Bardzo się kochaliśmy. Byliśmy dobrą rodziną.

Rak zabił ją 29 października 2012 roku. Miała 36 lat.

Joanna była wyrazista. Uwielbiała włoską kuchnię, czerwone wino i intrygujące rozmowy nasycone humorem. Miała swoje zdanie i umiała o nie zawalczyć. Nawet wbrew całemu światu. Decyzje podejmowała szybko i akceptowała ich konsekwencje.

Jeśli oferowała przyjaźń, można było na niej polegać. Jeśli ktoś ją nudził czy zawiódł, żegnała się z nim, mówiąc to prosto w oczy. Jeśli mówiła, że kocha, kochała.

Wszystko, co robiła, było intensywne. Żyła intensywnie i tak umarła.

Większość osób zna ją jako Chustkę.

Po trzech miesiącach naszej znajomości poszła na badanie, które wykazało, że ma nowotwór narządów kobiecych. Pierwsza operacja polegała na ich usunięciu. Niestety, kiedy ją otworzono, okazało się, że przyczyną jest zaawansowany rak żołądka. Lekarze dali jej trzy miesiące życia.

Zaczęliśmy walczyć.

Namówiłem ją, żeby zaczęła pisać blog. Wymyśliłem nazwę, podpowiedziałem, gdzie założyć. Reszta należała do niej. Początkowo miał to być list do kilkuletniego wtedy syna.

Z czasem zaczął nabierać również innego zabarwienia. Okazało się, że jej słowa dają siłę wielu ludziom.

Joanna pisała o sprawach ważnych językiem prostym. W kilku słowach potrafiła opowiedzieć historię, każdy, kto ją czytał, wiedział, co czuła i kiedy. Patrzyła na świat z przymrużeniem oka, jakby cała ta heca z umieraniem działa się gdzieś w tle. Potrafiła przez godzinę siedzieć na łące, robiąc zdjęcia źdźbła trawy lub delektować się smakiem wspólnie popijanej herbaty.

Joanna żyła życiem, nie umieraniem.

Z czasem jej blog stał się popularny. Z każdym dniem coraz więcej ludzi wchodziło na „Chustkę" i już tam zostawali. Urzekała mieszanką inteligencji, entuzjazmu i pełnego ironii humoru. Do tego pisała szczerze. Miała też oko do zdjęć.

Ludzie zaczęli do niej pisać i dzwonić. Najczęściej pytali, jak wybrała metodę leczenia, których lekarzy poleca, czy badania bolą i jak powiedzieć bliskim, że się umiera. Inni po prostu chcieli ją poznać. Jeszcze inni zrobić z nią wywiad czy nakręcić film. Rozmawiając po jej śmierci z niektórymi osobami ze świata mediów, spotkałem się z opinią, że taki rozmówca może zdarzyć się tylko raz w życiu.

Blog pokazywał jej miłość do dziecka. W jednym z postów pisze: „Kochanie, nie wiem, ile razy jeszcze dam radę wstać z łóżka, by Ci towarzyszyć w myciu się, podać ręcznik, ogrzać na kaloryferze piżamkę, ale wiem, że nigdy nikt nie zrobi tego tak jak ja. (...) więc póki jestem, póki mogę, zrobię, co zechcesz. To nie jest strata czasu, jasne, że nie, Syneczku...".

W blogu widać jej strach o synka. Co się z nim stanie? Czy będzie szczęśliwy? Jak sobie poradzi wyrwany z domu i rzucony w nową rzeczywistość? Kim będzie? W innym poście napisała: „Bo tak właśnie jest w świetle obowiązującego prawa. Nie umiem Ci tego inaczej wyjaśnić. Nie przechodzi mi przez gardło, że to będzie dla Twojego dobra. Nie dostrzegam korzyści w takim rozwiązaniu. Ani w rewolucjonizowaniu życia jednym ruchem – takie historie to tylko u fryzjera: cięcie i od razu lepiej. Jestem zdania, że powinieneś przechodzić przez moją śmierć stopniowo. To nieludzkie, żeby do jednej traumy dokładać drugą – związaną ze zmianą środowiska... środowiska, które znasz tylko od święta. (...) kiedy myślę, jaką szkołę życia za chwilę dostaniesz, sztywnieję z przerażenia. Takie jest prawo, a ja – bezsilna".

Po jej śmierci znalazłem w dokumentach list zaadresowany do mnie. Składał się z dwóch części. Pierwszą część Joanna napisała dwa miesiące po wykryciu choroby, drugą ponad rok później, tuż przed naszym ślubem. To najważniejszy list w moim życiu, zarazem najpiękniejsze wyznanie miłości. Myślę, że to dobre podsumowanie tego, kim była i jak żyła.

17.05.2010   Najukochańszy Piotrze,

Dziś płakaliśmy wtuleni w swoje ramiona.
Więc umieram, na serio umieram. Jakie to żenujące:
ledwo się poznaliśmy, a właśnie odpalam...
Kocham Cię.
Jesteś miłością mojego życia.
Każdego dnia dajesz mi szczęście i bezpieczeństwo.
Jesteś wspaniałym, czułym, delikatnym mężczyzną.
Jesteś wybitnie mądrym i dobrym człowiekiem.
Jak ja bym chciała, żeby nasz Jasio stał się taki!
Kocham Cię.
Dziś zawarliśmy pakt – Ty mnie przeprowadzisz na Tamtą
stronę, a ja Ciebie (...). Zrobię, co tylko będzie możliwe, o ile
tylko będzie możliwe, żeby Ci pomóc. Postaram się.
Kocham Cię.
Kocham Cię.
Kocham.
Pamiętaj, że masz dbać o siebie. Masz jeść, masz spać, masz chodzić
na siłownię, masz odpoczywać przy dobrej muzyce i książce.
(I tak wiem, że zrobisz, jak zechcesz).
A tak szczerze – nie wiem, co Ci napisać. Umieram, a to jest podłe.
Nie teraz powinnam, nie teraz.

18.07.2011   Piotrze, Mój Prawie Mężu,

(...)
Dziś byłam na USG. Są jakieś nowe zmiany. Zdecydowałam
się na wysłanie testamentu z listami pożegnalnymi
do mecenasa. Do listów dołączam kopertę z hasłami.
Kocham Cię z całego serca.
Jesteś tym, co najlepsze mi się przydarzyło w życiu
(prócz Jasia). Opiekuj się Nim. I opiekuj się moją Mamą.
Kocham Was wszystkich bardzo mocno.
Kocham Cię mocno. Jesteś moim światłem.

Joanna

W wydaniu książkowym „Chustki" nie udało się zamieścić elementów interaktywnych, które nadawały charakter blogowi. Nie zmieściły się komentarze i wiele grafik, które tak kochała. Zdecydowaliśmy o usunięciu niektórych wpisów. Dostałem setki maili z opowieściami, jak „Chustka" zmieniła czyjeś życie. Mam nadzieję, że nadal będzie miała taką moc rażenia.

Piotr, Niemąż

→ Zastanawiam się, od czego zacząć. Jak opowiedzieć tę krótką, ale intensywną historię powstawania Fundacji Chustka. Zadanie okazuje się tym trudniejsze, że jest nas już 189 osób. A historia jakby jedna. Zaczęło się od bloga Joanny. Nie pamiętam już z całą pewnością, w jaki sposób na niego trafiłam, jak przez mgłę kojarzę – może to był link w mailu od koleżanki, a może zaczęło się od pierwszego wywiadu z Chustką w „Wysokich Obcasach". To nie był dobry dzień. Znów narzekałam na nadmiar pracy. Na pogodę. Na...– jak zawsze.

Wieczorem otworzyłam blog. I zamknęłam go dopiero po przeczytaniu całości. Od początku do końca, niektóre wpisy kilka razy. Pamiętam, że nie mogłam spać.

Czy dopiero kiedy zachoruję, zacznę żyć?
Czy wiem, co mnie samej sprawia radość?
Kiedy ostatnio zauważyłam motyla?
Przecież jakiegoś musiałam widzieć, tylko... kiedy?
Dlaczego, mimo wielu osób obok, moje ramiona tak często są puste?
Kiedy robiłam podstawowe badania krwi?

Tysiące pytań. I żadnych odpowiedzi.
Potem... codziennie podglądałam życie Joanny, uczyłam się jej sposobu na wykorzystanie każdej chwili.
Rano nad kawą albo wieczorem przed snem zaglądałam tam, żeby dowiedzieć się, co słychać.
I coraz częściej żyłam.
Kiedyś zapytała na blogu:
„A co u Was dziś dobrego się wydarzyło? opowiedzcie, proszę".
To pytanie słyszę czasem, gdy wpadam... zdaje się w najczarniejszą dziurę. Nawet czarne jest ładne. Bo jest.

Po jakimś czasie Joanna czuła się gorzej. Zrozumiałam, że się żegna, że to już nieodwracalne. Że droga kończy się za następnym zakrętem. Czytanie ostatnich wpisów rozdzierało serce i nie pozwalało spokojnie żyć.
Chustka zmarła 29 października, a przez ostatnie dni jej życia na blogu panowała okropna cisza.

Niestety, jak się okazało, w jej mieszkaniu te dni nie były ciche.
Piotr, jej mąż, powiedział niedawno w wywiadzie, że nie ma nic szlachetnego w tym, że człowiek wyje z bólu jak zwierzę. Ilekroć pomyślę o jej cierpieniu, krew krzepnie mi w żyłach. Nie potrafię tego zrozumieć i nie ma we mnie na to zgody.

To Piotr zainicjował powstanie Akcji Chustka, to on zapytał, czy my, czytelnicy bloga, możemy mu pomóc, to on zorganizował pierwsze spotkanie. Do dziś nie wiem, skąd znalazł na to siłę – dwa tygodnie po śmierci żony. Kiedy jednak zastanawiam się, jaka siła wypchnęła mnie i wiele innych osób na to spotkanie, nie przychodzi mi do głowy nic innego, jak niesamowity wpływ Chustki.

Na naszym pierwszym spotkaniu po apelu Piotra zjawiły się 34 osoby, głównie z Warszawy, ale nie tylko. Dziś jest nas 189. Z całej Polski. A na Facebooku wspiera nas około 5 800 osób. (Do wydania książki – mam nadzieję – będzie nas więcej).

Fundacja gromadzi ludzi, którzy nie godzą się na ból, na cierpienie. Niczyje. Nie tylko tych wymęczonych walką o każdy kolejny dzień. Chcemy doprowadzić do tego, że wszyscy chorzy, a w szczególności chorzy onkologicznie, będą zabezpieczeni przeciwbólowo.

Czuję każdego dnia, że Joanna nam sprzyja, że jest z nami, a zwłaszcza wierzę w to, odkąd Piotr pokazał nam projekt statutu fundacji, którą chciała założyć. Bo Joanna chciała walczyć o godne życie osób, które wygrały z chorobą. Planowała założyć fundację, gdy sama wygra z rakiem. Każdy z nas chciałby, żeby tak było.
Jednak niepotrzebne cierpienie Joanny skłoniło nas do zmiany celów fundacji, nie widzieliśmy innej możliwości. Chustka zmieniła moje życie, jestem jej to winna. Jeśli dzięki mojej działalności choć jedna osoba przestanie cierpieć, to warto i to ma sens.

A na to proste pytanie Chustki:
„A co u Was dziś dobrego się wydarzyło?
opowiedzcie, proszę"

odpowiedziałabym: dziś wydarzyły się same dobre rzeczy. Napisałam kilka słów do wstępu w książkowym wydaniu Twojego bloga. Usmażyłam chrupiące racuchy. Próbowałam sfotografować sikorkę, ale wyszła nieostra. Powiedziałam... kilka słów wprost do ucha. Najważniejszych. Już umiem.

I razem z całym Zarządem i Radą Fundacji Chustka zaplanowaliśmy szereg działań, które pozwolą wypełnić cel Fundacji – i nikt nie będzie tak cierpieć.

Preambuła Fundacji:
Powołanie Fundacji Chustka jest wypełnieniem woli Joanny Sałygi. Skupiając się na pomocy potrzebującym, pragniemy przekazać innym wartości, które na swoim blogu afirmowała Chustka. Chcielibyśmy, żeby w naszych działaniach widać było radość życia, pasję, głębię i zachwyt nad chwilą, która wszak mija, ale nadaje istnieniu sens. Pragniemy pokazać go szczególnie tym, którzy zgnębieni chorobą, nie mają sił, by go dostrzec.
Chustka potrzebna jest każdemu. Czasem trzeba w niej schować twarz, na której nie obeschły jeszcze ślady łez. A potem unieść głowę. I ruszyć dalej.

Dziękuję – w imieniu wszystkich wolontariuszy Fundacji Chustka:

Agnieszka Olejnik
Marta Andruszczak

www.fundacjachustka.pl

2010   2011   2012

CHUSTKA jest dziennikiem pisanym z myślą o moich
bliskich, a przede wszystkim – o Synku.
w postach zatrzymuję kadry z naszej codzienności z rakiem w tle.

nazwę i tytuł bloga wymyślił Niemąż.
wtedy – w kwietniu 2010 roku – zrozumieliśmy, że stoimy
na rozstaju dróg – albo założę chustkę na łysą głowę i będę
walczyła, albo pomacham bliskim chustką na pożegnanie.

w lipcu 2011 wyłysiałam, ale nie nosiłam chustki.
i nie zamierzam się żegnać.
chustka nie przyda się więc do niczego.
chyba.
a jeśli będzie potrzebna – dowiecie się o tym z *Chustki*.

SOBOTA 10 kwietnia 2010

mam 34 lata.

ważę 56 kg przy wzroście 171 cm.

urodziłam pięć lat temu przez cięcie cesarskie chłopczyka.

od kilkudziesięciu godzin mam raka.

NIEDZIELA 11 kwietnia 2010

przez ostatnie dwa dni, zalewając się łzami rozpaczy, zamknęłam
kilkukrotnie swoje życie. niestety bez sensownej puenty.

w związku z tym postanowiłam, że nie mogę jeszcze odejść.

chcę w te wakacje spłynąć Krutynią.

chcę powiedzieć *tak* Niemężowi.

chcę napić się drinka, gdy mój Syn skończy studia.

chcę wtulić się w ciałka wnucząt i sprawdzić, czy będą tak
cudownie pachnieć jak Pulpet, gdy był maleństwem.

pierdolę.

zostaję.

nie umieram.

PONIEDZIAŁEK 12 kwietnia 2010

dziś zwiedziliśmy z Niemężem jedną klinikę,
dwa szpitale i dwie przychodnie.

jestem przygotowywana do operacji.

tak oto pobrano mi raz krew, a raz siku, zrobiono trzecie
USG (ha! rak nadal na miejscu), sfotografowano dwa płuca,
zmierzono ciśnienie, wykonano dwa EKG (z czego na jednym
wyszło, że umarłam na serce, tak byłam zdenerwowana) oraz
zaszczepiono przeciwko żółtaczce, HIV-owi i czemuśtam.

jeszcze tylko pomaluję pazurki i już będę gotowa lansować się
w wojewódzkim szpitalu klinicznym na bloku operacyjnym.

tymczasem zadzwonili z przedszkola,
że Syn zagorączkował. jakby coś przeczuwał.

WTOREK 13 kwietnia 2010
- *panie profesorze, mi nic nie jest.*
- *wiem proszę pani, oczywiście, to typowe wyparcie.*

dziś odwiedziliśmy ekskluzywną praktykę
prywatną profesora, który zlecił kolejne badania
oraz wyznaczył termin operacji (na niedzielę!).
co zdumiewające – uznał, że umie laparoskopowo
zrobić to, co inni robią, rozcinając brzuch od czoła
do kolan (*w razie trudności podczas laparoskopii
dokonamy konwersji metody*). co jeszcze bardziej
zdumiewające, dodatkowo znalazł raka gdzie indziej.

tymczasem Syna toczy wirus. katar leje się zielonym
strumieniem, a między Babcią B. a Niemężem trwa
dyskusja, czy wyzdrowieję do operacji, jeśli się zarażę.

ŚRODA 14 kwietnia 2010
jak można było się spodziewać, Babcia B., moja Matka,
dokonała niemożliwego i przyspieszyła termin operacji.
w sumie nie ma znaczenia na kiedy, ponieważ
i tak pewnie jutro lub pojutrze przyspieszy
termin z pięć razy na przedwczoraj.

tymczasem jeśli chcielibyście czynić dobro, pojedźcie
do kliniki na Szaserów i oddajcie krew w punkcie
krwiodawstwa. powiedzcie, w czyjej intencji oddajecie,
tzn. podajcie moje imię i nazwisko. z góry dziękuję.

kupiłam dziś w H&M śliczne sukienki-piżamki.
ciekawe, czy w klinice pozwolą mi je założyć, czy
może preferują własne kreacje okolicznościowe.

niestety zasmarkanie Syna przeszło na mnie.
tylko czekać, a zarazi się Niemąż i Pani
Guwernantka, czyli Ciocia Klocia.

Babcia B. krząta się w kuchni, gotuje krupnik,
rozdrabnia dla mnie sucharki.

tym razem uciekłam.

SOBOTA 8 maja 2010
czytaliście kiedykolwiek przeciwwskazania
na ulotkach czopków albo tabletek przeciwbólowych?
żadne nie nadają się dla zawodników po operacjach żołądkowych
czy z problemami dwunastnicy, nie wspominając o laskach,
które mają wycięte wszystko, co się dało, bo reszty
się nie dało, bo zbyt przeżarta przez raka.

Babcia B., jak Adam Słodowy, jak Wujek Dobra Rada,
zna sposób i na takie historie: krótki telefon
do Kogo-Trzeba i temat załatwiony.
na noc wypiłam pięć psiknięć, które dały
mi kolorowe wizje i miłe kołysanie półkul.

NIEDZIELA 9 maja 2010
od czasu operacji życie nabrało niespotykanych dotąd kolorów.
w nocy śnią mi się spacery po wiosennych górach, napotkanie
ślicznego źrebaczka o manga-wzroku, kolorowe
i zabawne historie, które dają spokój i siłę.

całkiem nieplanowanie jestem szczęśliwa.
a tak na serio, to powodów do radości jest wiele: nie tylko
umiem wstać sama z łóżka na siku – od dziś daję radę
spać na dowolnie wybranym boku, w domu zaś jest
dużo miłych gości, którzy wspaniale okazują swoje serce.
dla mnie najmilsze jest, że Niemąż godzinami masuje mnie,
usprawniając krwiobieg, dając mnóstwo energii i jeszcze
więcej czułości i miłości, a Synek ostrożnie głaszcze i całuje.
jestem szczęśliwa jak mucha w gównie.

tego i Wam, mimo absurdu mojej sytuacji, życzę.

chcę być u siebie.
o ile tylko chemia na to mi pozwoli, będę chciała
mieszkać tak, jak mieszkam, z Synkiem i Niemężem.
oby.

PIĄTEK 7 maja 2010
(...) rak żołądka lub jajnika. Liczne przerzuty (...).

profesor zgodził się na wypisanie mnie dzisiaj.
i nie, że to czas na wypis, bo tryskam zdrowiem, o nie-nie-nie.
pewnie zgodził się, bo pacjentki mu się nie mieszczą
na oddziale, łóżka są już poustawiane na korytarzach.

więc: EWAKUACJA!

PIĄTEK 7 maja 2010
*jest lepka od przerażenia noc. biegnę, czuję, jak biegnę
i że brak mi tchu. nie dam rady biec dłużej, jeszcze
chwila i noc mnie pożre, rozgniecie mnie. mnie –
niepotrzebne włókno pleśniejącego mięsa.
moje stopy ślizgają się po bruku wśród wąskich,
krętych uliczek nieznanego, ohydnego miasta.
latarnie są wyłączone, tylko księżyc słabo
oświetla fasady obskurnych kamieniczek.
uciekam, biegnę, tak jak inni boję się.
boję się tak jak i inni, uciekam, pomiędzy
nimi, upadam, wstaję, uciekam...
uciekam, uciekamy przed niewypowiedzianym,
ale tak dobrze znanym lękiem, który goni nas, który
zaraz dopadnie, brak mi tchu, brak mi sił.
kto pierwszy się potknie, kto pierwszy nie zauważy
nierówności chodnika, kto pierwszy, kto pierwszy*

budzę się.
jestem w domu, w moim domu, w domu przepełnionym miłością,
zapachem świeżo zerwanego bzu, ciepłem satynowej pościeli.

CZWARTEK 6 maja 2010
zajrzyjcie państwo, jaki interesujący przypadek –
profesor ginekologii zarekomendował rzut oka
w moje wnętrze szwadronowi stażystów podczas
kwalifikacji przedoperacyjnej.
przypadek aż tak interesujący, że zoperował mnie sam –
osobiście – właśnie ów profesor i jako pierwszą.
cóż za zaszczyt, kufa-ja-pierdolę.

po operacji.
po pierwszej nocy w sali pooperacyjnej.
po pierwszej nocy w sali ogólnej.
po sondzie.
po cewniku.
po drenie.
prawie może nawet po raku, gdyby nie oczekiwanie
na wynik badania histochemicznego.

sączą się kolejne kroplówki przeciwbólowe, tramal, ketonal,
paracetamol, dolargan, cośtam, kolejne antybiotyki, kolejne leki.
leżę i czekam, a większość podrobów wycięta.
pewnie profesor zje w pasztecie.

PIĄTEK 7 maja 2010
od wczoraj umiem sama podnieść się z łóżka i pójść zrobić siku.
zjadłam kilka łyżeczek obrzydliwego kleiku.
panie pielęgniarki umyły mnie.
grałam w FarmVille.

w ipodzie sączy się rmf classic, koi mnie i izoluje od szpitala.

żyję.
jestem szczęśliwa.

Babcia B. namawia, żeby po wyjściu ze szpitala zamieszkać razem.
nie chcę.

PONIEDZIAŁEK 3 maja 2010

kochani,
ubierajcie się ciepło, jedzcie śniadania i obiady,
myjcie po posiłkach zęby, nie obgryzajcie paznokci,
nie siedźcie za długo przed kompem, bądźcie dla
siebie mili i opiekujcie się sobą wzajemnie.

mimo że nic mi nie jest, to jednak przejdę się na tę operację.

zaraz wracam!

PONIEDZIAŁEK 3 maja 2010

14.00 przybyłam.
jestem.

w szpitalu.

oto leżę w towarzystwie pięciu uroczych
pań w wieku różnym, zapijam duphalac
kolejnym litrem wody niegazowanej.
okazuje się, że tym paniom, tak jak i mnie, nic nie jest.
zabawne.
konwersujemy o stolcu i o urodzie
mundurowych ginekologów onkologów.

łóżko mam kiepskie, bo nogami vis à vis drzwi,
no ale potraktujmy to jako dobry omen ;)

20.00 życie towarzyskie spod znaku puszczania gazów kwitnie.
po bisacodylu latamy co chwila do ubikacji.
pani pielęgniarka wydała flizelinowe przezroczyste
zielone piżamki na jutro rano i przedstawiła jutrzejszy
harmonogram kwalifikowania nas do operacji.
od jutra będę całkowicie offline, bo każą oddać do depozytu
wszystkie rzeczy, włącznie z telefonami komórkowymi.

między kafelkami: *Panie Pająku, pan się nie boi, ja się
pana już nie boję, może pan wyjść, pozwalam.*
w kuchni znajduję na terakocie zaschniętą plamkę
ciemnoczerwonej farby – ślad sprzed dwóch lat
po malowaniu domu przez pana Andrzeja.
dywagacje nad ohydą koloru wybranej przeze mnie
farby podkreślał przekleństwami, które słał pod
adresem ściany *(ale ta kurwa kiepsko kurwa chłonie
kurwa)* i żartami o pomalowaniu Synowi *ptaka.*
po zdjęciu folii malarskich z podłóg pan Andrzej nie
zauważył, że zostawił na ziemi tackę z bordową farbą,
co skrzętnie wykorzystał pies, pakując się do tacki
czterema łapami, po czym z typową jamniczą złośliwością
przespacerował się skrupulatnie po całym mieszkaniu,
wcierając farbę w fugi i nierówności parkietu i terakoty.

i tak oto jadę po mieszkaniu na szmacie,
jednocześnie przemieszczając się w czasie.
nawet miła ta majówka.

NIEDZIELA 2 maja 2010
dom ogarnięty, lodówka zapełniona, Syn wykąpany, kwiaty
podlane, pranie rozwieszone, testament spisany,
samochody wysprzątane, śmieci wyrzucone.
torba spakowana (piżamki, podkolanówki,
crocsy, ipod, komórka, ładowarki, dwie grube
książki, bjuti kejs, ręcznik, przytulanka).
jestem gotowa.

po rozegraniu rytualnej partii szachów, przeczytaniu
bajeczki i wycałowaniu mamusi Giancarlo poszedł spać.
oto nastał czas dorosłych.
rozkręcamy więc z Niemężem okolicznościową
imprezę z muzyką i alkoholem.
trwaj, chwilo, trwaj.

– zaproponuję im wycięcie też płuc, żeby mieć pewność,
że będę faktycznie szczupła – odpowiedziałam.
nasłałam na uczonych od tomografii Niemęża. niech wyjaśni
temat – skoro pan naukowiec podejrzewa tak rozległe przerzuty
z żołądka do jajników, to czemu na opisie tomografii nie
ma ujętych informacji o umiejscowieniu raka w żołądku?
– no właśnie, właśnie. w żołądku niczego nie zauważyłem,
ale chciałem zasugerować państwu wykonanie
dodatkowej tomografii z kontrastem żołądka, bo bardzo
by mi się to przydało do mojej pracy naukowej.

i tak, zgodnie z daną mi obietnicą, kolejny pracownik
służby zdrowia dołączył do listy osób, którym
Niemąż oderwie łeb i nasra do szyi.

SOBOTA 1 maja 2010
sprzątam przed pójściem do szpitala.
zamówiłam na czwartek co prawda panią do sprzątania, ale
wolę przed jej przyjściem wysprzątać: *no, kochanie, ja lubię*
u ciebie sprzątać, kibel masz zawsze czysty, nie jest zaszczany,
koszul do poprasowania niestety dużo, ale przynajmniej praniem
pachnące, a nie jak u ludzi – że każą mi brudne szmaty prasować.
o, widzę, że znowu bałagan u małego w pokoju – mogłabyś
częściej tam sprzątać, no jak ja mam odkurzać, zastanów się.

więc sprzątam. sprzątam, zastanawiam się i podróżuję w czasie.
w łazience oglądam wyjmowany kafelek, za którym
od trzech lat mieszka Pan Pająk z Rodziną.
domostwo Pana Pająka z Rodziną zaistniało z konieczności – przy
każdorazowym wchodzeniu do łazienki wielki, tłusty czarny pająk
uciekał w nieznanym kierunku, wzbudzając w Synu przerażenie.
oswoiliśmy więc niespodziewane kontakty
z fauną poprzez historyjkę o przemiłym Panu
Pająku i jego równie milutkiej Rodzinie.
po kilku takich gawędach o pająku Syn zaczął kucać przed
wanną i nawoływał teatralnym szeptem przez szparę

na potwierdzenie tych słów zarówno cytologia, jak i kolonoskopia (uśpiłam się do zabiegu, myśl o zrobieniu jej *na żywca* była nie do zniesienia) wykazały faktycznie, że jestem i d e a l n i e zdrowa.

dzisiejsza tomografia sześćdziesięcioczterorzędowym aparatem (z kontrastem w żyłę i dopaszczowo) również wykazałaby to, gdyby nie opis specjalisty radiologa z zakładu radiologii klinicznej. od popołudnia nie lubię komórek tekalnych.

a od wieczora nie lubię specjalisty radiologa z zakładu radiologii klinicznej.
i jego zioma z ulicy Banacha.
nie lubię ich za decyzję o zmodyfikowaniu opisu tomografii.
poprzedni opis był zbyt łagodny.

i typa o nazwisku Krukenberg też nie lubię.

CZWARTEK 29 kwietnia 2010
zrobiłam dziś na cito gastroskopię, którą
uprzejmie konsultował w trakcie profesor.
nic nie wykazała – prócz przepukliny i helikobaktera.
czyli nic spektakularnego.
a jutro poprowadzę ostatnie szkolenie przed operacją.
na dobry początek końca teścik im zrobię z ogólnej
wiedzy, niech się trochę postresują, a co.
lubię patrzeć na ten popłoch, to mnie odpręża.

PIĄTEK 30 kwietnia 2010
podjęłam decyzję, żeby poinformować
o domniemaniu guzów Krukenberga Babcię B.
wyśmiała koncepcję i wypowiedziała się co do stanu
intelektualnego oraz wiedzy speców z Uniwersytetu Medycznego.
po chwili zastanowienia dodała: *jakby wycięli ci oprócz
całości dołu również żołądek, to wreszcie byś była
zadowolona, bo dotarłabyś do wymarzonej wagi 49 kg.*

miło mi było przyglądać się, jak w skupieniu zapamiętywał
zasady, jak starał się grać uczciwie, jak walczył z niechęcią
do przegrywania i z pokusą modyfikowania reguł gry.

mimo że Go bacznie obserwuję, On niepostrzeżenie
z malucha stał się chłopaczkiem.

– mamuniu, pada deszcz, chodź szybciutko
do domku, bo zmoczysz sobie te twoje prześliczne
pantofeleczki i te twoje mięciutkie rączki.
a po otwarciu drzwi: *jak dobrze, że my tu w domu dach*
mamy, to nie pada nam na głowę, prawda, mamuniu?

NIEDZIELA 25 kwietnia 2010
nie umiem porozumieć się z Niemężem w kwestii stanu
mojego zdrowia. z niestosowną regularnością porusza temat,
czy powinnam i co powinnam oraz dlaczego zachowuję
się nieostrożnie, a ja nie potrafię z sensem się odciąć.
ktoś tu nie ma racji. (a przecież ja mam zawsze rację).

tak naprawdę balansuję na krawędzi – pomiędzy
potrzebą ignorowania wyimaginowanej przez lekarzy
choroby, weekendowym entuzjazmem Giancarla wobec
zabaw z mamusią, narastającym natarczywo-kwoczym
gderaniem Niemęża a kłującym bólem i brakiem sił.

a Niemąż puentuje poranną dyskusję o moim zamiarze
pojechania na plac zabaw z Giancarlem: *kocham cię, moja*
bidulo, wyjdź za mnie, kto mi będzie tak jechał, no kto.
ech.

ŚRODA 28 kwietnia 2010
powiedział mi wczoraj na skajpie ojciec Syna: *80% kobiet*
ma torbiele, więc nie gadaj o raku, nic ci nie jest, nie wymyślaj
jakichś głupot, raz-dwa wytną ci te jakieś narośla i już.

ŚRODA 21 kwietnia 2010

robiłam dziś od rana kolejne badania przedoperacyjne: toczyłam
krew, sikałam do pojemników za 20 groszy, pokazywałam się
w pełnej krasie kolejnemu koneserowi spodów damskich.

i odbierałam telefony, bo mam nowy, superancki telefon
komórkowy z superanckim etui (prezenty od Niemęża).
– *co się przejmujesz, to tylko rak, a mnie noga wczoraj odpadła.*
– *no masz raka, ale wiesz, jak u nas na wsi Zdzisiek*
miał raka, to przeżył go o piętnaście lat.
– *e, serio masz raka? no weź nie pierdol, ty to zawsze się zgrywasz.*
– *rak rakiem, od tego się nie umiera. ja mam*
krostę na czole, wiesz, jak boli?
jeśli mowa jest srebrem, to milczenie jest złotem.

CZWARTEK 22 kwietnia 2010

szkoliłam dziś w Lublinie. dobrze, że akurat trafiła się
jazda z kierowcą, to w obie strony mogłam spać.

oto dzieje się, co postanowiłam: świat nie pochyla
się nade mną, nie mówi: *pucipuci, biedactwo.*
działam. bez mojego dawnego poweru, ale jednak.

prócz szkolenia dałam radę zrobić obiad i zmyć po nim naczynia.
pełen sukces.

teraz, choć dopiero za kilka minut będzie
dwudziesta pierwsza, padam.
jutro szkolenie w Łodzi.

SOBOTA 24 kwietnia 2010

wczoraj, po moim powrocie ze szkolenia w Łodzi (w jedną stronę
spałam, będąc kierowcą, w drugą – też spałam, ale już jako pasażer),
poszliśmy pradawnym piątkowym zwyczajem do herbaciarni
wsiowej, gdzie rozegraliśmy z Giancarlem po partii szachów.

a Miłości bym nie miał,
byłbym niczym.
i gdybym rozdał na jałmużnę całą majętność moją,
a ciało wystawił na spalenie,
lecz Miłości bym nie miał,
nic bym nie zyskał.

1 Kor 13, 1–3

trudno pisać o miłości, szczególnie w takim miejscu
jak blog, szczególnie w takim czasie jak ten.
mogę żałować, że tyle czasu szukaliśmy się.
mogę cieszyć się, że jednak znaleźliśmy się.

Babcia B. powiedziała: *gdy o nim mówisz,*
za każdym razem śmieją ci się oczy.

WTOREK 20 kwietnia 2010
no i proszę: kilka dni oswajania raka, a już go nie mam.
jestem zdrowa!
nic mi nie jest!
nawet jeśli boli tu i tam, w głowie się kręci, to w sumie
jest prawie dobrze, a nawet – bardzo, bardzo dobrze.

spotkałam się wczoraj z prezesem (tym od zapełniania
lodówki) i ustaliliśmy, że do operacji będę
kontynuować kołczowanie zespołów sprzedaży.
w okresie rekonwalescencji mam się zająć merytorycznym
nadzorem działań zespołów sprzedaży via telefon / mail.
to bardzo miła propozycja, chociaż wydaje mi się nierealna.
tak samo nierealna wydaje mi się operacja – bo przecież
skoro jestem zdrowa, to dlaczego mam być operowana?

– może to dla pani będzie dziwne pocieszenie, ale u nas w firmie
wszyscy mieli raka i wszyscy z tego wyszli i są zdrowi.
a może oni, tak jak ja, nie byli w ogóle chorzy? :]

– Jak tu jest, pytasz? Powiedz mu, Jakow, jak tu jest.
– Z lewa chujnia – wyjaśnił Jakow Lwowicz
Awierbach. – Z prawa chujnia. A pośrodku pizdiec.

Andrzej Sapkowski, *Żmija*

blog odnotowuje znaczną popularność, mając
średnią dzienną ilość odsłon ponad 350.
rozumiem, że wchodzicie na stronę sprawdzić, czy żyję.
dziękuję Wam uprzejmie, to zaskakujące i wzruszające.

PONIEDZIAŁEK 19 kwietnia 2010
gdybym mówił językami ludzi i aniołów,
a Miłości bym nie miał,
stałbym się jak miedź brzęcząca
albo cymbał brzmiący.
gdybym też miał dar prorokowania
i znał wszystkie tajemnice,
i posiadał wszelką wiedzę,
i wszelką możliwą wiarę,
tak iżbym góry przenosił,

PIĄTEK 16 kwietnia 2010
miałam założenie, że nie będę pisać
smutno, ale chyba nie uda mi się.
muszę się pożalić.

otóż nie daję rady czytać książek ani grać w FarmVille,
zasypiam w trakcie filmów, nudzi mnie surfowanie.
nie umiem się skoncentrować, zapominam, co chciałam zrobić.
po kilku krokach po domu, po jakiejkolwiek czynności,
np. rozwieszeniu prania czy zmyciu naczyń, muszę się
położyć. jestem zmęczona i wszystko mnie boli.
może to od stresu.

więc leżę. leżę zmęczona i męczy mnie
leżenie, i męczy mnie zmęczenie.

irytujące.

SOBOTA 17 kwietnia 2010
w obliczu niefortunnie zakończonej wycieczki katyńskiej
oraz (jednak głównie) powodowana względami osobistymi
spisałam testament: *moją wolą jest, aby temu dać
to, tamtemu tamto, a tobie figę z makiem, amen.*

postanowiłam, że nawet po śmierci będę
złośliwa i zaskoczę bliskich.
największym problemem było przekazanie opieki nad Giancarlem.
rozwiązałam to w najlepszy z możliwych sposobów: *wolą moją
jest, aby Niemąż ożenił się z moją Matką albo / i ojcem Syna.*

ahoj, przygodo!

NIEDZIELA 18 kwietnia 2010
*(...) uznał, że czas na pytanie o znaczeniu egzystencjalnym.
– Powiedzcie – uniósł wzrok – jak tu jest?
Barmalej parsknął.*

ŚRODA 12 maja 2010
ta-dam!
jest wynik badania podrobów!
i wynika z niego, że nie wiadomo, co wynika.
(podczas operacji była zrobiona tzw. intra, z której
również nie wynikło nic jednoznacznego).

wnioskuję więc, że jestem zdrowa, skoro nie wiadomo,
czy to rak żołądka, czy jajników i na co się przerzuca.

teraz trzeba poczekać kilka dni na wynik badania
histochemicznego, może wnioski będą mniej enigmatyczne.

CZWARTEK 13 maja 2010
drżą usta, kapią łzy, żyłka w brzuchu się napina,
wpycham się nosem, jak pies, w ramiona Niemęża.
schowana, wtulona, pytam, czy umieram i jak mam to poznać.
– *jeśli czujesz, że umierasz, to tak jest.*

byliśmy dziś na spacerze – od domu do staregu rynku,
przystanek na ławeczce na placu, w drodze powrotnej
odwiedziny w sklepie spożywczym, powrót do domu.
w spodniach do modern jazzu naciągniętych pod pachy,
crocsach, zimowych podkolanówkach, podkoszulce
z długim rękawem i polarowej kamizelce.
z trudem łapię oddech. bolą szwy. mam zawroty głowy.
idę, kroczek za kroczkiem. idę. sukces.

a jeśli umieram, to co będzie dalej?
będę was odwiedzać, może straszyć, może drżeć
listkami bzów w bezwietrzną pogodę.
będę wróbelkiem na parapecie, może kamykiem
w bucie, może chmurą w kształcie dinozaura.

– *zastanów się, Maleństwo, czy jesteś szczęśliwa,*
czy chcesz coś zmienić.

nie chcę.
zdecydowanie nie chcę.

* * *

zapytałam dziś Syna, kim chce zostać, gdy będzie dorosły.
odparł: *dziadem, któremu kot nasrał na głowę.*
absurdalny ma humor. po mamusi.
albo po Babci B.

PIĄTEK 14 maja 2010
z rakiem czy bez, nie mogę przecież wyglądać
jak fleja, byłam więc u fryzjera.
moja ukochana Iwonka ostrzygła mnie tak jak zazwyczaj,
tj. tak jak zechciała. lubię to: wchodzę do fryzjera, nie wiedząc,
z jaką fryzurą wyjdę. tym razem powiedziała, że nie ostrzyże
mnie króciutko, bo i tak mam już *główkę jak makówkę.*
nie lubię nawiązań do mojego
wychudzenia, drażnią i kłopoczą.

boki bolą mnie już od rekonwalescencji
po operacji. nie można tyle w domu siedzieć!
po fryzjerze sterroryzowałam Niemęża
i pojechaliśmy do Babci B. dowiedzieć się, na co jestem
chora wg dzisiejszych badań kliniki.
potem, trochę podstępem, udało mi się Go namówić
na zakupy w centrum handlowym.

a teraz odpoczywam w pościeli, obłożona
kanapkami, herbatką, książką.
misja spełniona :)

aha.
ciekawi niech wiedzą: rak żołądka.
będzie dobrze, tak postanowiłam.

chyba dobrze.

SOBOTA 15 maja 2010

postanowiłam posprzątać: zaległe dwa segregatory
papierzysk, netbook i zewnętrzny dysk.
żebyście nie musieli tego robić po mnie, ja zrobię to za Was.
nie wierzę w chemioterapię, nie wierzę
w zaleczenie ani w wyleczenie.
wierzę w przypadek: może się uda, a może nie.
może przeżyję jedną chemioterapię, a może dwie.
może nawet dożyję do następnej operacji.

Niemąż mówi, żebym się nie bała, *po śmierci musi*
coś być, 98% ludzkości nie może się mylić.
Wierzę Jemu, bo spędził wiele lat w zakonie i był
w seminarium duchownym. Nie może się mylić, nie On.

nie żal mi siebie, że umrę.
żal mi, że zniknę ja, klamerka łącząca
Syna, Niemęża, mieszkanie.
żal mi, że znikniemy jako rodzina.
żal mi, że nie wychowamy razem mojego mądrego
i dobrego Syna tak, jak bym marzyła: żeby stał się prawym
i nieustraszonym mężczyzną. żeby był taki jak Niemąż –
człowiekiem wielkiego formatu, niepospolitą osobowością.

boski, ślepy przypadku, rządź!

NIEDZIELA 16 maja 2010

kontynuujemy tradycję niedzielnych obiadów u Babci B.
anonsuję nas, potem jak zwykle zbieramy się
w pośpiechu, przyjeżdżamy spóźnieni.
Babcia B. nie lubi spóźnialskich, ale jak
zawsze niczego nie komentuje.

na stół wjeżdżają kurze schabowe, kiszone
ogóry ze śmietaną, tłuczone ziemniaki.
gościmy się.

i właściwie jest n o r m a l n i e, prócz tego że dziś mój
obiad jest ze słoiczka dla dzieci od 9 miesiąca życia.

PONIEDZIAŁEK 17 maja 2010
jest poniedziałek, nadal mam raka, jeszcze żyję.
teraz ważę około 52 kg, ale wcinam słoiczki, więc
zamierzam wrócić do swojej poprzedniej wagi.

byłam dziś w szpitalu na wizycie u chemioterapeuty,
który opowiedział mi o chemioterapii paliatywnej.
że na ten typ raka działa.
bardzo opornie.
że skutkiem ubocznym chemii będą
zaburzenia szpiku kostnego, białaczka.
ale że umrę bez bólu, bo są mili i dadzą
mi przeciwbólowe leki w syropku i w plasterku.
że zostało, statystycznie rzecz ujmując, kilka miesięcy.
że krótko mówiąc, spędzę chwilę-dwie
w szpitalu na niby-leczeniu i umrę.
że jeśli chodzi o mój typ raka, to w sumie nie warto
się podejmować chemioterapii. tylko się umęczę.

wizytę w stolicy uczciliśmy obiadem w mojej ulubionej Różanej.
ja, Niemąż, Babcia B.
i grobowa cisza.

WTOREK 18 maja 2010
jednym z moich najważniejszych odkryć
życiowych (w pierwszej dwudziestolatce) było
stwierdzenie, że nie należy kłamać.
jeśli jesteś wolny, nie kłam. jesteś wolny, więc nie kłamiesz.

przedwczoraj opowiedziałam Synkowi o tym, jak się
nazywa moja choroba, pokazałam kawałek blizny
(*wcale się nie boję patrzeć, mamusiu, serio*).

wczoraj opowiedziałam Mu o tym, że pan doktor
powiedział, że nie ma lekarstwa dla mamusi i że nie
ma lekarza, który umiałby mnie wyleczyć.
– *nikogo nie ma? może zapytaj się jeszcze
tatusia, może Andrzeja, może oni znajdą?*
(Andrzej to mąż Pani Opiekunki).

– *boję się, mamusiu, boję się, co ze mną będzie, gdy
ty umrzesz* – szeptał wtulony we mnie, On – nocny
mechanik samochodowy, w granatowej piżamce
skafandrze, z Zygzakiem McQueenem na ramionku.
leżał w łóżeczku, ja – przycupnęłam na kotku
śpiworku. głaskaliśmy się po buziach, ścierając
sobie nawzajem wnętrzami dłoni łzy.
– *ale ja chcę, żebyś ty żyła.*
– *żyję dzięki temu, że mnie kochacie aż tak
mocno, będę żyć, ile tylko dam radę, obiecuję.*

nadal pachnie maleńkim dzieckiem.
ma zaledwie 5 lat i 4 miesiące.
jest taki bezbronny.

– *ale mamusiu, ty nie jesteś przytulanką jak Adolfek, żeby
żyć miłością. niech ktoś cię wyleczy, poszukaj, proszę cię.*
szukam, Synku, szukam.

ŚRODA 19 maja 2010
oto, moi mili, najświeższe doniesienia
z frontu poszukiwań ratunku.
byłam dziś u słynnego doktora medycyny
tybetańskiej. obejrzał siku, pomacał puls, przepisał zioła
w kulkach, powiedział, że moja choroba to nic groźnego,
i kazał wrócić za dwa tygodnie po kolejną porcję ziół.
– *you tiger, now you have to relax, no stress, no chicken, no
fresh fruits, no juices, no chocolate, no coffee, no hot meals.*

wujek gugle mówi, że działają:
– witamina C, 1000 mg, codziennie (ale
to zapobiegawczo, więc he-he-he, nie dla mnie),
– preparat TS-1,
– sok Noni,
– witamina B17 – w Niemczech jest klinika, gdzie podają ją w żyłę.

planuję jeszcze:
– pokazać preparaty histopatologiczne z operacji dwóm sławom
patomorfologii, może coś wymyślą innego niż ta pierwsza,
– pójść na konsultację do dwóch innych mistrzów
chemioterapii, liczę, że istnieje jakiś bardziej rokujący
schemat podawania chemii od tego z Szaserów.
potem namyślę się, co dalej.

a czas biegnie.
muszę podjąć decyzję o chemioterapii
w przeciągu 6 tygodni od operacji.

CZWARTEK 20 maja 2010
jeden dzień picia zielsk od doktora i dzieją się cuda.
spałam dwanaście godzin.
wstałam w świetnym humorze, bardzo energetyczna, więc
wygoniłam nas na dwór. na spacerze biegłam, jakbym była
po amfie i miała nie zdążyć na samolot, a Niemąż, idąc statecznym
krokiem, powstrzymywał mnie, trzymając za przegub.
czułam się jak balonik na uwięzi.

z okazji mojego nakręcenia odebraliśmy wcześniej
Syna i pojechaliśmy do Babci B., gdzie wyzbierałam
z Giancarlem do wiaderka wszystkie szyszki w ogrodzie,
po czym skoczyliśmy do sklepu sportowego.
iiiiiii... mam rower! śliczny, czarno-srebrny, ze
światełkami, pedałami i w ogóle!
ale się cieszę!
od jutra ruszamy na przejażdżki rowerowe!

czuję się nieprawdopodobnie dobrze pod każdym
względem. mam niesamowity przypływ energii, pogody
ducha, spokoju. chce mi się jeść, nie jestem zmęczona, nie
mam problemów gastrycznych, nic mnie nie boli, a teraz,
gdy nadchodzi noc, jestem przyjemnie zmęczona.

nie wiem, co o tym sądzić.
wydaje mi się, że to niemożliwe, żeby medycyna
tybetańska była aż tak skuteczna.
jestem bardzo mile zaskoczona.

(no chyba że to takie ostatnie podrygi).

PIĄTEK 21 maja 2010
*– A jeśli pewnego dnia będę musiał odejść? – spytał
Krzyś, ściskając Misiową łapkę. – Co wtedy?
– Nic wielkiego – zapewnił go Puchatek. – Posiedzę
tu sobie i na ciebie poczekam. Kiedy się kogoś
kocha, to ten drugi ktoś nigdy nie znika.*
(tłum. Irena Tuwim)

chciałam Wam podziękować.
po operacji dostałam wiele esów ze słowami otuchy i miłości.
teraz piszecie do mnie piękne listy, interesujecie
się, co u mnie słychać, odwiedzacie mnie, oferujecie
pomoc, szukacie lekarstw, lekarzy, rozwiązań.
chociaż przeważnie nie odpisuję ani na esy, ani na maile,
to wiedzcie, że bardzo Wam dziękuję za wsparcie.

dziękuję :)

osobne podziękowanie kieruję do ojca Syna, który,
widzę po statystykach, czyta mnie z Danii.
przypomniał mi wczoraj, że dawno temu
obiecałam jemu taniec na weselu Syna.
dzięki za przypomnienie tej obietnicy.
spróbuję dotrzymać słowa!

NIEDZIELA 23 maja 2010
leżymy przytuleni w moim legowisku.
Giancarlo dopytuje się, o czym i po co piszę
na blogu, i prosi, żebym Mu poczytała.

drogi Syneczku (alias Pulpecie, alias Ciputku)!
piszę o nas, żebyś mógł przeczytać, gdy już będziesz umiał.
piszę na pamiątkę, bo chcę ocalić wspólne chwile.
piszę, bo lubię pisać.
piszę, bo pisanie porządkuje czas.

drogi Syneczku!
piszę do Ciebie też listy na papierze.
listy o tym, co czuję.
o tym, że kocham Cię.
o tym, że jesteś najwspanialszym, najmądrzejszym
i najładniejszym chłopczykiem na świecie.

PONIEDZIAŁEK 24 maja 2010
zastanawiałam się, jak będą brzmiały składane mi dziś życzenia.
Babcia B. jak zwykle była bezbłędna: *szczęścia życzę ci, córeczko.*

no tak.
przyda się.

WTOREK 25 maja 2010
nawiedziłam dziś Centrum Onkologii, skoro
na Szaserów pan przystojny onkolog zatrzasnął
za mną wieko od trumny, spisując mnie na straty.
będąc w stolicy, niejako siłą rzeczy, zjedliśmy obiadek
w Biosfeerze, no i, co oczywizda (bo w pobliżu), kupiliśmy
ekologiczną paszę od braci benedyktynów.

w restauracji podsłuchiwałam rozmowy przy stolikach.
jakoś nikt nie rozmawiał o zdrowiu, tylko
wszyscy o bieżących projektach.

i tak sobie z przyjemnością pomyślałam, że:
1. inni też mają raka, tylko o tym jeszcze nie wiedzą,
2. inni też umrą, tylko jeszcze sobie tego wyraźnie nie uświadomili,
3. moim atutem jest to, że wiem, że prawdopodobnie
w najlepszym razie mam około dwóch lat życia,
więc muszę się postarać ich nie zmarnować,
4. inni nie wiedzą, kiedy umrą, więc nie mają
szansy bawić się tak dobrze jak ja.

* * *

ciekawi pytają, jak jeżdżenie na rowerze.
otóż dziś strategiczna przerwa z dwóch powodów:
1. od wczorajszego jeżdżenia boli mnie kość ogonowa;
2. Niemąż uprawiał jogging wokół roweru, skutkiem czego dziś się
popsuł i chodzi zgięty wpół, bez możliwości spionizowania się.
wrócimy więc do tematu roweru jutro.

ŚRODA 26 maja 2010
Powiedziała mi to lala

1. *Powiedziała mi to lala i powiedział mi to miś, /*
nie zapomnij, że w przedszkolu macie święto mamy dziś. /
Nie martw się, kosmaty misiu, i laleczko nie martw się, /
ja pamiętam o tym dobrze, każde dziecko o tym wię.
ref.: Bo święto mamy jest raz w roku, tylko raz, tylko raz. /
Czekałem na nie niecierpliwie długi czas, długi czas.
2. Ucieszyła się laleczka i ucieszył się też miś, / że pamiętam
o swej mamie i o święcie, które dziś. / Nie zapomnę
nawet wtedy, kiedy minie wiele lat. / Bardzo kocham
swoją mamę, bez niej nie istnieje świat.

było to tak: pani Zosia usadziła mnie na wygodnym krześle,
pani Karolina posłała mi piękny uśmiech, Pani Dyrektor
kiwnęła porozumiewawczo głową, a Giancarlo, między
nerwowymi ziewnięciami, śpiewał o ww. lali i misiu.
oczywiście spłakałam się jak bóbr.

a w prezencie dostałam laurkę z moją podobizną
i kolorowe serce z bliżej nieokreślonego tworzywa.

CZWARTEK 27 maja 2010
dziś do południa miałam raka żołądka, a od popołudnia...

zadzwonili z Centrum Onkologii, że preparaty
histopatologiczne (z kliniki, gdzie mnie operowano) są
tenteges-tamtaramtam, więc dla pewności chcą zrobić
własne szkiełka z bloczków, ponieważ gdyż albowiem
trą oczy ze zdumienia, wpatrując się w mikroskop.

mili państwo, wiedziałam, że jestem oryginalna,
wiedziałam, ale żeby aż tak? pfff.

i znowu zacznie się tygodniowo-dwutygodniowe
oczekiwanie na wynik badania histopatologicznego,
pewnie też histochemicznego.
niefajnie.

* * *

byliśmy dziś z Niemężem uczcić święto.

oczywiście tybetańskie zioła wystąpiły w roli głównej,
zaś po regulaminowej półgodzinie od wypicia ziół, gdy
wjechały na stół warzywa na parze w sosie migdałowym,
wyciągnęłam zza pazuchy cielęcinę od Babci B.

zauważyłam, że jestem obserwowana przez kelnera.
pewnie się zastanawiał, co jeszcze, prócz ugotowanego
mięsa i ziół w proszku w kieliszku, wyciągnę z torby.

SOBOTA 29 maja 2010
z każdym dniem lepiej oswajam mojego *carcinoma*
i moje liczne *metastases carcinomatosae*.

do tego stopnia, że już od dobrych kilku dni udało
mi się wyeliminować ataki panicznego lęku z powodu
zbliżających się napisów końcowych filmu.

każdego dnia analizuję sytuację tak bardzo wnikliwie,
jak tylko się da, i staram się dojść do wniosków,
na których oprę strategię przetrwania.
wstępnie ustaliłam, że:
1. nie wytrzymam (psychicznie) lękania się o swoje
życie i nie wytrzymam zastanawiania się, czy słabnę,
jak słabnę i czy widzę już światełko w tunelu,
2. trzeba się czymś zająć, żeby mniej myśleć,
3. zajęcie musi być wciągające.

niewątpliwym atutem choroby jest to, że mam mnóstwo czasu,
mogę więc robić tysiąc rzeczy, które odkładałam na *później*.

WTOREK 1 czerwca 2010
zarejestrowałam się dziś w Centrum Onkologii na Roentgena,
siedzibie głównej łysych głów, pergaminowych twarzy,
zbolałych spojrzeń, opuchniętych i wychudzonych
ciał, przygarbionych pleców i szurających stóp.
w przyszłym tygodniu pójdę tam na konsultację
do pewnego docenta, który zaproponuje
optymalną metodę exodusu życia z ciała.

a Wy, moi mili, weselcie się, czym się da, póki się da.

ŚRODA 2 czerwca 2010
grzmi i pada. uwielbiam deszcz i burzę.
uwielbiam zapach ozonu w powietrzu.
uwielbiam wsłuchiwać się, jak deszcz
uderza o szyby i parapety.
niech leje przez cały dłuuuuugi weekend!

* * *

powiedziano mi dziś, że za sprawą mojego bloga doktor medycyny tybetańskiej ma od tego tygodnia o pacjenta więcej. życzę tej osobie dużo zdrowia, przynajmniej tyle, ile ja mam dzięki jego ziołom i diecie.

porady doktora to truizmy: nie jeść cukrów prostych,
białej mąki, nie pić kawy, prowadzić regularny tryb
życia, jadać o stałych porach ciepłe posiłki, które
samemu się przyrządzi, zasypiać maks. o 23.00 itp.
nie wyobrażam sobie nikogo zdrowego,
żeby chciał zastosować się do tych porad.

PIĄTEK 4 czerwca 2010
dziś mija miesiąc od operacji.

nadal żyję, nawet nieźle, a rak wręcz jest kwitnący
(tknięta przeczuciem zbadałam go dziś sobie
w szpitalu – fantastycznie się rozwija; chyba mu jakieś
imię nadam, żeby go bardziej spersonalizować, a jego
zdjęcia z tomografii zacznę nosić w torebce).

no więc żyję.
żyję i staram się nie reagować na porady i komentarze na temat
tego, co powinnam lub nie powinnam (*przeprowadzić się,
iść na rentę, pracować, jeździć na rowerze, ufarbować włosy,
uprawiać seks, być na diecie, pić zioła, przyjmować chemioterapię*).

staram się nie widzieć żałośnie poczciwego
dystansu, z jakim się mnie traktuje.
staram się.
staram się nie zauważać.

ale któregoś dnia, jak umrę, kruca bomba,
przysięgam! będę straszyć!
pootwieram wszystkie szafy, szafki i szuflady
i porozrzucam rzeczy po podłodze, będę skrzypieć
parkietem i drzwiami, schowam klucze od samochodu
do zamrażalnika, a klucze od domu do samochodu. zepsuję
krany, żeby wiecznie ciurkały po kropelce, spalę twarde dyski
komputerów i zgubię telefony komórkowe, powydłubuję
misiom i lalkom oczka, a samochodzikom koła. skrzywię
ramy rowerów, motocykli i skuterów. spalę, zgniję,

spleśnieję i zjełczeję jedzenie. i wysuszę trawniki
na wiór. i zagłonię oczka wodne, sadzawki i baseny.
zapchlę koty i psy, zagrzybię rybki i stopy.

a tymczasem staram się z kamienną twarzą i z w miarę
neutralnym głosem uczestniczyć w złych rozmowach.

PONIEDZIAŁEK 7 czerwca 2010
podziękowania dla Niemęża za spisanie
piosenki, którą usypiała Go Babunia:

Rośnie nowotwór i rośnie, lewego płuca już brak,
lekarze oraz lekarki zgodnie nucili tak:

hej nowotwór, jaki piękny, jaki cudny duży rak,
z nim przeżyjesz chwile trudne, nim cię w końcu trafi szlag.
Będziesz czołgał się i jęczał, bez morfinki z bólu wył,
on cię jednak nie oszczędzi, w końcu w ziemi będziesz gnił.

(należy dodać, że Babunię toczył rak płuc,
co piosence nadaje szczególnego uroku).

* * *

jadę dziś na konsultację do pana docenta w Centrum Onkologii.
jak bym ja chciała, żeby mi powiedział, że nic mi nie jest.

WTOREK 8 czerwca 2010
– mam pewną niewielką sugestię dotyczącą prania dołu
od mojej piżamy – któregoś dnia bladym świtem Syn
wyłonił się w kuchni z gołą dupiną, trzymając w dwóch
paluszkach wilgotne spodenki – *jakoś się zasikała.*

lubię być mamą.
tak.
lubię troszczyć się, dbać, tulić, miętolić, łaskotać, wycałowywać,
dawać pierdziochy, tłumaczyć, ochrzaniać, wygłupiać się.

obserwuję Syna, jak się rozwija, jak rozumie
świat, który wspólnie tworzymy.

* * *

*– o rany, wszyscy się mnie pytają, co dzisiaj robiłem
w przedszkolu, pfff.* – Giancarlo skrzywił się do ojca
przez skajpa – *no, karę dziś miałem z Oliwią, bo dziś
na dworze robiliśmy do siebie miny idiotów.*
po chwili namysłu dodał: *ale to wszystko przez
Krzysia, bo mnie zachęcał do przygłupiania.*
i pożegnał się: *dobra, ojciec laptopowski, tra ta ta ta kum, kum,
kum, muszę kończyć już rozmowę, bo wychodzimy do sklepu.*

* * *

opowiadał mi Niemąż, jak dziś nad ranem pojawił się
w naszym pokoju Giancarlo i z nieprzytomnym spojrzeniem
poprosił: *Wujeczku, ściągnij mi dzbanek z kredkami.*
Niemąż zaczął się dopytywać po co, ale nie było odpowiedzi,
tylko powtórzona dalej ta sama prośba. podał więc kredki.
Syn wyłuskał fioletową i pobiegł do swojego pokoju,
do Pani Opiekunki: *taką mi dziś załóż bluzeczkę.*

* * *

nie mam siły pisać o wczorajszej wizycie w Centrum Onkologii.
inną razą opowiem.

ŚRODA 9 czerwca 2010
raka zwalczyła (wg gawędy ginekologa, który mi go wykrył)
pewna pani, która miała raka szyjki macicy. i pomimo
złych prognoz żyje w zdrowiu od trzydziestu lat.
wg innej opowieści, tym razem z Centrum Onkologii, to nie
była pani, tylko pan, i nie był to rak szyjki macicy, tylko jelita
grubego. i ten pan żyje, również w zdrowiu, od czterdziestu lat.

a według mnie to nie była pani, to nie był też pan.
to był rower.

i nie miał raka szyjki macicy ani jelita
grubego, tylko koszyk na zakupy.
i nie żyje od trzydziestu czy czterdziestu lat –
bo przecież rowery nie żyją – tylko stoi w kącie
w piwnicy, pokryty pajęczynami i kurzem.

oczywiście miło byłoby uwierzyć w te opowiastki,
ale biliw mi, ja wiem, na co jestem chora.
wiem, jakie są rokowania *carcinoma solidum*
wychodzącego z żołądka.
znam statystyki.
wiem, jak się czuję.

* * *

przemiły pan docent w CO zaproponował chemioterapię (*może
być doustna, może być dożylna, może być podawana stacjonarnie,
może być brana w domu*) połączoną z (o ile wyjdzie w badaniu,
że mój rak jest wrażliwy na tę substancję) uczestnictwem
w programie klinicznym GSK (nazywa się to *A phase III study
of ERBB2 positive advanced or metastatic gastric or esophageal
or gastroesophageal junction adenocarcinoma treated with
Capacitabine plus Oxaliplatin with or without Lapatinib*).
badanie jest oczywiście podwójnie ślepą próbą.
dziś bloczki ze mnie pojechały do Niemiec na sprawdzenie,
czy kwalifikuję się do tego badania klinicznego.

tak, pan docent zna *te wszystkie zioła, tak, bez sensu jest ich branie.*
pan docent nie zaleca żadnej diety (pytałam się o m.in. spirulinę).
nie, nie ma co się spieszyć z chemioterapią.
pan docent zadzwoni do mnie, gdy przyjdą wyniki z Niemiec.

* * *

– co pan docent sądzi o japońskim preparacie S-1?

otóż pan docent zna preparat, bo prowadził nad nim badania.
pan docent poleca.

bo to bardzo nowoczesny lek.
faktycznie, w tej sytuacji prawdopodobnie najlepszy z możliwych.

i cóż z tego, że dzięki zaangażowaniu przyjaciół Babci B.
mam dostęp do leku w 24 h w Warszawie z Japonii via RPA.

nikt mi go przecież nie poda, bo lek nie
jest zarejestrowany w Polsce.

SOBOTA 12 czerwca 2010
po bardzo, bardzo, bardzo dobrej i długiej konsultacji
u profesora w Krakowie zrobiłam definitywne podsumowanie
odnośnie do możliwości mojego leczenia, w tym – ewentualnej
terapii neoadiuwantowej (i jej sensu lub braku).
tak czy inaczej jest teraz czas na zorganizowanie
chemioterapii – 15 czerwca zacznę siódmy tydzień od operacji.

mam już pełną jasność w związku z opinią
Wielkich Specjalistów o najbardziej efektywnych
metodach leczenia raka żołądka.
będę na własną rękę przyjmowała TS-1, o ile uda mi się ubłagać,
żeby wlano mi dożylnie samą oxaliplatynę albo cysplatynę.

nie jestem zainteresowana chemioterapią
capacitabiną (alias xelodą) z pochodną platyny.
statystyki takiego schematu chemii jakoś mnie nie przekonują.
albo inaczej – przekonują do nieleczenia się tą metodą.
7% przeżyć w badaniu pięcioletnim to mało, za mało.
chcę w każdy możliwy sposób zwiększyć swoje nikłe szanse.

PONIEDZIAŁEK 14 czerwca 2010
głoska *ch* zasponsoruje ten tydzień, bo zaparłam
się, że DAM RADĘ w tym tygodniu znaleźć
onkologa chemioterapeutę, który mi pomoże.

* * *

właściwie to nic mnie nie boli.
a tak jeszcze właściwiej – bóle odczuwam i tu, i tam, ale
podjęłam decyzję, że to nieprawda, i o ile nie zacznie mnie
napierniczać mocno, to nie będę brać leków przeciwbólowych.
od dnia wypisania się ze szpitala po operacji
Niemąż na(p)sikał mi tramadolem pięć razy, z czego
dwukrotnie dawkę poniżej zalecanej minimalnej.
traktuję niebranie albo ograniczenie środków
przeciwbólowych (przy jednoczesnym
sprawnym funkcjonowaniu, bez jakiegokolwiek
kwękania) jako triumf ducha nad ciałem.

* * *

i o jeszcze jednym muszę Wam napisać.
to głupia sprawa, ale…
otóż powinnam przecież umierać, a mam
energię, apetyt i dopisuje mi humor.

w sumie czuję się niezręcznie.
to jest tak, jakbym każdego dnia oszukiwała przeznaczenie.
i co więcej – z każdym dniem bardziej.

* * *

udało się!
donoszę, że znalazłam normalnych lekarzy, którzy
nie robią problemów z leczeniem TS-1.
jak tylko dotrą do mnie japońskie tablety,
zaczynam chemioterapię!

jupi!

* * *

ślicznie jest w Wieliszewie, nieszpitalnie.
parking obszerny (i pusty), budynek czyściutki,
ładny; korytarze, gabinety i ubikacje też.

i wokół tak zielono. i Zalew Zegrzyński obok. i ta rozczulająca
bliskość drogi na Mazury, do Agnieszki, Adama i Matyldy.

podsłuchałam rozmowę dwóch pacjentów: *tu jest jak w pensjonacie.*

* * *

oczywiście mam świadomość znaczenia
terminu *chemioterapia paliatywna.*
wiem, że nie mam żadnych szans na wyleczenie.
no ale co z tego.
każdy dzień to wygrana!
:)

WTOREK 15 czerwca 2010
wieczór. myjemy zęby i gadamy o minionym dniu.
– *zastanawiałam się, że gdybym tak stała jak*
te dziewczyny, co stoją przy drodze nad Zegrze,
to po jakim czasie zatrzymałby się jakiś samochód.
– *kochanie, bez wątpienia po kwadransie maksymalnie.*
– *eee, no co ty.*
– *no serio, serio. myślę, że one mają bardzo czujnych alfonsów.*

* * *

dziś kolejny dzień załatwiania tysiąca spraw,
w tym – tomografii komputerowej.
przed rozpoczęciem chemioterapii muszę mieć
zrobioną kolejną tomografię, tym razem klatki
piersiowej, jamy brzucha i miednicy mniejszej.
próbuję się wkręcić do tego radiologa, którego tak
mieszaliśmy z błotem, a który niestety wymyślił
mi raka żołądka. tym bardziej chcę do niego, bo pracuje
na tomografie sześćdziesięcioczterorzędowym.

i znowu będę pić kontrast.
bueee.

CZWARTEK 17 czerwca 2010
nie zakwalifikowałam się do klinicznego
programu badawczego.
laboratorium w Niemczech podało, że mój
rak nie ma ekspresji ERBB2.
no i ch., nie będzie chemioterapii
z lapatinibem w Centrum Onkologii.

* * *

widzę, jak niezręcznie jest ludziom
rozmawiać ze mną o odchodzeniu.
a mnie niezręcznie jest nie rozmawiać.
nie lubię udawania.
a już szczególnie drażni mnie, gdy ktoś próbuje gasić mnie
w rozmowie: *no weź, już o tym nie mów, nie opowiadaj.*
w moim życiu nie ma teraz nic ważniejszego.
i chcę, potrzebuję być z ludźmi, którzy
umieją to zaakceptować.

* * *

dwa dni temu, po spotkaniu dotyczącym projektu, który
jest bardzo, bardzo bliski mojemu sercu (jak tylko się
urodzi, pochwalę się nim), jeden z uczestników spotkania,
Robert, powiedział coś w stylu: *trudno się odnaleźć*
w rozmowie z tobą, gdy nabijasz się ze swojego umierania.
no tak. taka byłam, taka jestem. nabijam się.
z siebie, z choroby. co innego mogę zrobić?
postaram się kpić, póki starczy mi sił.

* * *

oczywiście nie ma co się ściemniać – jestem
przy wyjściu, już prawie naciskam klamkę, już
za chwilę przejdę przez próg na drugą stronę.
wiem o tym. i nawet Synek, w swoim mikrowymiarze,
wie o tym. i Niemąż wie. i kto jak kto, ale Babcia B. też.
ale jednocześnie żyję, żyję z całych sił i ignoruję chorobę.

i to jest bardzo, bardzo miłe.
takie intensywne.

myślę, że nawet umieranie można celebrować.

* * *

obiecuję, że jak przejdę na drugą
stronę, to będę na Was czekać.
przytrzymam Wam drzwi. podam kapcie.
oprowadzę po obiekcie. pokażę, gdzie jest
kuchnia, gdzie ubikacja, gdzie są sypialnie.

i choć nie wierzę w Boga w kościele, w eucharystii,
w księdzu, to mam wiarę, że Tam coś jest.
coś bez wątpienia dobrego.
jak powiedział Niemąż: *tyle religii nie może się mylić.*

ŚRODA 23 czerwca 2010
mogłabym Wam przedstawić skan opisu piątkowej
tomografii (ile to człowiek może się o sobie,
tzn. o swoich przerzutach, dowiedzieć, hu-hu-hu).
albo napisać, co dziś robiłam, żeby z kliniki w Hamburgu
poprzez Centrum Onkologii w Warszawie wysłać do RPA
bloczek z tkanką pobraną w klinice przy Szaserów.
albo mogłabym przedstawić w szczegółach procedurę
odbierania paczki z tabletkami ze składu celnego
urzędu pocztowego przy ulicy Łęczycy cośtam.

ale nie, nie zrobię tego wszystkiego.
jak powiedział Niemąż: *końskie zdrowie*
trzeba mieć, żeby móc chorować.

* * *

wciągam truskawki i popijam białe wino. z gwinta.
właściwie powinnam napisać – opijam sukcesy:
– bo mam te pieprzone tablety,

– bo dostałam dziś maila z poważną i interesującą
propozycją współpracy (i to od kogoś, kto wie,
że jestem chora, nenenenenenenene),
– bo tak w sumie, mimo pewnych niedogodności,
wszystko nam w życiu się układa.

* * *

a na zakończenie dzisiejszego posta wzniosę toast
za wszystkich Ojców, bo dziś Wasze święto.
oby Wam się, Panowie.

CZWARTEK 24 czerwca 2010
robił prawie samodzielnie pyszny tort.
kupił składniki, potem pomógł je wnosić do domu.
rozmieszał ser, rozłożył biszkopty w tortownicy,
wylał masę na biszkopty.
zrobiłam raz-dwa galaretkę, wylałam na całość, wetknęłam trzy
truskawki, bo już mi sił zabrakło, żeby się przyłożyć do zdobienia.
wówczas Giancarlo wkroczył ze szlaczkami z lukrowych
pisaków oraz zatknął świeczki – ponieważ nie ulegamy
drobnomieszczańskim uprzedzeniom, że świeczki
są dobre tylko na tortach urodzinowych.

* * *

Syneczku, masz piękne, proste imię.
nosisz imię mojego Taty i Taty mojego
Taty (i chyba prapradziadka też).

sto lat, Panie Pomidorze.
kocham Cię.

* * *

jutro zaczynam chemioterapię.
do domu pościągaliśmy, co tylko wydało się nam stosownie
pożywne: tonę cielęciny, nasiona amarantusa, kaszę
orkiszową, olej lniany tłoczony na zimno, spirulinę, algi

w zalewie z soli morskiej, sok Noni, sok żurawinowy, migdały, łatwo przyswajalne żelazo, odżywki dla kulturystów, dekstrozę, ksylitol, gastrolit, napoje dla sportowców.

a ja marzę o kawałku pasztetowej. albo salcesonu z octem.

* * *

dziś po raz kolejny obcięłam włosy, tym razem już na bardzo, bardzo krótko. Niemąż powiedział, że jak na chłopczyka narkomana to ślicznie wyglądam. MUSZĘ robić sobie oko. tak. MUSZĘ pilnować robienia tapety.

nie wiem tylko, czy wówczas nie będę wyglądać jak chłopczyk narkoman-gej-trans-cross.

PIĄTEK 25 czerwca 2010
oto jestem po pierwszej chemii. i nic mi nie jest.
a to było tak: rano wujek Adam nas zawiózł, po południu wujek Jaguar odebrał, następnie podjechaliśmy do Mariny Diany na obiad, potem kupiliśmy superczopek na nudności, zaś w domu profilaktycznie poprawiłam serniczkiem, a tu n i c. nawet najmniejszego pawia.
liiiipa.

NIEDZIELA 27 czerwca 2010
no niestety.

a nawet – www.rzygam-dalej-niż-widzę.pl

PONIEDZIAŁEK 28 czerwca 2010
zżera mnie chemia, a dodatkowo zżera mnie wirus.
nie mam ani pragnienia, ani łaknienia. wypijam kilka łyków wody pod presją Niemęża gapiącego się we mnie złowrogo; jeśli chodzi o moje jedzenie – nawet On się poddał, chociaż podtyka mi kaszki i bez słowa komentarza odnosi je do kuchni.

wolno myślę i jeszcze wolniej działam.
boli ucho, gardło, katar zatkał mózg. mam temperaturę.
jestem kłębkiem nieszczęścia.

ile człowiek musi się nacierpieć, zanim umrze. a wszystko
w imię udawania, że chemioterapia leczy.
okropne.

* * *

późnym wieczorem ojciec odwiózł nam Syna.
niestety Giancarlo jest empatyczny.
– *tęskniłem za wami i robiłem smutną minkę, ale wstydziłem
się powiedzieć tatusiowi, że za wami tęsknię.*
i poprawił przy wieczornych ablucjach:
– *zawsze będę cię kochał, mamusiu, bo jesteś najwspanialszą
mamusią, bo robisz mi wspaniały prysznic na ciałko i na cmentarzu
będę cię często odwiedzał. ale na razie masz twarde kosteczki,
jeszcze się nie rozsypałaś, więc przytul mnie mocno.*
a potem okazało się, że Włoszka Przytulanka została
u ojca, więc trzeba było szybko znaleźć godną zastępczynię
do nocnego kojenia – podskubywania w łóżeczku.

* * *

paradoksem jest, że mimo nosa zatkanego
katarem wyostrzył mi się węch.
nie jestem w stanie otworzyć lodówki – jedzenie w niej śmierdzi!
nie jestem w stanie napić się wody mineralnej
z butelki – butelka śmierdzi!
nie jestem w stanie wtulić się w Niemęża – śmierdzi perfumami
/ proszkiem do prania / płynem pod prysznic / bawełną.
(a Babcia B. na to: *a jak śmierdzi bawełna, przybliżysz nam?*).

* * *

mam pytanie do lekarzy: czy nie dałoby się przeprowadzać
chemioterapii w stanie śpiączki farmakologicznej?
zgłaszam się na ochotnika...

WTOREK 29 czerwca 2010

napisała do mnie maila pewna pani z pytaniem, po co piszę
bloga i po co w fejsiku podaję linka do bloga.
wyczuwam w tych pytaniach nutkę irytacji i niezadowolenia.

więc ja zapytam Panią: czy nie wypada
pisać o chorowaniu, o umieraniu?
a może drażni Panią, że piszę o temacie tabu?
(młodzi ludzie nie umierają, prawda? młodzi ludzie giną
ewentualnie w wypadku awionetki, n'est-ce pas?).
miła Pani, blog to literatura, to świat wykreowany –
nawet jeśli oparty na fragmentach rzeczywistości.
utrwalam tylko to, co chcę, tak jak chcę.

resztę wspomnień zabiorę ze sobą do słoika.

ŚRODA 30 czerwca 2010

powoli nabieram wiedzy o niwelowaniu
skutków ubocznych chemioterapii.

na mdłości polecam zofran – oczywiście na receptę
z wpisaną literką *P* (dla niewiedzących objaśnienie –
P określa graczy z chorobą przewlekłą; nie dopisujcie
sobie sami tego na recepcie, bo jak kontrola apteczna
trzepnie Waszego doktorka, to marnie z nim będzie).
dzięki literce *P* lek (szt. jeden) kosztuje 10 zł zamiast 100 zł.

no więc upychamy ww. zofran tam, gdzie każdy
prawdziwy mężczyzna marzy, żeby zajrzeć biologiczną
sondą przynajmniej raz w życiu, a następnie powtarzać
to co jakiś czas, czyli pięć razy dziennie.

zaopatrzeni wewnętrznie w czopek kładziemy się z głową
wysoko ułożoną na poduchach (mnie pomaga leżenio-siedzenie
na boku, z podkulonymi nogami) i zaczajamy się.
oddychamy głęboko i miarowo.

istotne jest, żeby przyjąć lek jak najszybciej, kiedy zbiera się
na mdłości, nie czekać, aż nam żołądek wypadnie do umywalki.
tymczasem nasza Domowa Obsługa włącza
spokojniutką muzyczkę i zasuwa rolety.
w zasięgu pawia przygotowano nam: miskę, ręczniki
papierowe, wodę mineralną lub słabą herbatę – wszak trzeba
dokarmiać zwierzątko, a rzyganie samymi sokami trawiennymi
zostawmy chorym na grypę żołądkową. my nie możemy
się odwodnić. zmuszamy się do picia drobnymi łyczkami.
Babcia B. poleca wrzucić do picia szczyptę soli i glukozy – w smaku
będą niewyczuwalne, ale a nuż się wchłoną.
jak już lekarstwo zadziała i nudności miną, to wtedy pędem
do Babci B. po niepowtarzalną życiodajną ogórkową.
albo po cokolwiek innego, na co mamy tzw. smaka.

CZWARTEK 1 lipca 2010
odwaliłam Niemężowi szopę, totalny cyrk, aż wstyd się przyznać.
właściwie – przeszłam samą siebie.

otóż rozpłakałam się, że pewnie chciałby mnie zostawić,
bo jestem chora, ale że mnie nie zostawi, bo jestem
chora, i że jest ze mną z litości lub z przyzwoitości.
i że nie, to niemożliwe, żeby mnie chciał taką
chudą – waga spadła mi już do 51 kg, więc *Krzyk*
Muncha przy mnie to superfoka z „Playboya".
że to straszne, że musi znosić moje jęczenia,
bo ja siebie takiej jęczącej nie znoszę.
że powinien odejść, żeby nie oglądać, jak umieram,
a ja umrę po cichu w łazience za zamkniętymi
drzwiami, żeby w domu nie śmierdziało.

mam duży szacun dla siebie, rozkręciłam imponującą aferę.

* * *

myślę, że powodem szopy – prócz oczywistej labilności
emocjonalnej wynikającej z kiepskich perspektyw

dożycia do złotych godów (swoją drogą pięćdziesiąt
lat małżeństwa brzmi porażająco) – są zaburzenia
neurologiczne spowodowane chemioterapią.
uznawszy za prawdę, co powyżej napisałam,
w ramach pracy nad sobą zmusiłam się do pobieżnego
ogarnięcia domu, do pójścia na spacer, do przejechania
się autem, do porzucania piłką z Synem.

i choć trudno w to uwierzyć, wszystkie te czynności
wyczerpały mnie intelektualnie.
szczególnie ta piłka.

SOBOTA 3 lipca 2010
pamiętacie moją niedawną fascynację bobkami tybetańskimi?

zrezygnowałam z ich przyjmowania, ponieważ
widziałam problem we wspomaganiu się ziołami –
chciałam zmierzyć się ze swoim organizmem bez ich
pomocy. osobnym problemem była spadająca masa
ciała i zbliżająca się pierwsza chemioterapia.
(przy czym jasno chcę zaznaczyć, że uważam, iż zioła
bardzo mi pomogły. uważam, że to dzięki nim
przetrwałam w niezłej formie czas po laparotomii).

zrezygnowałam z przyjmowania ziół i jednocześnie
poluźniłam nieco reżim narzucany przez dietę
tybetańską, mając na uwadze nadciągającą chemioterapię,
ponieważ podjęłam próbę przybrania na masie.
w sumie nie wiem, czy przybrałam, bo nie mam wagi –
jeśli tak, to może z półtora kilo, może dwa, nie więcej.

nadal nie biorę bobków, nadal dieta jest
poluźniona, a ja nadal chuda.
zmuszam się do jedzenia i picia, czegokolwiek, bo od drugiego
dnia po wlewie (czyli właściwie od tygodnia) doszedł
nowy problem – brak pragnienia i łaknienia.

tak! ja – bon vivantka, znawczyni kuchni, knajp i żarcia,
ja – łasuch, łakomczuch, kiperka, degustatorka i kucharka
w jednej osobie, NIE MAM POTRZEBY JEDZENIA ANI PICIA.
i teraz już nie jest istotne, żeby odżywiać się wg zasad
tybetańskich. teraz walczę ze sobą, żeby zjeść cokolwiek.

deprymujące.

PONIEDZIAŁEK 5 lipca 2010
wrócił mi apetyt, więc i humor jest szampański.
dziś od rana przemieszczam się po domu tanecznym krokiem.

mam chwile zasłabnięć, przeplatane
w miarę *normalną* aktywnością.
i nie ma żadnych znaków przepowiadających, że zaraz nastąpi
zniżka. ot, raptem szepczę teatralnym głosem do Niemęża:
słabo mi, słabo, odjeżdżam. wówczas Niemąż (miszcz chińskiej
akupresury) szybko mnie resuscytuje i znów wraca mi zasilanie.

CZWARTEK 8 lipca 2010
i znowu powtarza się dialog: *no*
co ty pierdolisz, przecież to niemożliwe.

bo, proszę Państwa, to sztuka magika, królik z cylindra.
bo, proszę Państwa, ja to wymyśliłam, żeby pisać bloga.
bo, jak mi powiedziała wczoraj pewna panienka:
znam wielu ludzi śmiertelnie chorych, a pani
nic nie jest, to tylko taki tani chwyt.

* * *

a tymczasem życie idzie według znanego w onkologii
scenariusza – spadają białe krwinki, czyli nie
można zwiększyć dawki japońskich tablet.
Ulubiony Doktor tak komentuje infekcję
wirusową i wyniki badań krwi:
Infekcja + ANC 1,28 (40.1% neutrofili z WBC 3,2) = za mało.

Neutropenia + infekcja = większa infekcja. Hardcore
nie popłaca. Dawka 150 mg za duża, chyba że nie robi
wrażenia na morfologii, a u pani jednak robi (obniża
WBC) – 5 dziennie to na razie granica. Morfologia
w przyszły piątek – na zakończenie brania.
Jeśli trzeba będzie, będziemy wspomagać neupogenem
(sprawdzić, co to, w internecie), ale przy przewlekłym braniu
chemii może być to niecelowe, gdyż przyspiesza dojrzewanie
krwinek białych, a chemia wtedy szybciej je zabija. Więc
stawiamy na odnowę naturalną szpiku – dawka musi być
dostosowana do jej tempa, może w drugim kursie poszalejemy,
jak szpik się przyzwyczai do szybszego tempa odnowy.

sprawdziłam neupogen. zastrzyki jak
zastrzyki, cena za to osłabiająca.
wyboldowane post scriptum z maila
od Ulubionego Doktorka:
ważne!!! Jeśli wystąpi gorączka – a to jest 38 st. C w dwóch
pomiarach i/lub dreszcze – natychmiast morfologia
i kontakt – przy spadających do zera ANC (neutrofile)
występuje gorączka neutropeniczna, której objawem są
wzrost temperatury +/- dreszcze – ZAGRAŻA ŻYCIU – proszę
uważać, but keep smiling – po to jestem, aby wyciągać z opresji.

kochanego mam doktorka, prawda?

PIĄTEK 9 lipca 2010
skarżyłam się ostatnio Niemężowi, że chrapie w nocy
i budzi mnie tym swoim miarowym *chrrr.*
kupił więc plasterki na niechrapanie.
profilaktycznie przykleił sobie dwa (być może ze
względu na rozmiar nosa? nie wiem, nie odważyłam się
zapytać, odwróciłam się w drugą stronę i wlepiłam twarz
w poduszkę, żeby stłumić chichot, bo wyglądał cudacznie).
położył się spać.
zasnął.

i zachrapał.
z plasterkami (dwoma) na nosie.

* * *

a dzisiejszej nocy wzięłam odwet.
podobno chrapałam na cały dom.
leżałem bez ruchu i patrzyłem, jak chrapiesz, spałaś jak kamień.

SOBOTA 10 lipca 2010
po Ojcu, urzędniku, odziedziczyłam
paskudną cechę – nie lubię ludzi.
po Matce, lekarzu, odziedziczyłam inną – lubię ich.
i tak oscyluję pomiędzy tymi dwiema cechami.

czasami cechy po mieczu biorą górę.
wtedy mam ochotę jebnąć w łeb:
– panią w kolejce do kasy, która pyta się:
a co pani Joanna tak bardzo wyszczuplała
(standardowo wtedy odpowiadam: *to od ruchania*),
– kolegę z byłej pracy: *tak całkiem*
tragicznie to jeszcze nie wyglądasz,
– przedszkolankę: *były jakieś objawy, które pani*
zignorowała? chcę wiedzieć, by móc o siebie zadbać
i nie doprowadzić do takiej sytuacji, jak ma pani.

* * *

à propos – istnieje jeszcze jeden zakres tematyczny
podnoszący mi ciśnienie: dopytywanie się o szczegóły
śmierci. i co odpowiedzieć? że Ojciec miał pościel
w swastyki? może opowiedzieć minuta po minucie,
zrelacjonować w detalach ostatnie chwile?

* * *

dziś Was, głupie ludzie, nie lubię.

jak powiedział właściciel wieloletniego raka, znajomy Babci B.:
co zdrowi mogą wiedzieć o tym, co my czujemy, jak my czujemy. oni
mogą się wczuwać, zastanawiać, ale nigdy nie zrozumieją, jak to jest.

w sumie myślę, że zdrowi z chorymi nie mają o czym
rozmawiać – doświadczenie tej choroby jest niezwykle silne
i indywidualne, całkowicie zmieniające perspektywę.
zdrowi mogą nam współczuć, mogą rozpaczać,
nie dowierzać. w sumie – nic istotnego.
w takiej sytuacji chyba tylko otrzymywanie
otuchy i wsparcia jest wartościowe.

zaś mając raka, można znienawidzić ludzi zdrowych.
albo stworzyć martyrologię pt. *mój rak jest karą*
za: hulaszcze życie / głupiego męża / niechodzenie
na roraty. i wówczas można ukrzyżować się za życia
i korzystając z okazji, dać do wiwatu bliskim.
można się poddać.
można też próbować ignorować chorobę.
albo starać się wypracować z nią kompromis.
i – rzecz oczywista – walczyć.
nie wiem, czy są jeszcze jakieś inne możliwości.

staram się ignorować mojego raka, a jeśli się
nie daje, to współpracować z nim.
oczywiście bez zawiadamiania całego świata o mojej przypadłości
(w kontekście prowadzenia bloga brzmi to przekornie).

gdy się dopytuję w restauracji, czy danie jest z mrożonych
półproduktów, to nie ze złośliwości wobec kelnera –
chcę wiedzieć, czy karmię raka, czy siebie.
i jeśli na spacerze jestem cała spowita w szal, to nie z braku
burki ani z powodu bycia intrygującą kocicą, tylko z powodu
nadwrażliwości na promienie słoneczne po chemii.

i jeśli mówię ojcu Giancarla, że nie dam rady odebrać od niego
Syna, bo męczy mnie upał, a ponadto zawiozłam Go, więc
teraz on rewanżowo może się wysilić i mi Go odwieźć,
to nie kieruje mną tylko umiłowanie symetrii.
i jeśli jestem na basenie, to nie żeby epatować
trzydziestocentymetrową blizną łączącą górę i dół kostiumu,
tylko z pragnienia swobodnego poleżenia na wodzie jak patyk.
i jeśli powtarzam panu z serwisu, że ma zreperować
telewizor do środy, to nie dlatego, że wyjeżdżam
na wakacje (*no ale to kiedy pani wróci z wakacji?*), tylko
dlatego, że zaczynam kolejny kurs chemii i chcę móc
wymiotować bez asysty panów z serwisu RTV / AGD.

ŚRODA 14 lipca 2010
no i dupa, chemia przesunięta na 22 lipca.

nastąpiło qui pro quo, w wyniku którego przegrzałam ilość 5FU
i pewnie (również) dlatego tak spadły leukocyty i neutrocyty.
a to było tak: doktor napisał na opisie wizyty,
żeby brać tabsy dwa razy dziennie po dwie
sztuki, w cyklu dwudziestojednodniowym.
pod spodem napisał, żeby brać przez dwa
tygodnie i zrobić przerwę tygodniową.
zaś na ulotce Japońce napisały, żeby brać
przez 28 dni i zrobić 14 dni przerwy.

w tzw. międzyczasie mieliśmy wymianę korespondencji,
że skoro nic mi się nie dzieje, to mam zwiększyć
dawkę i brać trzy tablety rano i dwie wieczorem.
i że mam *zrobić morfologię na zakończenie pierwszego
brania tabletek, w przyszły piątek* (mail był z 6 lipca).

a ja nie doczytałam, nie dopytałam, nie sprawdziłam
i nie zauważyłam, że to w piątek (9 lipca)
powinnam była przestać wciągać tablety.
no nic. errare humanum est.

* * *

– *jeśli chodzi o antykoncepcję w trakcie chemioterapii, proszę
państwa...* – Ulubiony Doktor zawiesił tajemniczo głos.
– *jeśli chodzi o antykoncepcję, to ja nie mam
jajników* – odpowiedziałam szybko.
– *ani ja* – dodał Niemąż.
– *ani ja* – rozpromienił się Ulubiony Doktor.
i dodał: *czyli mamy problem z głowy.*

CZWARTEK 15 lipca 2010
w poprzednim wcieleniu (kiedy nie miałam
raka, a przynajmniej nic o nim nie wiedziałam)
miałam plan, żeby własnoręczne ulepić dom.
skoro spłodziłam Syna, zasadziłam tu i tam kilka
roślin, to naturalne było, że kolej nadeszła na dom.

dom miał być z czerwonej cegły, z dwuspadowym
dachem obrośniętym mchem, mieć zielone okiennice,
drewniane okna i winobluszcz na ścianie.
przed domem miały rosnąć malwy,
róże, floksy, rumianki, peonie.
zaś ogródek miał być okolony żywopłotem – z tui i pęcherznic.

* * *

przeczytałam dziś na forum onkologicznym
DSS wzruszający post.
pisze dziewczyna o mamie, że jest chora, że słaba, że nie
jest operacyjna, że *tyle miały jeszcze razem zrobić, że mama
ma dopiero 67 lat*, że mama mówi, że *to niesprawiedliwe.*

* * *

a ja mam 34 lata.
i odrzucam, odrzucam, odrzucam zastanawianie
się, co jest sprawiedliwe, a co nie.

SOBOTA 17 lipca 2010
wybyliśmy na Mazury.

jadę, przyglądam się kształtom chmur i myślę:
świat się nie zatrzyma, gdy umrę.
Niemąż znajdzie następczynię, Syn mnie zapomni.

ot, taka kolej losu.

PONIEDZIAŁEK 19 lipca 2010
kochany Synku,
zapytałeś się mnie kilka dni temu, po co Ci są jajeczka.
odpowiedziałam, że są potrzebne, żebyś mógł zostać
tatusiem i żebyś jako dorosły mężczyzna miał ciepły,
niski głos. opowiedziałam też Ci o eunuchach – podczas
słuchania trzymałeś się dość kurczowo za przyrodzenie.

wiesz też, skąd się biorą dzieci – mama in spe i tato in
spe muszą się bardzo kochać, mieszkać razem i sypiać
w jednym łóżku, wówczas staną się rodzicami.
wiesz również, że ciąża trwa, że dziecko w brzuchu u mamy
wygląda początkowo jak fasolka, później jak kijanka, później
staje się małym ludzikiem, którego w odpowiedniej chwili
należy desantować w szpitalu (tu należy podziękować
Babci B. za nieoceniony wkład w edukację Syna poprzez
zakup stosownej literatury fachowej: *Babciu, tenk-ju*).
i chociaż mi nie dowierzasz, i chociaż często śmiejesz się
z tego, to wiesz, że dzieci wychodzą od mamy z brzucha.

a teraz opowiem Ci, jak to było z Tobą.
zacząłeś istnieć 2 maja 2004.
i od pierwszej chwili wiedziałam, że to Ty.
moje dziecko. koniecznie chłopczyk.
ciąża była najlepszym okresem w moim życiu.
chmura hormonów kołysała mnie wspaniale,
nie miałam żadnych dolegliwości.

poród nastąpił 21 stycznia, w Dzień Babci.
aż do momentu założenia cewnika próbowałam przekonać
siostry, że może jeszcze nie jest to pora, że może mogę
być w ciąży dziesięć, ba, jedenaście miesięcy.
potem było cięcie cesarskie na życzenie, bo nie lubię bólu.
cięcie trzeba było dociąć, bo okazało się, że jesteś większy,
niż wskazywało USG, i doktor nie dawał rady Cię wyciągnąć.
w progu sali porodowej stała Babcia B., z przejęcia miała
czerwone plamy na buzi i szyi, za Nią stał Twój tato,
wystrojony okolicznościowo w marynarkę.
– *pani wypycha mięśniami brzucha* – powiedział
doktor i hop!, wyskoczyłeś: śliczny, pulchniutki,
kosmaty Pulpecik, 61 cm i 3900 g miłości.
położono mi Ciebie przy piersi. od razu
zacząłeś energicznie ssać.
cud natury.

i weszłam w macierzyństwo, pasmo radości i sukcesów,
nieustający powód do dumy i szczęścia.
uwielbiam być mamą.

PIĄTEK 23 lipca 2010
na wieść, że druga chemia będzie we wtorek albo raczej
w przyszły piątek, Babcia B. zapłakała mi w słuchawkę.
nic mnie tak nie wnerwia jak płacząca Babcia B.,
to jest szczyt szczytów, montewerest wkurwu.
a przecież nie powinnam się denerwować.

Babcia B. denerwuje się, że mnie rak pożre
w równie ekspresowym tempie jak mojego Ojca
(tudzież męża Babci B., który temat raka załatwił
w dwa miesiące, a właściwie – rak Jego).
wszelako nie wiem, czy przyspieszenie
chemii o kilka dni cokolwiek zmieni.

* * *

przypomniało mi się, że w blenderze
mam ostrze do kruszenia lodu.
serwuję więc Niemężowi i sobie drinki: podstawą są
pokruszone kostki lodu zmiksowane z listkami mięty
i z cukrem trzcinowym, wodą mineralną, tonikiem
i jakimikolwiek owocami – aktualnie ćwiczone są grapefruity.

* * *

zmywałam naczynia po obiedzie.
nade mną krążyła mucha.
czujecie to: mucha nad brudnymi naczyniami? ohyda!
pomyślałam: *zabiję cię, jesteś obrzydliwa jak mój rak. jeśli
uda mi się ciebie zabić, to dam radę też z rakiem.*
chwyciłam za ścierkę, z całej siły rąbnęłam prosto w muchę.
zlew jęknął i zachrupały pękające naczynia.
muchę zwodowałam rurą do kanalizacji.
popękane naczynia wyrzuciłam.

* * *

namyśliłam się i wykupiłam receptę – nie będę czekać
z zastrzykami z neupogenu do poniedziałku.
od dziś Niemąż umili mi trzy wieczory zastrzykiem.
oznacza to, że już we wtorek będę gotowa na wlew cysplatyny.

może poprawi to humor Babci B.
i przestanie tak strasznie płakać.
a jeśli nie poprawi Jej humoru, to przynajmniej
poprawi liczbę neutrocytów w mojej morfologii.

* * *

jak wspomniałam, byłam w aptece wykupić
receptę. apteka jest pod lasem.
pod apteką pakuję Syna do samochodu.
– *mamusiu, uważaj, za tobą stoi wielka mrówka!*
– *pokaż, gdzie?* – zainteresowałam się zagrożeniem.
– *już zwiała do lasu.*

wyobraźnia to przekleństwo.
uszami fantazji usłyszałam jak *wielka mrówka*
łupie nogami o ziemię, uciekając w igliwie.

NIEDZIELA 25 lipca 2010
wczoraj pierwszy zastrzyk z neupogenu
nie dał się we znaki, ale za to drugi...
umierałam przez noc i cały dzisiejszy dzień. ból
w plecach był nie do zniesienia, intensywnie pulsujący,
paraliżująco-przerażający, zatykający oddech.

Po południu już nie wytrzymałam i skonsultowałam
się z panią M. (pisałam o niej – to doktor
pracująca w hospicjum onkologicznym, sama
walcząca od kilkunastu lat z rakiem). doradziła
sprawdzić, jak się ma morfologia, i jeśli
dobrze, to nie robić trzeciego zastrzyku.
sprawdziłam.
neupogen zadziałał.
nie robię trzeciego zastrzyku.

przy tej okazji dowiedziałam się
od pani M. ciekawej rzeczy.
otóż jeśli hoduje się tego s.....syna, to nie należy zwalczać
bólu siłą woli (co próbowałam dziś uskuteczniać).
ból działa immunosupresyjnie, co znaczy, że jeśli
organizm walczy z bólem, to spada jego odporność,
a jeśli spada odporność, to rak szybciej żre.
siknął mi więc Niemąż tramadolem i przekołysałam
się przez niedzielne popołudnie w obłoku opium.

dobrze, że Syna wywiozłam na weekend do ojca,
to nie oglądał, jak wspinam się po suficie.
wrócił dziś późnym wieczorem, z wielkim problemem:
jestem taki śpiący i nie dam rady umyć ząbków, a przecież
muszę je umyć, bo mi wszystkie w nocy wypadną.

Jego obecność odwraca moją uwagę od moich zmartwień.
uwielbiam to.

WTOREK 27 lipca 2010
rozpoczęłam drugi kurs ubijania skurwysyna.
byłam dziś. wlałam.
i od dziś jem japońskie tablety, tym razem jedną
rano, dwie wieczorem, przez dwa tygodnie.
w razie cuś, jeśli nie będzie tragedii ze szpikiem, to zwiększę do 2+2.
na razie jest w porzo, mdłości zapewne zaatakują pojutrze.

* * *

my tu pierdu-pierdu bzdety o raku, a w domu – lazaret.
Syn wrócił od ojca z gorączką i plantacją aft na dziąsłach
i języku, a Niemąż od soboty, po basenie (chyba),
zachorował na zapalenie przewodu słuchowego.
dramat.
dobrze, że jestem *w sumie* zdrowa – zarządziłam zbiorową
wizytę u lekarza, w aptece, no i kursuję między dwoma
pokojami, podając leki i biadoląc nad Ich nieszczęściem.

* * *

siedzę z Synem nad obiadem. odpuściłam Mu jedzenie
mięsa i surówki, niech chociaż zje ziemniaki.
Niemąż odszedł już od stołu, opadł miękkim kalafiorem w pościel
(w wełnianej zimowej czapie, zawadiacko przekrzywionej,
żeby chroniła chore ucho. spektakularny widok).

Syn rozprowadza delikatnie między aftami
a dziąsłami zimne, tłuczone ziemniaki.
konwersujemy – uważam, że sztuka prowadzenia
rozmów jest istotnym elementem kindersztuby –
czym skorupka za młodu nasiąknie, itede.

– *mądry ten nasz Wujek, wiesz?* – Syn zwierza mi się dyskretnym
szeptem. – *wszystko mi tłumaczy, jak się zapytam.*

nie wiem, co na to odpowiedzieć.
może, że wiem, że poprzedni wujkowie byli kretynami
i dlatego nie dane im było zagościć na dłużej w moim życiu?
że przykro mi, że tyle musiał czekać na odpowiedniego
wujka, który jest dla Niego wzorem, któremu wyznaje
miłość i wobec autorytetu którego ma wielki respekt?
odpowiadam jednak oględnie: *uhm, wiem,*
to ważne mieć mądrego chłopaka.
– wiem, ja też będę miał mądrą dziewczynę, taką, co dzieckiem
będzie się dobrze zajmowała, jak się nam urodzi, to ważne.
– i żeby miała fajne cycki – sugeruję od czapy,
postanawiając spłycić temat.
– i żeby miała ładną cipcię. – Syn odnajduje się bez kłopotu
w rozmowie. *– taką, żeby zmieściło się jej tam wielkie lustro.*

ŚRODA 28 lipca 2010
leżę i czekam.
czekam na nudności i na wymiota.
na razie jeszcze działam, chociaż muszę przyznać,
że stres wlewu zrobił swoje – jestem zgaszona.
wczorajszy wlew trwał ponad sześć godzin.

nie lubię chemioterapii.
nie lubię smutnych ludzi, beznadziejnych
spojrzeń, zrezygnowanych gestów.
nie lubię swojej empatii.

rozpłakałam się dziś Niemężowi, przygnieciona
wczorajszym dniem: ledwo poruszającą się panią z obciętą
piersią, energiczną panią z rakiem kości, wychudzonym
panem o żółtej skórze przyjmującym chemię na leżąco,
babuleńką z wielką naroślą na twarzy, dowcipkującym
panem z rakiem odbytnicy, łysym chłopakiem
o zbolałym spojrzeniu, śliczną dziewczyną w peruce.
kurwa.
co ja tam robię?

od wczoraj na potęgę wypadają mi włosy.
umówiłam się z Niemężem, że w sobotę
ogoli mnie maszynką na gładko.
i wtedy będzie okazja zrobić tatuaż z tyłu czaszki.

* * *

smutno mi.
bardzo smutno.

PONIEDZIAŁEK 9 sierpnia 2010
całe dorosłe życie świadomie ignorowałam sport.
sport istniał w moim poprzednim (przedskurwielowym)
życiu pod następującymi pojęciami: seks, szachy, spacer
z dzieckiem, jazda samochodem.
wszelako ile można grać w szachy.

po przeanalizowaniu zaistniałej sytuacji
postanowiłam zmobilizować moje wątłe jestestwo
i sprawdzić, jak to jest ruszać się bez sensu.

uznałam, że przebieżka mierzona jednostką czasu
jednego ugotowania się ziemniaków do żurku
zapewni wystarczającą dawkę endorfiny i tlenu.
wzuliśmy z Synem obuw sportowy i wyszliśmy na jogging.

przebiegliśmy bardzo spokojnym truchtem półtora kilometra.
po drodze:
– sąsiadka z naszej kamienicy, dzierżąc piwo i z petem w ustach,
błagała mnie, żebym nie biegła, bo zaszkodzę zdrowiu;
– sąsiad z kamienicy po skosie z piwem w dłoni i z petem
w ustach obejrzał z pozycji ławki, jak się rozciągam
przy zjeżdżalni, i skomplementował widok;
– pies sąsiadów z kamienicy z naprzeciwka
obszczekał i polizał nasze buty;
– dzieci bawiące się przy garażach między kamienicami zamilkły
zaskoczone widokiem biegnącej pani Joanny i Synka – pewnie
myślały ze współczuciem: *co za szczęście, że moja matka
pije browara w domu i nie zmusza mnie do takich cyrków.*

jutro ciąg dalszy biegania. spodobało się nam!

ŚRODA 11 sierpnia 2010
skończyłam wczoraj drugi kurs chemioterapii, od dziś
tydzień przerwy i 19 sierpnia kolejny, trzeci wlew.

udałam się do szpitala na pobranie krwi, żeby
sprawdzić, jak przeszanowna morfologia się miewa,
a następnie pojechałam do Babci B. na śniadanko.
u Babci namyśliłam się i postanowiłam mieć gorączkę – 37,2 st. C.
skonsultowałam się z Ulubionym Doktorkiem – kazał
wziąć augmentin, neupogen najwcześniej za trzy dni.
Pani M. (lekarka z hospicjum, pisałam już o Niej)
powiedziała, że dałaby neupogen, biseptol i lek
przeciwgrzybiczny – nystatynę albo cukierki propolisowe.
Babcia B. poleciała do apteki.
tymczasem miałam już 38,8.

łyknęłam augmentin i pociumkałam cukieraska propolisowego.
gorączka wzrosła do 39,4.
zadzwonił Niemąż, bo odebrał wyniki z laboratorium,
a tam 1,8 leukocytów, a neutrofili tyle co nic.
Ulubiony Doktor napisał esa, że *w takim razie*
podałbym jednak neupogen, ale nic na zbicie gorączki,
bo poobserwowałbym gorączkę na żywca.

wsiadłam do fury, pojechałam do domu.
położyłam się.
Niemąż zrobił zastrzyk z neupogenu, wzięłam
nurofen (przepraszka, ale w poważaniu mam
obserwowanie gorączki na żywca).
leżę.
przewracam oczami, mam dreszcze, jest mi zimno, jest mi gorąco.
Niemąż przeciera moje jestestwo wilgotnym,
lodowatym ręcznikiem.

pisałam już, że nie lubię chorować?

CZWARTEK 12 sierpnia 2010
ludzie mają 36,6, ja mam 38,4.
i nieważne, czy wezmę nurofen forte, czy wezmę augmentin.
gorączkuję.
rzeczywistość się mi rozwarstwia, leukocyty szukają
na zakręcie jeden drugiego, hematokryt przewrócił się i jęczy,
hemoglobina pobladła z wycieńczenia, neutrofile schowały
się w kącie, płytki poleciały z hukiem, a ja odczuwam świat
jakoś tak kłująco-ssąco wyraziście, nieprzyjemnie, groźnie.
zrobiłam dziś morfologię. niby lepsza, ale gorsza.

Niemąż zaraz znowu strzyknie mi, może chociaż
płytki ruszą swoje nędzne dupska.
przeraża mnie myśl o bólu kości po neupogenie.
nic, wezmę przeciwbólowy poltram.
jutro kolejna morfologia.

* * *

już wiem, po co kupiliśmy telewizor.
leżę i oglądam reklamy.
wciągające.

szczególnie jak się ma 38,4.

PIĄTEK 13 sierpnia 2010
– *czy mogę wejść do waszego łóżeczka na małe przytulanko?* –
pyta nad ranem golasek, ściskając w rączusi przytulankę.
i hop, gramoli się do naszego gigantycznego legowiska.
myślę, że powoduje Nim pradawne wspomnienie
z hipokampa, o tym, że spanie z dorosłymi
zwierzętami jest przyjemniejsze niż samemu.
i zasypiamy, pośrodku ja, po bokach moi panowie.

może wyda się Wam to dziwne, ale zaobserwowałam,
że szczególnie w pierwszych dniach po wlewie
cysplatyny stadne spanie przynosi mi ulgę.
lepiej, głębiej śpię, gdy czuję po bokach wtulonych
we mnie, pogrążonych w spokojnym śnie, miarowo
oddychających moich chłopaków.
widać i mój hipokamp pamięta stare dobre dzieje.

SOBOTA 14 sierpnia 2010
odżyłam, więc ruszyliśmy na krótkie wakacje
przed trzecią chemią.

WTOREK 17 sierpnia 2010
zrobiłam rano morfologię z rozmazem
w przyszpitalnym laboratorium w Mrągowie.
kazali odebrać wynik po godzinie albo o 16.00 – *jeśli
wyjdzie coś nieprawidłowego w badaniu komputerowym,
to pani magister będzie ręcznie liczyła morfologię.*
zapowiedziałam, że bez wątpienia wyjdzie coś nieprawidłowego.
wróciliśmy więc do Mrągowa o 16.00.

w sumie wszystko się poprawiło, co prawda
leukocytów tylko pięć tysięcy, ale podciągnę
je za chwilę Niemężowym zastrzykiem.

wykonałam telefony do krynicy mądrości – Pani M.,
oraz do Ulubionego Doktorka, który powinien nosić
tytuł Najbardziej Roztrzepanego Onkologa Świata.
Pani M. na niekończącą się gorączkę zaleciła biseptol, Ulubiony
Doktor – *antybiotyk nowej generacji, taki, co się bierze przez trzy
dni, ojejku-ojejku, nie pamiętam nazwy, wyleciała mi z głowy, mam
chwilowy atak amnezji, jak sobie przypomnę, napiszę esemesa.*
z kronikarskiego obowiązku oraz z powodu dotarcia
do cywilizacji (zasięg!) zrelacjonowałam sytuację Babci B.,
która załkała nad moim stanem umysłu (śmiercionośny
wyjazd) i nad Ulubionym Doktorem (przymotanie).

napięłam się intelektualnie.
przeanalizowałam sytuację.
dokonałam analizy SWOT.

przystąpiłam do działania:
– zasugerowałam Ulubionemu Doktorkowi, że może miał
na myśli sumamed albo jakąś inną azytromycynę.
ucieszył się, że tak (ała).
– ruszyłam do przyszpitalnego SOR-u.
bo jak wie każdy hodowca skurwiela, gdy człowiek
zagai ze smutną miną: *przepraszam, mam raka, czy
można prosić o wypisanie recepty,* ludzie miękną jak
surówka odlewnicza w piecu martenowskim.
tradycyjnie odniosłam sukces (*nie szkodzi, że nie ma, dowód
ubezpieczenia niepotrzebny, doślę pani faksem*).

i tak o 17.00 wzięłam sumamed i ibum, napisałam
Ulubionemu Doktorkowi, że zarzucam branie
augmentinu, który na mnie nie działa.
o 18.00 miałam 39,2 st. C.

czekamy, co dalej.
jak nie spadnie gorączka, nie będzie chemii.
ale jednocześnie będzie to znaczyło, że możemy
zostać dłużej na Mazurach :>

ŚRODA 18 sierpnia 2010
trzask!
zamykamy drzwi!
koniec zabawy przed komputerem w Doktorka Fizzle Wizzle.
koniec malowania drewnianych aniołków, koniec
łowienia ryb, koniec brykania po dworze.

* * *

Synek powiedział, że to były wspaniałe wakacje.

wróciliśmy.
rozpakowałam nas, dziecko wyszorowałam, pranie
nastawiłam, korespondencję odebrałam. teraz jem
na zapas przed jutrzejszą chemią. należy być dobrej myśli
i wierzyć, że mam granulocytów o, tyle (tu odpowiedni
gest), że ho-ho i że Ulubiony Doktor chemię zleci.

CZWARTEK 19 sierpnia 2010
leukocyty urosły do ponad dwunastu tysi
(bo Niemąż wykonał strzyk), gorączka względnie
opanowana, więc Ulubiony Doktor zlecił lanie.

było to tak: lali i lali. lali przez ponad siedem godzin.
aż nalali.
(i obrzydliwie zżółkłam).

teraz zaś ogłaszam przejście w formę przetrwalnikową –
na tydzień łapię zwiechę w pościeli.

* * *

najważniejsze: na koniec tego kursu będzie tomografia.
pooglądamy foty skurwiela z wnętrza!

PONIEDZIAŁEK 23 sierpnia 2010
w skali do dwóch samopoczucie osiągnęło minus pięćdziesiąt.

śmierdzi, kurwa, wszystko.
a wszystko oznacza WSZYSTKO. WSZYSTKO.

* * *

w ostatnich dwóch dniach odnaleźli mnie i napisali
do mnie eksnarzeczeni z kilku minionych epok.
i nic z tego nie wynika.
i nie z powodu, że czasy robienia rogów już za mną –
bo ofszę, zmądrzałam, zestarzałam się i nie walnę Niemęża.
i nie dlatego, że nie wzruszyły mnie esemesy
i maile, w których podjęto próbę wywnętrzenia się
na wiadomą okoliczność – wzruszyły, a jakże.
po prostu – nic z tych esemesów i maili nie wynika.
ot, puste, miłe frazesy.
oczywiście wiem, że to uprzejmie coś napisać (i uprzejmiej jest
napisać niż nie napisać), ale tak z głębi trzewi pytam się: *po co?*
jakbyś czegokolwiek kiedykolwiek potrzebowała –
pamiętaj, że ja zawsze bla, bla, bla.
no mam ochotę odpisać: *zapraszam, wpadajcie*
chłopaki, potrzymacie mi łeb, jak rzygam, żebym
nie wyrżnęła czołem w glazurę.

oceniając po złośliwości – chyba wracam do zdrowia.

WTOREK 24 sierpnia 2010
jest ranek.
stoję w kuchni, robię śniadanie Giancarlowi i próbuję nie
zwymiotować na kuchnię / lodówkę / chleb / wędlinę /
masło / nóż / deskę do krojenia / siebie / Giancarla.

wkracza Niemąż, który postanawia zasilić mnie
pozytywną energią i mooocno przytulić.
skwaszona syczę: *nie przytulaj, odsuń się, niedobrze mi, czuję smród.*
Niemąż ze spokojem skały: *a czego?*
– *Twój lewy policzek śmierdzi poduszką* – odpowiadam.

raptem z łazienki dobiega nas chichot:
buhahahahahahahahaha, Wujek śmierdzi
poduszką, ale żeś, mamusiu, wymyśliła, no nie żartuj,
proszę cię, ahahahahahahahahahaha.

* * *

czekam na koniec tej chemicznej udręki.
kto wie, może już jutro obudzę się bez tego
przejmującego poczucia klęski?

bo ja, proszę Państwa, dosłownie i w przenośni, uwielbiam mieć
apetyt – uwielbiam smakować, lizać, chrupać, wąchać,
dotykać, miętosić, głaskać, przytulać, słuchać, patrzeć.

żyć.
po prostu żyć.

a z chemioterapią jest tak, że nie dość, że traci się
ochotę na jakiekolwiek zmysłowe życie, to wręcz
pragnie się, żeby zmysły już nigdy nie działały.
wszystko przeszkadza, drażni, nadmiernie stymuluje.

CZWARTEK 26 sierpnia 2010
umiłowani bracia i siostry w blogu moim,
donoszę, że pół dnia spędziłam na przewalaniu
gałami w pozycji poziomej.
lecz powiadam Wam, drugie pół było lepsze niż gorsze,
albowiem nie było wymiota, a co więcej – ruszyłam do działania
swoje 52 kg obleczone w nową tunikę od Babci B.

* * *

po tygodniu od chemii / chemii (TS-1) leukocyty poleciały
do 2,9, więc zaraz w ramach rozrywek łóżkowych
Niemąż mnie dziugnie strzykawą z neupogenem.
i znowu będę jęczeć, że mnie kości bolą.
perpetuum mobile, psia mać.

* * *

w drugiej połowie dnia, jak już wspomniałam, postanowiłam
ożyć i ruszyłam po Syna do Cioci Kloci (pseudonim
operacyjny nadany przez Syna Pani Opiekunce).
i tu będzie dygresja, którą muszę, muszę napisać i basta.

chociaż trudno w to uwierzyć, udało mi się
trafić na idealną opiekunkę.
i to z serwisu internetowego!

w tym miesiącu mijają cztery lata, odkąd jest z nami.
nie dość, że pokochała Syna, że Go karmi, bawi
i rozwija, to sama w sobie jest superbabką.
np. gdy dużo pracowałam i mieszkałam sama z Synkiem,
ogarniała mieszkanie, wyprowadzała na spacery psa,
a nawet przynosiła jedzenie do podgrzania, żebym
miała co zjeść, gdy wrócę w nocy z delegacji.
do tego jest mądra, dobra, pełna energii i optymizmu.
i jest przystojna, zgrabna i super się ubiera, maluje, strzyże.
ideał, mówię Wam.

PONIEDZIAŁEK 30 sierpnia 2010
nie tak dawno czekałam w emocjach na dotarcie
do Polski pierwszej porcji japońskich tabletek, a dziś –
odebrałam z Urzędu Celnego kolejną paczkę.

nie tak dawno moje życie nie miało nic wspólnego
z rakiem, a cały mój wysiłek szedł w zapewnienie
dobrobytu rodzinie Agnellich.

a dziś...
a dziś złożyłam wizytę *na zakładzie*, z którego odeszłam w maju
2009 roku, a w którym przepracowałam niemalże dziesięć lat.

wyjście z korporacji było decyzją, z którą się nosiłam długi czas.
męczył mnie brak perspektyw, brak możliwości rozwoju,
ociężałość w działaniu, procedury i wewnętrzne formalności.
być może w rzeczy samej męczył mnie już wówczas
nowotwór, a ja, nie mając tej świadomości, zrzucałam
ciężar na to, co *wydawało się* przyczyną.

prowadzenie działalności gospodarczej jest wyzwaniem,
szczególnie gdy przyszło się zmagać z chorobą. jednak
mimo wszystko jestem zadowolona, że tak zrobiłam.
oczywiście szkoda, że nie otrzymuję comiesięcznej
wielozerowej pensji; szkoda, że z pieniędzmi miewam bardzo
krucho; szkoda, że Skarbowy chce rozliczenia VAT-u.
trudno.
kredyty, delegacje, prezentacje, służbowe kolacje,
integracje i rozpasany konsumpcjonizm przekazałam
w schedzie młodocianym japiszonom.

dokonując tak trywialnego wyboru, zyskałam
czas dla siebie, dla Giancarla, Niemęża.
pozbyłam się wielu niepotrzebnych stresów.
zostały znajomości, wspomnienia, no i – doświadczenie.

... a wszystko działo się nie tak dawno...

PIĄTEK 10 września 2010
pojechałam, wlałam.

podyskutowałam.
znowu trzeba zebrać myśli, co robić – medycyna
nie stworzyła jeszcze standardów postępowania,
jak działać w takich przypadkach.

laparoskopia?
laparotomia z resekcją czego się da,
z żołądkiem i jelitami na czele?
kontynuowanie z chemiami, czyli jeszcze
dwa wlewy, potem zabieg?
teraz zabieg, po tej chemii?

wstępnie termin operacji (lub kolejnej, piątej
chemii) został wyznaczony na 1 października.

a tymczasem leżę już w kokonie i zachowawczo podsypiam.

SOBOTA 11 września 2010
wstałam rano, rzygłam.
coś zjadłam, coś zabolało, Niemąż pomasował,
rozruszał, nakarmił, kołderką otulił, picia przyniósł.
Syn się ogarnia sam, chodzi po cichutku, trochę
Mu poczytałam Doktora Dolittle, trochę
pooglądał Cartoon Network, rozegraliśmy
partyjkę szachów, Wujeczek zrobił Mu obiad.

ogólnie – drętwa atmosfera spod znaku domowników
czujnie przyglądających się mi, co robię.

* * *

piję na poprawę beznadziejnej hemoglobiny
chiński preparat Zhenlu.
w smaku jest całkiem podobny do sosu sojowego,
ale skoro pomaga Pani Doktor M., to i mnie pomoże.
w coś przecież muszę wierzyć.

chemia zabija białe krwinki, więc trzeba
się podkręcać zastrzykami.
lecą też czerwone krwinki, lada moment
trzeba będzie sięgnąć po EPO.
a pewnie przed operacją przetoczą krew.

no nic.
taka karma.

* * *

humorem dziś nie tryskam.
nudzą mnie chemioterapie, wymiotowanie, nadwrażliwość
na zapachy, trudności z jedzeniem, niemoc wynikająca
z zatrucia ciała i mózgu, cholerne up and down.

jutro będzie gorzej.

NIEDZIELA 12 września 2010
dzisiejszy dzień obfitował w szereg zdarzeń spod znaku
kiełbasy, które niczego konstruktywnego w nasze
życie nie wniosły oraz niewiele w nim zmieniły.

podczas przygotowywania obiadu poprosiłam
Niemęża, żeby przekroił kiełbasę, bo jest zamrożona
i nie mieści się w całości w garnku.
zapytał, czy może ją przełamać.
zgodziłam się.
walnął z główki w te dwa zamrożone pęta kiełbasy.
pękły.
wmurowało mnie na kwadrans.

* * *

po nałożeniu obiadu (kasza perłowa, surówka
z selera i jabłka, kiełba), podczas krojenia rzeczonej,
niemal narzygałam Synowi do talerza.
uratowała mnie bliskość z kuchni do łazienki,
gdzie dałam upust swojej potrzebie.

obiad (kaszę i surówkę) zjadłam samotnie,
wolałam nie siedzieć w oparach kiełbasy.

* * *

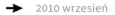

przez całe popołudnie nie odważyłam się wejść do kuchni,
gdzie łypał na mnie mętnym okiem garnek po kiełbasie.
wieczorem Niemąż zmył naczynia po obiedzie.

Niemąż, zadowolony z tego, że mógł mi pomóc
i poniekąd ulżyć, przytulił mnie mocno.
ja, zadowolona z tego, że Niemąż mi pomógł i ulżył
w kiełbasianym kłopocie, wtuliłam się w Niego mocno.
a dłonie Jego zapachniały kiełbasą.

w locie łapałam wymiota, starając się nie chlusnąć
nim gdzie bądź, a szczególnie – w Niemęża.

* * *

teraz okazało się, że przeszkadza mi również zapach wełny,
więc zdjęłam bardzo modny sweterek na jeden guzik
z rękawami nietoperza, najnowszy prezent od Babci B.,
ponieważ wyczuwam w nim wyraźną nutę niedomytego,
zaszczanego, obsranego po pachwiny stada owiec.

ŚRODA 15 września 2010
50 kg.
właśnie tyle ważę.
a gdzieś tak rok temu ważyłam 62 kg, może nawet więcej.
miałam fajne ramiona, cycki, tyłek, uda.
no, może fałdziocha na brzuchu była za duża – ale teraz wiem,
że w tej fałdziosze skrywały się dorodne skurwieloprzerzuty.

* * *

jestem zmęczona chorowaniem.
zmęczona sobą, swoim ciałem.
zmęczona chemioterapią.
zmęczona lękiem przed nową operacją.
zmęczona leżeniem w szpitalu, rekonwalescencją,
o ile przeżyję operację.

jestem zmęczona.
zmęczona tą namiastką życia.

mam ochotę położyć się spać i już nie wstać.
tylko Synka mi żal.

* * *

nie tak miało moje życie, do kurwy, wyglądać.
nie tak.

* * *

nie lubię cierpieć.
nie mam w sobie genu pokutnicy.
jestem zmęczona.

chcę spać, chcę przespać to moje zmarnowane życie.
chcę się obudzić zdrowa, gdzieś indziej, będąc kimś innym.

PIĄTEK 17 września 2010
nadal ustalam, co zrobić – czy się operować i po co.

* * *

Syn ma nową rozrywkę: planuje, co będziemy
robili, gdy obydwoje umrzemy.
otóż będziemy dobrymi duchami pomagającymi
ludziom i będziemy wszędzie i na zawsze razem.
– *polecimy razem na dach i skoczymy na drzewo,*
a z tego drzewa na następne i na następne.
– *gdy jakieś dziecko zgubi misia,*
to my go znajdziemy i go oddamy.
– *a gdy jakiś człowiek będzie głodny,*
to my kupimy mu kurczaczka i piciu.
– *pójdziemy do lasu pogłaskać sarenki, bo jak będziemy*
duchami, to one się nas nie wystraszą, choć są bardzo płochliwe.

w ramach wytyczania kierunków Niemężowi przykazałam,
że jak już się zawinę stąd, to ma natychmiast (po krótkim
opłakaniu niewątpliwej straty, bom największą i jedyną
miłością Jego życia) szukać nowej partnerki.

statystycznie rzecz biorąc, od wykrycia
nowotworu pacjenci żyją dwa lata.

to oznacza, że prawdopodobnie za jakieś
półtora roku mnie już tu nie będzie.
drogie hieny, szykujcie się, żebym miała
komu Go przekazać w schedzie.

PONIEDZIAŁEK 20 września 2010
po wytrzebieniu Niemężowym masażem bólu
głowy ruszyłam do laptopa w poszukiwaniu
pieniędzy na szamotanie się z rzeczywistością.

wytłumaczyłam dziś Synkowi, na czym polega moja
praca w ramach działalności gospodarczej:
– pożyczam kasę ludziom, którzy nie są w stanie mi jej oddać,
– pożyczam kasę od innych ludzi i nie jestem w stanie jej oddać,
– robię projekty, za które nie dostaję kasy, zaś ażeby
mnie dobić – mój pomysł realizacji jest wdrażany przez
tę pieprzoną łachudrę, który zlecił mi opracowanie projektu
i obiecał złote góry, a teraz ściemnia, że: nie ma kasy, bo się
musiał przebudżetować / wycofał się inwestor / nastąpiły
niespodziewane okoliczności / sam jest chory (cha, cha,
cha – ten argument jest dla mnie szczególnie zabawny),
– biorę pieniądze za wykonanie projektów, których nie jestem
w stanie skończyć z powodu niekończących się poprawek.

no, nikt nie mówił, że będzie lekko.

dziś odkryłam genialną płytę *Radio Retro* –
zespół się nazywa IncarNations.

WTOREK 21 września 2010
oznaką mojego lepszego samopoczucia jest siła do tańca.
właściwie z moją morfologią trudno nazwać
te śmieszne ruchy, które wykonuję, tańczeniem;
to namiastka tego, co robiliśmy kiedyś.
piszę *robiliśmy* – do tańców potrzebuję Syna.
wygląda to tak:

włączamy głośno muzykę i zaczynamy wycinać hołubce,
jednocześnie oczywiście śpiewając, zaglądając sobie
głęboko w oczy, śmiejąc się i robiąc do siebie miny.

przed operacją tańczyłam z Giancarlem, trzymając
Go na rękach, w ramionach. podrzucałam
Go, kręciłam Nim młynki w powietrzu.
teraz już tak nie robię, bo wyczytałam, że u pacjenta
onkologicznego po laparotomii istnieje ryzyko
przepukliny i innych smętnych komplikacji.
wolę nie ryzykować.

teraz kręcimy się w zawrotnym tempie,
aż padamy na łóżko z zawrotami głowy.
albo podskakujemy w rytm muzyki, trzymając się za dłonie.
albo jak już serce mi bardzo wali i z trudem łapię oddech,
staję i obracam Nim w kółko, aż zacznie krzyczeć, dławiąc
się śmiechem: *dość, mam już dość, przestań, mamusiu.*

a oto nasza lista przebojów do tańczenia:
- 1. Ewa Bem – *SMS-y*
- 2. Ewa Bem – *Jesteś mój*
- 3. Lao Che – *Hydropiekłowstąpienie*
- 4. Lao Che – *Zaczarowany dzwon*
- 5. Maryla Rodowicz – *Kolorowe jarmarki*

i na uspokojenie tańce przytulańce:
- 6. Lao Che – *Idzie na burzę, idzie na deszcz*
- 7. Kancelaria – *Zabiorę cię właśnie tam*
- 8. Sumptuastic – *Kołysanka*

uwielbiam te chwile, gdy mam siłę.
uwielbiam.
nawet jeśli jest to ułamek tego, co było.

ŚRODA 22 września 2010

zrobiłam dziś PET-CT.

badanie jak badanie: przez sześć godzin nic nie jemy, następnie
się rejestrujemy, zakładamy wenflonik, pani pielęgniarka
do naszej butli z wodą mineralną niegazowaną wlewa kontrast,
się przebieramy w szatni w ślafroczek, się pozbywając
strojów z suwakami i z innymi metalowymi elementami
wystroju jestestwa, przechodzimy do sali z leżaneczką,
gdzie pijemy wodę z kontrastem (może do dziesięciu małych
łyczków się zmusiłam, później walczyłam z odruchem
wymiotnym), wraca pani pielęgniarka i przez uprzednio
założony wenflonik dostajemy w kosmicznej (takiej grubej,
stalowej) strzykawce izotop, następnie leżymy bezradnie,
czekając na badanie, pani pielęgniarka zdejmuje wenflonik,
po godzinie – jak się izotop rozpełznie po raku – przechodzimy
do pomieszczenia, gdzie jest wykonywane badanie.
urządzenie do PET-CT jest w sumie takie jak do tomografii.
wygląda jak łóżko, które wjeżdża w duży plastikowy łuk.
teraz postępujemy zgodnie z instrukcją pani technik:
kładziemy się na łóżeczku, rączki za główkę (kurwa,
jak ja nienawidzę tych zdrobnionek i szpitalnego
protekcjonalnego tonu per my), *kolanka kładziemy wyżej
na podstawce, nie ruszamy się. zaczynamy badanko!*
badanie trwa około dwudziestu minut i nie odczuwamy
nic oprócz zimnego powietrza wiatraków chłodzących
urządzenie oraz szumu siłownika przemieszczającego
łóżko w odpowiednią stronę do kamery.

po badanku przez sześć godzin unikamy przebywania
z dziećmi do lat szesnastu i z kobietami w ciąży, bo czas
połowicznego rozpadu izotopu wynosi właśnie tyle.
faktycznie nie powinniśmy przez dwanaście
godzin kontaktować się z ww.
oddelegowałam więc Synka na spanie do Cioci Kloci.

* * *

mam już dosyć leczenia się i badań.
a szczególnie mam dosyć skutków leczenia i wyników badań.

WTOREK 28 września 2010
ja to mam intuicję.
wiedziałam, kiedy wrócić do domu
z regeneracyjnego wywczasu.

to było tak: pokręciłam się po mieście, pozałatwiałam
wiele spraw (w tym – dziugnęłam się do morfologii –
wyniki są lepsze od poprzednich, znaczy się – Mazury
mi służą), wróciłam do rezydencji na obiad i...
zadzwoniła panienka, że wynik do odebrania.
dawno mi tak dłonie nie drżały, jak
odbierałam kopertę z wynikiem.

* * *

podjęłam suwerenną decyzję o zakończeniu
(jak na razie) chemioterapii.

do końca tego tygodnia w sprawie skurwiela zamierzam:
– zamknąć konsultacje z tęgimi łbami od onkologii,
chemioterapii i chirurgii onkologicznej,
– określić termin wyrywania żołądka,
– powiadomić Was, co ustaliłam.
i nie szlochajcie, że nie będę się cysplatynować i tegafurować.
otóż muszę.
między ostatnią chemią a dniem operacji musi
minąć przynajmniej kilka tygodni.
kontynuowanie chemioterapii oznaczałoby
odsuwanie daty operacji.
oczywiście istnieje ryzyko, że w czasie gdy będę bez chemii,
skurwiel się rozszaleje, ale czymże byłoby życie bez ryzyka.
no risk, no fun.
a teraz wracam do prostytuowania się, czyli
do pracy zarobkowo-koncepcyjnej.

ŚRODA 29 września 2010
byłam dziś na kilku spotkaniach biznesowych
(faktycznie powinnam je nazywać spotkania-mające-na-
celu-zarobienie-kasy-o-ile-nie-pojawią-się-komplikacje-
po-wyrwaniu-żołądka-który-nie-wiadomo-kiedy-
zostanie-usunięty-ale-przecież-się-dogadamy-a-jak-
podpiszemy-umowę-to-przecież-nie-mogę-umrzeć-bo-z-
kim-państwo-przeprowadzą-ten-projekt-jeśli-nie-ze-mną).
na jednym z nich pan rozmówca tak się na mnie
zagapił (w bardzo krótką sukieneczkę się oblekłam,
a co, są plusy dodatnie choroby nowotworowej:
szczupła jestem jak mało która, brzucha tłustego
nie mam, chłe, chłe, chłe, bo mi sieć większą wycięto,
a biust puszapem dorabiam), że aż oblał się herbatą.
poprosił, żebym nikomu nic nie mówiła.
no więc nic nie mówię.
tylko piszę.

CZWARTEK 30 września 2010
dziś na rano pojechałam do Wieliszewa obejrzeć
rumiane lico Ulubionego Doktora, po czym
pojechałam do Lublina na konsultację do kolejnego
onkologa chirurga, potencjalnego kandydata
do wyrywania mi żołądka lub do ew. HIPEC-a.
tak oto mam do kolekcji kolejną opinię o moim
skurwielu i o możliwościach rozwoju sytuacji.
muszę się jeszcze skonsultować z kilkoma
lekarzami, żeby mieć więcej opinii.
na razie jeszcze / nadal nie jestem w stanie wyrobić
sobie zdania, co i jak powinnam zrobić.
mam za mało danych wejściowych,
a za dużo jest zmiennych.
nie dopuszczam możliwości decyzyjnego faux-pas.

i spotkałam się ze znajomym.
i zabrał mnie na pyszny obiad.

SOBOTA 2 października 2010
Synek leży w łóżeczku i płacze.
– *globus mnie dopadł, to taka choroba, tłumaczyłaś mi, pamiętasz?*
to się dzieje, jak ktoś jest zły na wszystko i wszystkich i niezadowolony.
ja to dzisiaj przy śniadanku miałem. Babcia zmuszała mnie do jedzenia,
w kółko tylko zjedz parówkę i zjedz parówkę. tak się zdenerwowałem,
że rzuciłem samochodzikiem i ten biały kabel mu się wyrwał.
– *tylko nie bądź na mnie zła, mamusiu.*

no więc mówię, że nie, nie jestem zła.
i opowiadam, że jak dwa dni temu Wujeczek (Niemąż) mnie wnerwił,
to tak majtnęłam kalkulatorem o ziemię, że aż zajęczały przyciski.
i już się śmieje.
ze mnie, z Wujeczka, który robi zabawne miny, gdy pokazuje,
jak wyglądałby z kalkulatorem wbitym w czoło.

a mnie smutno.
że już Go dopadła rzeczywistość.
że już musi się z nią konfrontować.

szkoda, że nie mam takiej mocy, żeby ominął
dojrzewanie emocji; że nie mogę sprawić, żeby spokojnie
przeszedł przez kształtowanie się uczuć.
że nie może bezboleśnie stać się nudnawym,
zrównoważonym pięćdziesięciolatkiem.

PONIEDZIAŁEK 4 października 2010
jak już się między wierszami zorientowaliście, właściwie
zakończyłam konsultowanie się z profesorami i innymi docentami.
zdecydowałam.
jutro w nocy o siódmej rano stawiam się
w klinice na ustalenie terminu operacji.

wybierając między dożywotnimi cyklicznymi chemioterapiami
przerywanymi kontrolnymi tomografiami a próbą wycięcia żołądka
(która wg mojego chemioterapeuty alias Ulubionego Doktora ma 10%

szans powodzenia, naprzeciwko mając 90% porażki, i-po-co-mi-to-pan-powiedział-ja-i-tak-wierzę-w-dziesięć-procent), wybrałam.

WTOREK 5 października 2010
– *zrobimy to po bożemu* – pan profesor łypnął na mnie okiem zza dystyngowanie sfatygowanych drucianych okularów – *rozetniemy od góry do dołu i usuniemy cały żołądek. jeśli się da.* zgodziłam się.

* * *

a teraz komunikat:

jeśli chcecie mi pomóc, proszę Was o oddanie krwi dla mnie. nie ma znaczenia, jaką macie grupę.

procedura jest następująca:
1. jedziecie między 8.00 a 14.00 do kliniki na Szaserów.
2. wchodzicie głównym wejściem w prawo – przy kawiarni, po trzech schodkach, jest punkt krwiodawstwa.
3. mówicie, dla kogo chcecie oddać krew: podajecie moje IMIĘ i NAZWISKO oraz podajecie informację, gdzie będę operowana: PIERWSZA KLINIKA CHIRURGII
4. dostajecie zaświadczenie o tym, że oddaliście krew.
– zaświadczenie niesiecie na IV piętro, do Banku Krwi albo:
– wysyłacie tam mailem albo:
– umawiamy się na osobisty odbiór zaświadczenia.

zaświadczenie jest mi potrzebne, żeby podczas przyjmowania się do szpitala (14 października) wykazać, że na poczet mojej operacji została zabezpieczona krew. przy tak rozległej operacji jest więcej niż bardzo prawdopodobne, że będzie mi potrzebna.

proszę Was o pomoc.
z góry serdecznie dziękuję.

CZWARTEK 7 października 2010
kochani,
dziękuję, dziękuję, dziękuję.
jesteście wspaniali!!!
powiadomiono mnie, że z zaangażowaniem
oddajecie dla mnie krew.
pamiętajcie, że <u>krew, którą oddajecie, przyda się</u>
<u>podczas operacji mnie, ale również może się przydać</u>
<u>innym ciężko chorym ludziom w potrzebie.</u>

przepraszam, że nie odpowiedziałam Wam dziś
na pytania, które zadawaliście w sprawie krwi.
odpowiem jutro.
dziś od bladego świtu nie było mnie w necie
ani pod telefonem, bo pojechałam na Ursynów
do Centrum Onkologii zrobić jeszcze jedno
badanie przed operacją – endo-USG żołądka.
celem tego badania było doprecyzowanie, czy istnieje
szansa wykonania totalnej gastrektomii.
(jeśli naciek nowotworowy żołądka obkleił inne
sąsiadujące narządy, to wówczas może się zdarzyć,
że operator otworzy mnie, powie *a kuku* i zaszyje, bo nie
będzie miał możliwości usunięcia żołądka – byłoby
to i dla mnie, i dla niego niewątpliwą stratą czasu).
w moim wypadku endo-USG pozwoliło na określenie grubości
ścian żołądka oraz nacieków, a tym samym pozwoliło
mi na umocnienie się w przekonaniu, że chcę się operować.

do zabiegu zostałam uśpiona dormicum,
wspaniale mi się po nim spało.
brzegiem mózgu kojarzę, że po zabiegu przewieziono mnie
z pracowni badań na dużą salę, że rozmawiałam z panem
doktorem, ale niestety z rozmowy pamiętam tylko bardzo

przyjemny zielony polarowy kocyk, którym mnie okryto, oraz
mięciutką, bialutką podusię, do której przytuliłam policzek.
treści rozmowy nie pamiętam.
hm, mam nadzieję, że nie opowiadałam jakichś głupot.

opis endo-USG jest dość pomyślny.
wygląda na to, że chemioterapia przydusiła przerzuty
i że w chwili obecnej mam raka tylko w żołądku.
pan doktor od endo-USG zakwalifikował wg
TNM mojego skurwysyna jako *ca T2 N00*.
oby to była prawda.

nie cieszę się jednak z opisu, bo przed poprzednią majową
operacją badania też zostały opisane pomyślnie, a podczas
operacji okazało się, że skurwysyn skolonizował się we mnie
niczym glony w nasłonecznionym zbiorniku wodnym.

* * *

tymczasem tuczę się na okoliczność nadchodzącej operacji.
dwa tygodnie temu, po czterech chemiach,
ważyłam 49 kg, a dziś już całe 52 kg.
pamiętacie, jak opisywałam optymalną dietę antyrakową?
zapomnijcie o niej!
teraz zmodyfikowałam koncepcję: żrę co dwie
godziny kajzerkę (kalorie!) z majonezem i masłem
(kalorie! kalorie!) i workiem jajek (białko!).
białko jest potrzebne, ponieważ – jak powiedziały
mądre doktory – podczas operacji istnieje ryzyko
odbiałczenia organizmu z powodu braku albuminy,
dostarczam więc ją sobie białkiem kurzym.
a jak będzie jej za mało, to podadzą mi ją z Waszej krwi :)

jedliście kiedyś dzień w dzień po osiem, dziesięć jajek?
już do końca życia żadnej kurze nie dam
rady spojrzeć prosto w oczy...

1. jak oddać krew w innym mieście niż Warszawa?

Jeśli w danym szpitalu nie ma punktu krwiodawstwa, wtedy oddajemy najczęściej w dowolnym miejscu w kraju i tam, w rejestracji, oprócz imienia i nazwiska należy jeszcze podać nazwę / adres szpitala, w którym ma się odbyć zabieg.

2. dlaczego proszę o krew?

W chwili kiedy w szpitalach jest krwi mniej, niż jest potrzebne, lekarz musi podjąć decyzję, komu ją przeznaczyć. Normalnie najpierw krew otrzymują dzieci, decyduje też konieczność przeprowadzenia operacji szybciej i szansa powodzenia operacji. Zaświadczenia o oddanej krwi na konkretną osobę powodują jakby przejście biorcy na początek tej kolejki. Krew dla kogoś można oddać w każdym RCKiK na terenie kraju, nawet w innym rejonie, niż jest szpital, w którym leży biorca. Grupa krwi również może być „niepasująca" do biorcy (na zaświadczeniu nie ma grupy krwi), w Banku Krwi zostanie dobrana odpowiednia grupa.

(odpowiedzi na pytania 1 i 2 skopiowałam z forum krewniacy.pl)

3. jak przekazać zaświadczenia o oddanej krwi, jeśli oddało się w innym mieście?

– można kurierem – do mnie; ponieważ, jak poinformowała pani z RCKiK z ul. Saskiej, nie ma wewnętrznych powiązań pomiędzy poszczególnymi Regionalnymi Centrami Krwiodawstwa i Krwiolecznictwa.
– możecie też wysłać bezpośrednio do szpitala, oczywiście z podaniem informacji, dla kogo jest Wasza krew.

WOJSKOWY INSTYTUT MEDYCZNY
Bank Krwi w Zakładzie Transfuzjologii Klinicznej
ul. Szaserów 128
04-141 Warszawa 44

4. czy szpital, w którym będziesz operowana, będzie
honorował zaświadczenia o oddanej krwi w innych
punktach oddawania krwi, w innych miastach?
– tak! zadzwoniłam i upewniłam się. Pani z krwiodawstwa
z Wojskowego Instytutu Medycznego (czyli tam, gdzie
będę operowana) była przeszczęśliwa, gdy dowiedziała
się, że będzie jeszcze więcej zaświadczeń.

5. dlaczego grupa krwi nie ma znaczenia?
– dlatego, że ważna jest liczba jednostek
krwi, którą zbiorę na moją operację.
czyli: przekażecie do Banku Krwi (albo do RCKiK)
ileśtam jednostek krwi, w zamian ja dostanę do mojej
dyspozycji również tyle samo jednostek krwi.
– dlatego, że to raczej nie krew będzie mi podawana,
a jej składniki (np. albumina czy osocze –
w zależności od bieżącej potrzeby chwili).

6. ile krwi potrzebujesz?
– nie wiem! mogę potrzebować krwi / składników
krwi do przetoczenia przed operacją. może być
potrzebna krew podczas operacji. może być potrzebna
po operacji, jeśli (tfu! tfu! skuś baba na dziada!) zacznę
krwawić albo będę mieć problemy z morfologią.

7. do kiedy można oddawać krew?
– do wtedy do kiedy kurier / pociąg da radę dostarczyć
mi oryginalne zaświadczenia o oddanej
krwi, nie później niż do 13 października, bo
14 października zostanę przyjęta do szpitala.

PONIEDZIAŁEK 11 października 2010
w jednym z poprzednich komentarzy do posta ktoś poprosił
o opisanie symptomów choroby nowotworowej.
w odpowiedzi AniaHa słusznie zauważyła,
że znajdziecie tego typu informacji w necie.

ale przecież nikt *normalny* nie będzie przegrzebywał
netu celem poczytania o *potencjalnej* chorobie.

mój typ nowotworu nie jest popularny.
w roku 2009 został sklasyfikowany na dziewiątym
miejscu, jeśli chodzi o częstość występowania, co oznacza,
że dotyczy niewiele ponad 2% rakowej populacji.
na raka żołądka chorują przeważnie
mężczyźni w podeszłym wieku.
kilkanaście, kilkadziesiąt lat temu choroba
ta występowała częściej, bo ludzie mieli gorsze warunki
do przechowywania żywności (no i rzadziej mieli lodówki).
często rak żołądka jest wynikiem długotrwałej choroby
wrzodowej (czyli zarażeniem bakterią helicobacter pylori).
są różnego rodzaju raki żołądka – mało złośliwe, więc mało
podatne na chemioterapię (jest taka zależność, niezłe, co?),
złośliwe, które jeśli raczą (sic!), to reagują dobrze na chemię.

mój złośliwy skurwiel jest nietypowy – nie mam
go W żołądku, jest NA żołądku – od zewnętrznej strony.

jakie są typowe objawy choroby?
(aż się uśmiecham, gdy czytam to pytanie).
gdybym potrafiła wymienić je zawczasu, to nie
przeszłabym tego wszystkiego, co do tej pory się
wydarzyło, nie działoby się to, co się dzieje.

nie leczyłabym bez sensu u lekarza
rodzinnego kolejnych infekcji.
(w listopadzie ubiegłego roku poszłam do mojej rejonowej
przychodni i powiedziałam rodzinnej pani doktor:
– *ja umieram, przysięgam, ja umieram, pani
mi pomoże. jak mi pani nie pomoże, to położę
się tu na ziemi, oszaleję albo umrę.*
a ona zachichotała uroczo i odparła: *to typowe przesilenie,
jest pani zmęczona, dam witaminki i coś na wzmocniénie*).

rak nie boli.
zaczyna dopiero pobolewać w chwili, gdy są duże
nacieki, przerzuty; gdy rozrośnięte komórki
napierają na inne narządy, uciskają nerwy.
ale przecież nie jesteśmy hipochondrykami, przecież z powodu
niewielkich bólów nikt rozsądny nie idzie do lekarza, prawda?
...
no właśnie.

nie czuję się uprawniona do pisania o tym, na co powinno się
zwrócić uwagę, żeby uniknąć zachorowania na raka żołądka.
co więcej, sądzę, że to niemożliwe.
ot, w drodze losowania niektórzy z nas zachorują i już.
i nie mam na myśli predyspozycji genetycznych
(choć i to ma znaczenie), a uwarunkowania cywilizacyjne.
można jedynie próbować zminimalizować
ryzyko: nie palić, nie pić alko, zdrowo się odżywiać
(całkowicie wyeliminować potrawy tłuste, wędzone,
z octem), uprawiać sport, żyć bez stresów.

gdy cofam się wspomnieniami do wydarzeń sprzed dwóch, trzech,
pięciu lat, to dochodzę do wniosku, że pierwszymi objawami
choroby nowotworowej u mnie były zmęczenie i brak odporności.
zmęczenie wiązałam z samotnym wychowywaniem
dziecka i z pracą w korpo (wstawałam o 5.30 i wracałam
do domu po 20.00, często byłam w delegacji).
nieustanne chorowanie wiązałam z zaliczaniem infekcji
Syna (pierwsze lata w przedszkolu) i z nieczyszczoną
klimatyzacją w biurowcu akwarium.

wszystko da się wytłumaczyć.
lecz nie wszystko jest takie, jakie nam się wydaje.

WTOREK 12 października 2010
kochani Bliscy,
drodzy Nieznajomi,

pragnę podziękować z całego serca za Wasze
spontaniczne zaangażowanie się w pomoc.
byłam dziś w WIM-ie, do dzisiejszego przedpołudnia
dostarczyliście prawie trzydzieści zaświadczeń
(każde dotyczy przynajmniej 450 ml krwi!).
do domu przyszły kurierem przed chwilą
z Piotrkowa jeszcze dwa zaświadczenia
(dziękuję!), kolejne pięć powinnam dostać dziś
po południu, następne – jutro i pojutrze.

wiem, że sporo osób nie zostało zakwalifikowanych
w punktach krwiodawstwa do pobrania krwi.
tym osobom też serdecznie dziękuję – za dobre chęci.
i pamiętajcie – nawet jeśli nie zostaliście zakwalifikowani
teraz, to możecie spróbować oddać krew za jakiś czas,
bo przecież cały czas gdzieś ktoś potrzebuje takiej pomocy.

szczerze mówiąc – samo *dziękuję* to mało.
może, jak trochę się ocyknę po operacji,
przyjmiecie zaproszenie na moje urodziny?

ŚRODA 13 października 2010
przed poprzednią operacją pisałam o tym,
co jeszcze chcę w życiu zrobić.
pora na apdejt.

podtrzymuję pomysł o walnięciu kielicha,
gdy Giancarlo skończy studia.
i o wyjściu za mąż za Niemęża.
i o wwąchiwaniu się w ciałeczka wnucząt.

dodaję:
– wybrać córeczkę i imię dla córeczki, jak
tylko dam radę chodzić po operacji,
– potem drugą córeczkę albo jakąś taką w podobie,
– dokończyć chemioterapię (jeszcze ze dwa kursy w ramach

terapii adiuwantowej. postanowiłam: nie dam się, zaleczę się),
– wybudować wymarzony dom na jakimś malowniczym
zadupowiu.

* * *

dzień jak co dzień.
trochę odgruzowuję dom, podlewam rośliny, układam ubrania
w garderobie, gotuję obiad, sprzątam porozrzucane zabawki.

poza tym dzień jak co dzień.
... gdyby nie fakt, że pakuję torbę do szpitala.

CZWARTEK 14 października 2010
9.30   od chwili zadokowania się w szpitalu – czyli
od dzisiejszego poranka – jestem jak Mongolia.
(...)
Niezależność
Mongolia jest najbardziej niezależnym krajem
na świecie – nic od niej nie zależy.
(...)

a dokładnie rzecz biorąc, jestem jak Szczecin
w Mongolii – daleko, gdzieś, gdzie jest niepokojąco
niepewnie, nie zna się nikogo, a wrony zawracają.

czekam.

koło 14.00 ma przyjść anestezjolog.
życzmy mu, żeby był brzydki, bo przy poprzedniej operacji
Niemąż okropnie fukał, bo nieopatrznie Mu powiedziałam,
że dusiciel był bardzo apetycznym ciasteczkiem.

10.00   zadzwonił ojciec dziecka poinformować mnie, że:
może jutro wróci z trasy (jutro to będzie futro,
ugryzłam się w język i nie powiedziałam tego, uf)
i że jestem nierozsądna, że nie chcę *jutro*

wydać mu dziecka na nocowanie.
wyłączyłam dźwięk w komórce.

10.20   rozmościłam się.
        podłączyłam neta, chodzę po fejsiku i piszę o dyrdymałach.
        popsikałam salę i łazienkę perfumami, albowiem
        nie lubię smrodku pacjentów.
        jem śniadanie, które przytargał mi ze sklepiku Niemąż, bo pani
        pielęgniarka powiedziała, że środek na przeczyszczenie
        (taki przygotowujący do operacji, czarming sprawa,
        n'est-ce pas?) dostanę dopiero po południu.

10.30   przyszedł ksiądz zapytać się o spowiedź i o komunię świętą.
        odmówiłam.

10.40   przyszła pielęgniarka pobrać krew do morfologii.
        nie odmówiłam.

12.00   przyszła Babcia B.
        ściągnęłam nowego itunesa.
        słuchamy pinacolady.

12.30   EKG.
        wyszło książkowo – powiedziała pani pielęgniarka.

13.00   dusiciel okazał się kobietą.
        w moim wieku, może nawet młodszą.
        nawet niebrzydka.

14.00   pielęgniarka przyniosła dwie flaszki *preparatu*.

        no to chlup!

14.10   wygoniłam Babcię B., bo zaczęłyśmy się tkliwie żegnać.
        a twardzielki przecież nie płaczą...

14.30   wypiłam pierwszą flaszkę.
         smaczniejszy ten *fleet* od *x-prepu*.

14.40   był pan profesor.
         operacja zacznie się jutro koło 10.00–11.00
         i potrwa od trzech do sześciu, siedmiu godzin.
         powiedziałam, że daję carte blanche, niech
         tną, co się da, o ile da się cokolwiek.

15.00   *preparat* działa że aż.
         wypadło mi już oko, śledziona i kręgosłup.

15.20   odpadła mi dupa.
         zmęczyłam się.
         idę się zdrzemnąć.

17.00   obudziła mnie pani pielęgniarka,
         zapytała się, czy mi w czymś pomóc,
         czy wszystko w porządku. miłe.
         fleet nadal działa.
         zgroza.
         rozważam sens picia drugiej butelki tego preparatu,
         skoro pierwsza tak d y n a m i c z n i e działa.

17.10   mierzenie temperatury.
         mam 37,2.

17.30   obchód był.
         doktor: *kto zadecydował o przyjęciu pani do operacji?*
         ja: *ja sama.*
         – a tak serio?

         doktor: *a co będzie robione?*
         ja: *a co się da, ja mam nadzieję, że może uda*
         się wykonać totalną gastrektomię.

➜   2010 październik

lecę do WC.
fleet woła mnie z drugiej strony.

18.30　ja przepraszam, że nie odbieram telefonów.
　　　　mimo wszystko nie do końca mam na to nastrój.
19.00　głodna jestem.

20.00　oglądam Kabaret Hrabi

21.00　pani pielęgniarka zrobiła zastrzyk clexane.
　　　　i dała tableteczkę dormicum (*tylko
　　　　proszę ją wziąć po kąpieli*).
　　　　dalej oglądam kabarety.

22.00　prysznic.
　　　　zaczynam się zastanawiać, czy ja aby dobrze
　　　　robię z tym parciem na operację.

23.00　przeglądam bazę nekrologów.
　　　　interesowaliście się kiedyś genealogią swojego rodu?

24.00　pogadałam przez skajpa z Agą, która przybyła
　　　　z dalekich Mazur, żeby wesprzeć Niemęża i Giancarla
　　　　w trudach rozstania ze mną. (kocham Cię i dziękuję).
　　　　łykłam dormicum.

　　　　zamykam netbuka – zanim przyryję
　　　　przez sen paszczą w klawiaturę.
　　　　dobranoc.

PIĄTEK 15 października 2010
moja Siostra jest teraz w pięknej ciąży.
pragnę Ją odwiedzić z Giancarlem, gdy już urodzi Córeczkę.
termin porodu jest na styczeń.

i wiele jeszcze innych rzeczy chcę zrobić.

* * *

no to pa.

* * *

5.00   mierzenie temperatury. mam 35,6.

7.30   łobchód był.

8.00   zmiana planów.
       miałam być operowana o 11.00, kazali już iść.
       to idę.

NIEDZIELA 17 października 2010
a kuku!
jestem!
bez żołądka i śledziony!

dziś, jak głosi fejsik, obchodzimy Międzynarodowy Dzień Minety.
oby nam się.

PONIEDZIAŁEK 18 października 2010
potwornie zmęczona.
ale jestem.

NIEDZIELA 24 października 2010
21-10 wypisano mnie.

do dzisiejszego południa siedziałam (leżałam)
u Babci B., potem Niemąż zabrał mnie do nas.
uczę się życia bez żołądka.
jedzenie papek co dwie, cztery godziny.
picie niewielkiej ilości małymi łyczkami.

noc z 21 na 22 była koszmarem – efektem odłączenia od pompy
z dooponowym przeciwbólowym plus szaleństwa głodnej
trzustki wynikające z wyciągnięcia sondy dojelitowej.
przeżyłam.

jestem.
walczę dalej.
nie daję się.

WTOREK 26 października 2010
obecnie głównym skutkiem ubocznym operacji jest
niewyobrażalnie silny ból szyi, właściwie to chyba
kręcz (pewnie skutek złego ułożenia podczas snu).

nieoceniony Niemąż, człowiek ideał, mężczyzna
opoka, przytruchtał więc do domu w try miga
z anatomiczną poduszką, która w połączeniu z dobrym
chlupem tramalu co sześć godzin i smarowaniem szyi
rozgrzewającą maścią przynosi względnie wymierną ulgę.

apetyt zaś dopisuje mi bardziej niż przed operacją.
zaczynam mieć wręcz podejrzenia, że włożono mi żołądek
dorodnej krowy limousine – mogę jeść non stop.
teoryjka z jedzeniem co cztery godziny nie dotyczy
mnie: jestem cały czas głodna, nic mi się nie
zatyka, nie mam nudności, nie mam biegunki.
okaz zdrowia.

i tylko gdyby nie ta szyja...

PIĄTEK 29 października 2010
odebrałam wyniki hist.-pat.
w usuniętym żołądku – guz 3,5 cm + rozległy naciek na całość,
ale we wszystkich usuniętych węzłach chłonnych czysto.

wracam kończyć pierwszy sezon.
a w przyszłym tygodniu trzeba będzie pomyśleć
o złożeniu wizyty Ulubionemu Doktorkowi
i o powrocie do chemioterapii.

NIEDZIELA 31 października 2010
Czasami jest ciężej niż zazwyczaj.

ŚRODA 3 listopada 2010
no dobra, przyznam się: życie mnie zaskoczyło.

jakoś nie wpadłam na myśl, że po operacji będę mieć
inny zakres możliwości fizycznych niż przed.
owszem, znam pojęcie *rekonwalescencji*, ale nie
spodziewałam się, że to będzie wyglądać tak ciężko.
miałam inne wyobrażenia o sobie.
że dam radę ogarniać siebie, dom, dziecko, Niemęża.
że będę w stanie funkcjonować co najmniej tak jak przed operacją.
niestety.

zaś sedno sprawy tkwi w tym, że fizis nie nadąża
za oczekiwaniami psyche, a psyche wysiada, gdy fizis nie nadąża.
pętla.

CZWARTEK 4 listopada 2010
fryzurę u Iwonki podrasowałam, różnych różów
na wybrane części twarzy nałożyłam, wskoczyłam
w botki z fioletowego zamszu na niebotycznym
obcasie i pojechałam do Ulubionego Doktorka.

docenił.
coś o *niezłej lasce* powiedział.

* * *

zważyłam się na szpitalnej wadze.
ledwo, ledwo 46 kg.
masakra.

dobrze, że Niemąż uwielbia chude.
(a przynajmniej miło z Jego strony, że tak mówi).

* * *

ponieważ, jak pamiętacie, nie ma ustalonych zasad leczenia raka
żołądka popartych badaniami, w dalszym ciągu moje leczenie

opiera się na połączeniu doświadczenia chemioterapeuty, moich
pomysłów i determinacji oraz na cierpliwości finansowej Babci B.

po wymianie informacji na temat przebiegu operacji,
po zachwytach nad regresem choroby, po jałowych
spekulacjach, co było przyczyną aż tak potężnego
ustąpienia choroby, ustaliliśmy, że decyduję się
na jeszcze jedną, maksymalnie dwie chemie, a później
będę tylko monitorowana na okoliczność wznowy.

czyli do końca roku powinno się udać skończyć leczenie.

* * *

na *do widzenia* wyznałam Ulubionemu Doktorowi miłość.

powiedział, że mam napisać na blogu, że Go kocham, więc piszę:

KOCHAM PANA

i BARDZO DZIĘKUJĘ.

PIĄTEK 5 listopada 2010
nowa rurka, jak to fachowo ujęła Babcia B. – *z powodu
zmienionych warunków anatomicznych* – stwarza problemy.
otóż połknięcie choćby maleńkiego kęsa czegokolwiek (jabłka
/ mięsa / bułki) bez polania przed-w trakcie-po dużą ilością
picia skutkuje makabrycznie bolesnym zatkaniem się.
gdy rurka się klopsuje, wyję z bólu, łapiąc rozpaczliwie
powietrze i toczę pianę z pyska, kręcę młynka rękami,
zwijam się w kłębek oraz rzucam kurwami.
remedium stanowi intensywne klepanie
po plecach, tak aby odblokować rurkę.

mam już odbite plecy od walenia.

* * *

wczoraj zatkałam się kawałeczkiem jabłka.
popicie go nie pomogło.
ani popicie picia większą ilością picia.
byłam sama w domu, nie było nikogo, do kogo
mogłabym dopełznąć, błagając o ratunek.
postanowiłam uratować się sama.
nieoceniona okazała się wielka warząchew,
której zwyczajowo używam do mieszania bigosu.
kilka ciosów w plecy drewnianą łychą odblokowało rurkę.

w związku z powyższym rozpatruję możliwość noszenia
w torebce utensyliów kuchennych, którymi w razie potrzeby
mogłabym się na ulicy pierdolnąć w plecy – bo przecież nie
będę zaczepiać przechodniów, charcząc prośbę: *czy mógłby
mnie pan postukać po plecach, ponieważ nie mam żołądka.*

SOBOTA 6 listopada 2010
wiem, że o tym ględzę do urzygu,
ale muszę i będę. potrzebuję.
otóż osiągam pewien rodzaj równowagi.
nie ma ona nic wspólnego z tym, jak
dotychczas żyłam, ale jest nieźle.

nie spałam w ciągu dnia.
nie zasłabłam podczas kąpieli.
uczyłam Giancarla pisania, czytania, liczenia
i angielskiego i nie straciłam cierpliwości.
nie wypadło mi jelito do WC.
prawie nie boli mnie już szyja (szczególnie jak łyknę
osiemnaście kropli tramalu; czemu osiemnaście?
bo to dawka przeznaczona dla dzieci od lat 11,
czyli osób ważących 45 kg, znaczy się tyle co ja).
ugotowałam dwudaniowy obiad, a Syn zjadł cały talerz
kremu z zielonego groszku z grzankami, proszę o oklaski.
ani razu nie zatkałam rurki (no dobra, tylko raz wieczorem,
cząstką mandarynki, więc to się właściwie nie liczy).

ponadto przeczytałam najświeższe
wydania „Focusa", „Newsweeka" i „Wprost".
tak więc nie dość, żem sprawnie działająca fizycznie,
to również intelektualnie jestem szprycha.

PONIEDZIAŁEK 8 listopada 2010
łeb mi wysiadł z powodu jutrzejszej, piątej chemii.
przerażenie wzięło górę.

jestem małą, chudą, bladą dżdżownicą.
już za chwilę rozszarpie mnie na kawałeczki
ostrze nadjeżdżającej kosiarki.

WTOREK 9 listopada 2010
pojechałam na wlew, a tu dupa.
polali NaCl z jakimiś dodatkami, a następnie powiadomili,
że chemii nie będzie, bo pan aptekarz – rozpuszczacz
cysplatyny – wziął już teczkę pod pachę i wybył.
więc pytam się: po jakiego wała rejestracja
umawia wizyty na popołudnie, skoro jest wiadome,
że popołudniami aptekarz daje dyla?
nic to – jutro rano będzie wlew.

tymczasem czekanie, nastawienie się na akcję oraz jej dzisiejsze
odroczenie sprawiły, że do reszty osłabłam psychicznie.
pobrałam więc od Babci B. oxazepam.
łyknę jutro jego ćwiartkę albo połówkę, bo już nie
mam siły napinać się, żeby się ogarnąć.

mam stany lękowe przed chemioterapią, a dokładniej – napady
paraliżującego przerażenia, które oprócz rzucania się na mózg
rzucają się oczywiście na ciało, powodując różnorakie
silne bóle, co z kolei potęguje doznania psychiczne.

było to do przewidzenia.
w sumie i tak dużo czasu utrzymałam się w ryzach bez wspomagania.

SOBOTA 13 listopada 2010
rzygam od wtorku, non stop – co kwadrans,
co godzina, co pół godziny.
cyrk.
relanium nie pomogło, oxazepam nie pomógł ani zofran,
ani inne leki przeciwwymiotne.

SOBOTA 20 listopada 2010
próbuję się dźwignąć.
ciężko.

niewyobrażalnie ciężko.

NIEDZIELA 21 listopada 2010
nadludzkim wysiłkiem zmusiłam się dziś do opuszczenia domu.
pojechaliśmy na obiad do Babci B.
warto było się zmusić.
niebo pokryte było takimi pięknymi chmureczkami.

* * *

ważę 40 kg.
ledwo daję radę stać, z wysiłku kolana
wyginają mi się do przodu.

odruch wymiotny nadal ma mnie za nic, chociaż
nie jest już tak wściekle częsty i zajadły.
do tego potrafię jednocześnie mieć czkawkę, napad
wielokrotnego kichania i atak kaszlu.

system neurologiczny zwariował.

* * *

po prawie półtoratygodniowej nieobecności
wieczorem wrócił do domu Giancarlo.
mój Synek.
moja miłość.
umyłam Go, zapakowałam do łóżeczka, miałam zacząć
czytać, a tu hyc! i gulp, gulp, gulp – odruch wymiotny.
– *mamusiu, miej ten odruch, ja będę cię masował po pleckach.*
– *idę do łazienki, minie mi i wrócę czytać* – odpowiedziałam.
drep, drep. wypełzł z pościeli, przyszedł za mną: *jesteś*
chora, przyszedłem cię potrzymać za rączkę. mogę
trzymać delikatnie albo ściskać, jak wolisz?

pytam retorycznie: czy On mi kiedyś wybaczy,
że dźwiga takie brzemię z dzieciństwa?

PONIEDZIAŁEK 22 listopada 2010
coś się pojebało organizmu memu.
nie spałam w nocy z wczoraj na dzisiaj, nie
udało się zlokalizować wyłącznika systemu.
nie pomogło słuchanie muzyki poważnej,
magazynu dla rolników, tulenie się do podusi,
jedzenie lodów ananasowych.

myślałam, że może zdrzemnę się po jedzeniu (którymś z).
chuj!
albo po spacerze / masażu / prysznicu /
rozwieszeniu sieśmastego prania.
chuuuuj jak stąd do tamtąd!

przenalizowałam to, co zjadłam i wypiłam, z lekami włącznie.
brak podejrzanych.
wysnułam więc koncepcję *zaburzonego*
bilansu energetycznego.
nie wiem, co to, ale brzmi naukowo – przyznacie sami.

WTOREK 23 listopada 2010
nie wiem, jak to nazwać.
chyba najtrafniej będzie: depresja.

bo:
– mój organizm zrobił mnie w wała i zachorował,
teraz niby ozdrowiał, ale przecież wszyscy
wiemy, że takie rzeczy to tylko w Erze.
nie lubię siebie za tę chorobę. nie lubię swojego życia.

i błagam, nie piszcie słów pocieszeń, nie o to chodzi.

∗ ∗ ∗

Syn podjął dziś rozmowę o metanauce
na przykładzie Niemęża.
*– a skąd Wujek tyle wie? jak się dowiedział, że coś
można wiedzieć? skąd naukowcy mają wiedzę?*
moja krew!

NIEDZIELA 28 listopada 2010
mam wrażenie, że z każdym dniem czuję się gorzej i gorzej.

liczę na eutanazję.
Babcia B. mówi, że się nie doczekam.

szkoda.

PIĄTEK 3 grudnia 2010
odruch wymiotny nadal ma się świetnie.
zaczęłam dziś pić odżywkę, po której odruch
wymiotny ma się jeszcze lepiej niż świetnie.

ta zima musi kiedyś minąć...
zazieleni się...

PONIEDZIAŁEK 6 grudnia 2010
z okazji mikołajek Syn dostał od nas zdalnie sterowany
helikopter, a ja zupę ogórkową od Babci B.
Niemąż, tradycyjnie, dostał możliwość
masowania mnie, dzięki czemu nie szarpały mną
bardzo duże torsje, tylko nieco mniejsze.

a.
no i licealny narzeczony, pan psychiatra, podał
nazwę tabsów, które może pomogą.
tylko trzeba uwierzyć

;]

NIEDZIELA 12 grudnia 2010
ujebana jestem.

poleżę – mam odruch wymiotny, łyk mięty – nudności, wyją jelita.
siadam więc na łóżku, kolana pod brodą, głowa
wysoko na poduszkach, ręce pod głową.
Niemąż mówi, że mam ramadan.
(a pięty bolą od pośladków. albo pośladki
od pięt – nie wiem, co chudsze).

kurwunia, to już prawie drugi miesiąc ramadanu.

ŚRODA 15 grudnia 2010
już mnie nudzi pisanie o ryczeniu jak tygrys,
chociaż niestety temat jest nadal aktualny.
staram się radzić sobie, ale wiele to kosztuje.

w związku z tym mam myśl dla Was: cieszcie się tym, co macie.
może być gorzej.

PONIEDZIAŁEK 20 grudnia 2010
Ewa Zofia.
urodziła się dziś nad ranem, a ja dożyłam tej chwili.
Boże, dziękuję.

WTOREK 21 grudnia 2010
kierowca ze mnie przenaderwyśmienity, uwielbiam
prowadzić w korku, uwielbiam jeździć w trasę.
nie ma pogody, która by mnie zniechęcała
do siadania za kółkiem.
niestety teraz męczę się łatwo i każdy przelot
autem jest okupiony sporym wysiłkiem.

tak było również wczoraj.
pojechałam kupić prezent Niemężowi.
kupiłam, wróciłam.

nieludzko wytrzęsiona, z płucami w gardle, żebrami
zaplątanymi za jelita, z jelitami wypadającymi nosem.
pomyślałam sobie – kwestia zawieszenia.
czas na citroëna, najlepiej DS.

dziś zeszłam do auta, patrzę i widzę.
flak.
przejechałam jakieś trzydzieści
kilometrów po asfalcie na flaku.
nic dziwnego, że mnie wytrzęsło.

ŚRODA 22 grudnia 2010
podjechaliśmy (koło wymienione, tak, tak) na parking
lokalnej mekki konsumpcjonizmu celem kupienia choinki.
panowie sprzedawcy kulili się jak
kurczaczki w starym golfie.
po dłuższej chwili jeden wychynął z fury.

przed zakupieniem zażyczyłam sobie
otrzepania choinki ze śniegu.
– *ja nie jestem od trzepania* – zażartował pan rezolutnie.
– *słyszałam, że mężczyźni SĄ od trzepania* –
odparłam nie mniej banalnie.
pan zachichotał dziko i zwrócił się, nieopatrznie,
do Niemęża: *a pan jest mężem tej pani?*
Niemąż, który był wczoraj fatalnie społecznie
aspołeczny, na to: *nie, jestem koleżanką, niemiecką*
sportsmenką na sterydach, najebać ci?

niewtajemniczonym opiszę wygląd Niemęża:
sumiaste wąsy i broda, prawie metr
dziewięćdziesiąt wzrostu i tyle samo wagi.

a panowie byli całkowicie spaleni trawą,
więc przydało im się trochę tresury.

ŚRODA 29 grudnia 2010

na forum onkologicznym ktoś zapytał
się, co jeść po resekcji żołądka.
jestem już dwa i pół miesiąca po resekcji i śmiało
mogę odpowiedzieć na to pytanie.
NIE WIEM.
jeśli wczoraj jadłam to, co jadłam, a dziś zjem
to samo, to wcale nie jest powiedziane, że nie będzie
mnie bolał brzuch (chociaż wczoraj nie bolał).
lub odwrotnie.
jedyne, co jest pewne, to banan.
banan jest niezawodny.
po bananie nic mi nie jest.
i po izostarze.
ale tylko cytrynowym.

(i po czipsach).

PONIEDZIAŁEK 3 stycznia 2011
jedzenie, prócz banana, usiłuję różne przyjmować.
do repertuaru dołączyłam:
- krakersy ze śmietankowym serkiem topionym,
- bułkę ciabatkę z oliwą,
- gotowane krewetki,
- kukurydzę z puszki,
- gotowany ryż i makaron,
- melona,
- mandarynki,
- miękkie pierniczki,
- chrupki kukurydziane.

jedzenie musi mieć tytułowy poślizg, bo jak nie,
to się zatykam, toczę pianę, usiłuję się udusić
i zwymiotować jednocześnie. pełen folklor.

teraz rozumiem tych lekarzy, którzy mówili, że woleliby
kontynuować chemioterapię niż decydować się na resekcję żołądka.
no ale – co się stało, to się nie odstanie.

ŚRODA 5 stycznia 2011
jutro przybędzie do nas Kudłata, ale mam tremę, luuuudziska...
a jak kocica nas nie polubi?
a jak będzie się nas bać?
denerwuję się.

* * *

po wielu namysłach (*dam radę – nie dam rady – dam radę –
nie dam rady – dam radę – nie dam rady* itd. jęków przez
dwa tygodnie) zdecydowałam się przyjąć zlecenie szkolenia
językowego, chociaż od ponad trzech lat zaprzestałam zabaw
w uczycielkę, woląc wcielać się w menadżerokołcza.

szkolenie jak szkolenie – ileśtam godzin, ileśtam
razy w tygodniu, ileśtam tygodni.

tymczasem czytam ja wytyczne metodologiczne,
a tam napisane: 80% czasu lektor ma przeznaczyć
na nauczanie języka ogólnego, 20% na język eklezjastyczny.
hłe, hłe, ale numer.
u p r z e w i e l e b n i ę   s i ę.

SOBOTA 8 stycznia 2011
Syn ma megakatar i kichanie.
albo nadciąga choróbsko, albo jest uczulony na Kudłatą.

czekam na rozwój sytuacji.

* * *

chwyciła mnie dolina, że jestem do niczego, że mam tak
mało sił do zajmowania się codziennymi sprawami.
najlepiej się czuję, gdy śpię.
we śnie mogę wszystko.

PONIEDZIAŁEK 10 stycznia 2011
jak pamiętacie, wzięłam na siebie lektorat językowy dla kleryków.
jeśli dotrwam do końca tego tygodnia, to będzie cud.
w grupie pięcioosobowej dwie osoby są potężnie przeziębione.
tylko czekać, aż i mnie weźmie ich wirus.

* * *

jestem nieprawdopodobnie zmęczona.
macie na to jakąś radę?
(wiem, wiem, muszę zrobić poziom żelaza, pewnie mam niskie).

ŚRODA 12 stycznia 2011
Ulubiony Doktor powiedział mi przed ostatnią chemią coś
w stylu: *jak na razie nie ma choroby, to oczywiście sukces. ale tylko
czekać, a będzie wznowa w otrzewnej, a potem przerzuty do płuc.*
ot, pragmatyzm praktyka.
byłam wczoraj u profesora Szczylika (chemioterapeuty).
mam zrobić PET-a i *zobaczymy, co dalej.*

* * *

zrezygnowałam z lektoratu, był wysiłkiem
ponad moje możliwości.
niestety klerycy byli wspaniali – mądre, bystre
chłopaki, znające po dwa, trzy języki.
uczenie ich byłoby czystą przyjemnością.
w trakcie pierwszych zajęć kilka razy zdarzyło mi się
poczuć bardzo słabo, więc zdecydowałam się odpuścić.

wielka szkoda, bo fajnie byłoby móc
pracować, a jeszcze fajniej – zarabiać.

wniosek z tego, że jak na razie muszę wynaleźć
dla siebie jakąś pracę w trybie homeworkingu,
z możliwością wykonywania jej z poziomu pościeli.

* * *

(...) Idę po szczęście swoje. Po ciszę. Do kogo?
Którędy? Ach, jak ślepiec! Zwyczajnie – przed siebie. (...)

Julian Tuwim, *Zmęczony burz szaleństwem*

CZWARTEK 13 stycznia 2011
jeśli mam żyć za cenę cierpienia, bólu, wolę umrzeć.
jeśli mam żyć dla bliskich po to, by Ich życie utrzymało
za wszelką cenę dotychczasową równowagę, wolę umrzeć.
przecież gdy umrę, nastanie nowa równowaga,
nie gorsza od poprzedniej.

a mnie ciekawi, co jest po drugiej stronie.

dopóki jestem, jestem.
gdy przyjdzie odejść, odejdę.
bla, bla, bla.

* * *

dziesięć lat temu, niedługo po śmierci mojego Ojca, miałam
taki sen: wspinam się monumentalnymi schodami, idąc,
głaszczę dłonią wiekową balustradę z białego marmuru.
w połowie schodów spotykam Ojca. pytam Go:
Tato, czemu tu pusto, nie ma nikogo?
On mi na to: *czekamy, niedługo przyjdą.*

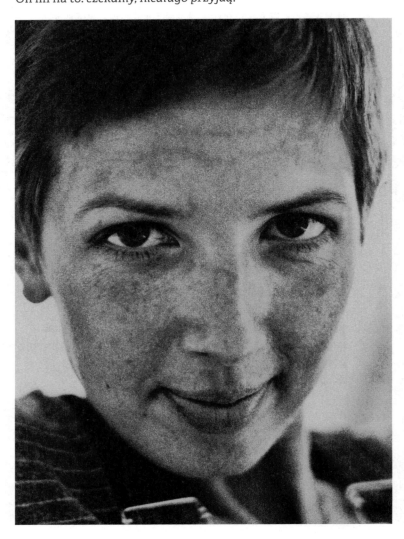

PIĄTEK 21 stycznia 2011

sześć lat temu, parę minut po godzinie
jedenastej rano, świat zmienił wagę.
i nawet jeśli nadal uważam, że przenoszenie genów
jest działaniem skrajnie egoistycznym, to muszę
przyznać, że warto było, bo wiele się nauczyłam.

nauczyłam się odczytywać myśli z mimiki twarzy –
z drgnięcia kącika ust, drobnego zmarszczenia noska.
nauczyłam się przewidywać przyszłość, czego
przejawem zewnętrznym stała się pojemna torba
zaopatrzona we Wszystko, co Będzie Niezbędne:
chusteczki, bluzę, spodenki, samochodziki,
ludziki, książeczki, kredki, soczek, herbatniki
itd. (gdy zarzuca się tę torbę, należy obowiązkowo
wypowiedzieć *opa*, ułatwiające noszenie jej na ramieniu).
nauczyłam się być elastyczna (*chcesz wózek
do wożenia Kubusia Puchatka? nie ma sprawy, kupię*)
i tolerancyjna (*ależ proszę bardzo, jasne, że możesz
włożyć całego pilota od telewizora do buzi*).
i nieustannie się uczę.

mój Syn otwiera nowe horyzonty – nie tylko
na swój użytek, ale również dla mnie.
wskazuje nieznane dotąd możliwości, odkrywa
rozwiązania, podaje nowe interpretacje.
jest entuzjastyczny, twórczy, nieskrępowany, swobodny.

i taki bądź zawsze.

Sto lat, Malutku.

* * *

i obiecuję, że co roku, dopóki Ci się to nie
znudzi, będę z Tobą przygotowywała taki
pyszny tort jak ten, który zrobiliśmy dziś.

oto stoję na rozdrożu – w sobotę za tydzień mam
badanie PET, które przesądzi, co dalej.
jakie są możliwości?

z badania wychodzi, że:
1. jestem zdrowa, tak więc:
– zaczynam szukać pracy moich marzeń –
tak żeby móc jednocześnie zajmować się Synem,
domem oraz swoimi zainteresowaniami,
– dyskretnie monitoruję zdrowie.

2. jestem chora, więc:
– zaczynam leczyć się wg
popularnych schematów leczenia lub
– na podstawie bloczka (flaczka) z operacji wysłanego
do genewake.org leczę się wg optymalnej terapii
celowanej (możliwy szeroki wachlarz opcji – przepraszam,
że po angielsku, ale to z zagranicznego maila): *taxans,
vincaalcoloids, platin, irinotecan, topotecan, gemcitabin,
capecitabin, anthracyclins; avastin, erbitux; tyrosinkinase
inhibitors (sunitinib, lapatinib, erlotinib or gefinitib); mTor-
inhibitors, PPARG-antagonists, COX2-inhibitors,
proteasome-inhibitors, thalidomid; erlotinib + celecoxib
+ capecitabin; etoposid + cisplatin);* (a herceptyna
odpada, jestem niewrażliwa – już przebadane).
(... żeby nie było złudzeń: *Metastatic gastric carcinoma
is currently incurable* – cytat z ww. serwisu)
– szamoczę się z codziennością (od chemii
do chemii, od morfologii do pawia itp.), markując
uczestniczenie w życiu zdrowych.

kiepska alternatywa.
bardzo kiepska.

PONIEDZIAŁEK 24 stycznia 2011
okazało się, że Giancarlo ma żyłkę pedagoga.

dziś w przedszkolu uczył najlepszego przyjaciela pisać.
a właściwie, według słów Syna, tylko
pomagał łączyć literki w słowo.
chociaż, gwoli ścisłości, napisał literki,
bo przyjaciel pisać nie umie.
i mu te literki połączył; czyli jednak, dokładnie
rzecz ujmując, pokazał, jak się to słowo pisze.

wtedy wkroczyła do akcji pani przedszkolanka.
przebiegła z niej istota – sądziła, że przygwoździ Syna,
wykazując Mu, że pisze wyraz, którego znaczenia nie rozumie.
w błędzie była, bo rozumiał i wyjaśnił. co więcej – podał synonimy.

wieczorem zadzwoniłam do Mamy przyjaciela Syna
wyrazić swoje ubolewanie z powodu zaistniałej sytuacji.
zagwarantowałam również, że następnym razem
gdy Giancarlo będzie uczył pisać, słowo *fiut* zostanie
napisane bez błędu – przez i, a nie przez jot.

i żeby nie było – wyjaśniam:
wyraz ów został naszeptany Synowi i Jego przyjacielowi
przez pewnego chłopca ze starszej grupy.
u nas w domu jeszcze tak się nie odzywamy, na razie.

a ja znam nazwisko tego chłopca. i nie będę bała się użyć.
może napiszę mu *FIUT* na jego szafce z kapciuszkami?

CZWARTEK 27 stycznia 2011
*– jak to jest, mamo: mówisz, że mam zjeść, ile chcę, ale mówisz
mi jednocześnie, że mam zjeść wszystko. przecież to jest nierówne.*
z dumy napęczniałam, urosłam.
filozof rośnie! po mamusi! wyczuwa ontologię i logikę!

SOBOTA 29 stycznia 2011
zrobiłam badanie.
czekam na opis, będzie za pięć, siedem dni.

i w Biosfeerze zupę z soczewicy zjadłam.
i w kinie byłam na *Jak zostać królem*.
i do zdjęć pozowałam.
a wszystko po to, by nie być w domu z Synem i nie świecić
na Niego kontrastem, bo okres połowicznego rozpadu
izotopu od wstrzyknięcia wynosi sześć godzin.

* * *

a Panowie musieli sobie sami radzić, więc
na obiad poszli do pizzerii.
jak donosi Niemąż, Syn zjadł w całości jedną pizzę.

NIEDZIELA 30 stycznia 2011
dziś powinien być post jak z bloga kulinarnego,
bo od rana do teraz stałam przy garach.

Niemąż skomplementował, że *uwielbia moją
kuchnię i domową atmosferę, którą tworzę*.
Syn powiedział, że uwielbia z nami siedzieć przy stole,
wspólnie jeść, pomagać mi w kuchni i że kocha jeździć
ze mną na zakupy (w markecie pcha wózek, wykłada
i pakuje towar, potem dźwiga nieporadnie siatkę:
ty, mamusiu, nie możesz, masz szwy na brzuszku).
sielaneczka, pszę Państwa.
lukrowana różowiutka sielaneczka.

może się mylę, ale wydaje mi się, że nie byłoby
aż tak ciepłej bliskości, gdyby nie doświadczenie
mojej niespodziewanej choroby.
bardzo mocno nas to połączyło.

CZWARTEK 3 lutego 2011

zadzwoniłam do PET-a.

pani powiedziała, że jeśli chodzi o badania

z soboty, to wyników jeszcze nie ma.

skoro nie ma, to czekam.

dziś czekałam na wynik badania bardzo intensywnie:

u fryzjera, u kosmetyczki, u manikiurzystki, robiąc

lasagne, piekąc chleb, goszcząc wujka Jaguara oraz

w restauracji – jedząc wieczorem sushi z M.

i niech mi ktoś powie, że jak się siedzi w domu i nie

ma się pracy, to nie ma się nic do roboty.

* * *

postanowiłam rozpocząć od dziś uczestniczenie w wyścigu szczurów

o lepszą przyszłość Giancarla. odebrałam z przedszkola, nakarmiłam

obiadem i zawiozłam Go do ościennej miejscowości o końskiej

nazwie do ośrodka kultury na zajęcia z działania twórczego.

zachwycił się nimi, bo *nie było jak w przedszkolu – mogłem*

przestać robić, co robiłem, i za chwilę znowu to robić, ciocia nic mi nie

kazała, nie zabraniała, zapoznałem starsze dzieci, takie ze szkoły,

nie było zmuszania do jedzenia, bo nie było żadnego posiłku.

przed snem dopytywał się, czy jutro aby

zawiozę Go do tej *fajnej szkoły.*

niestety – następne zajęcia za tydzień.

zamierzam jeszcze zapisać Go na szachy i na gimnastykę.

niech się rozwija.

PIĄTEK 4 lutego 2011

jest wynik.

jestem zdrowa.

idę spać.

SOBOTA 5 lutego 2011

powinnam dziś napisać sążnistego posta
z podsumowaniem mojej walki z rakiem żołądka.
nie czuję się jednak na siłach.
nie chcę zapeszać.
napiszę go za pięć lat.

* * *

dostaję sporo maili od osób zmagających się z rakiem.
piszecie o nadziei, która rozbłysła po przeczytaniu mojego bloga.
bardzo miło jest mi to wiedzieć. bardzo.

gdy zachorowałam, rozpaczliwie przeszukiwałam
sieć pod kątem świadectw walki z rakiem,
które zakończyły się zwycięstwem.
to zaskakujące i niesamowite, że właśnie mój
blog stał się takim świadectwem.

* * *

od wczoraj dzielimy się z Synem wspaniałą nowiną.
po nocy przemyśleń dziś przy śniadaniu Giancarlo zapytał
mnie: *a gdyby teraz doszyli ci żołądek, umarłabyś?*

NIEDZIELA 6 lutego 2011

gdybym była chora, byłoby prościej.
trzeba byłoby się leczyć, a reszta byłaby nieistotna.

ale jestem zdrowa i mam problem z mnogością możliwości.
nie wiem, czym mam się zająć.
Boże, jest tyle ciekawych rzeczy do zrobienia...

* * *

korzystając ze wspaniałej pogody, poszliśmy
w południe we trójkę na spacer.
potwornie zmarzłam.
to niestety NIE jest jeszcze wiosenne słońce.

Syn zadowolony ze spaceru, ponieważ otworzył
niniejszym sezon przelotów na hulajnodze.
ja trochę mniej zadowolona, bo przejeżdżając po trawnikach,
kółka hulajnogi po wielokroć ugrzęzły w psich kupach.
poczekam chyba na obfity deszcz i poślę Syna
na przejażdżkę po kałużach, bo jakoś nie mam
weny na mycie kółek hulajnogi prysznicem.
wieczorem upiekliśmy bułeczki.
uwielbiam kucharzenie z Giancarlem, uwielbiam
Jego zapał i gotowość do interakcji.
że nie wspomnę o tym, jak wspaniale jest jeść razem
samodzielnie upieczone, jeszcze gorące pieczywo.

* * *

w myślach nieustannie analizuję ostatni rok.
nie wiem, jak to się stało, że mi się udało.
po prostu nie wiem.

często myślę, że powinnam rozpatrywać
moje wyleczenie w kategoriach cudu.
może pomogły modlitwy koleżanek
Babci B. do księdza Popiełuszki?
przecież medycyna właściwie nie dawała mi szans.
hm.

ŚRODA 9 lutego 2011
profesor kazał stawić się u niego na kontrolę za dwa miesiące,
z USG jamy brzucha i wynikami markerów CEA i CA 19-9.
zadałam pytanie o to, co sprawiło, że wyzdrowiałam; czy
nie powinnam traktować tego zdarzenia jako przypadku.
– *to przypadek z pogranicza cudu* – odpowiedział profesor.
i dodał: *a z pani jest koza.*

CZWARTEK 10 lutego 2011
zaprawdę, powiadam Wam: życie tworzy scenariusze, przy
których najbardziej zajmujący film przygodowy to Pan Pikuś.

i nie pytajcie mnie, co mam na myśli, bo nie powiem; aczkolwiek
jestem pewna, że i Wy doświadczyliście choć raz tego uczucia.

Niemąż skomentował: *przynajmniej nigdy nie*
powiesz, że wiedliśmy nudne życie.

PIĄTEK 11 lutego 2011
dziś w przedszkolu odbył się bal karnawałowy.

w nocy zostałam obudzona teatralnym szeptem: *przepraszam,*
że budzę, ale boli mnie znowu ucho, może byś tak mi je zakropliła?
do rana ucho przestało boleć (dziękujemy wam, pradawni
bogowie za stworzenie otinum), więc do przedszkola poszedł.
wystąpił w stroju i masce Ben 10.

zapytany o relację z balu, odparł, że tańczył tylko z dwiema
osobami: *na serio* z tegoroczną wybranką serca Julką – motylkiem,
i z przyjacielem Szymonem – piratem, *taniec wygłupiany.*
ucho Go nie rozbolało, więc obyło się bez
alarmowego telefonu od „cioci".
z balu przyniósł do domu trofeum –
żółtawy, pomarszczony balon.

* * *

skutkiem nawracających zapaleń ucha
i katarów jest lekki niedosłuch.

stoimy w kolejce przed ladą chłodniczą w dziale z wędlinami.
– *mamo, patrz, ale ta pani obok ciebie*
ma gigantyczny nos – odzywa się głośno Syn.
agregat lady chłodniczej szumi, żarówka świeci,
wędliny leżą. obserwacja została wypowiedziana.
ratunku, słabo mi z zakłopotania.
– *proszę cię, nie odzywaj się tak, to nie*
wypada, to niegrzeczne – strofuję.

– ale ja prawdę mówię, ja nie jestem
niegrzeczny, no sama się przyjrzyj.
kupujemy wędlinę.
odchodząc, rzucam okiem na delikwentkę.
nos ma jak klamka od zakrystii.

muszę iść z Synem na tympanometrię.

PONIEDZIAŁEK 14 lutego 2011
korzystam z pobytu na zimowisku i analizuję oferty pracy.
wysłałam dziś aplikacje w sześć miejsc.
oceniam, że do września powinnam dać radę wyrekrutować się.

* * *

w pokoju obok Giancarlo bawi się ze
swoją wakacyjną przyjaciółką.

dialog nr 1
ona: *teraz bawimy się, że jesteś moim*
mężem, kelnerem. a ja nie pracuję.
on: *no co ty, przecież nie możesz się lenić.*

dialog nr 2
on: *bawimy się w ninja?*
ona: *możemy, ale ja nie znam się na ninja.*
on: *to bawmy się w ninja, że ja jestem ninja, a ty nie jesteś ninja.*

PIĄTEK 18 lutego 2011
wyrwanie się ze szczypiec wściekłego raka, który
według statystyk i prognoz lekarzy miał w krótkim
czasie pożreć mnie całkowicie, zobowiązuje.
jeśli dobrze zrozumiałam tę lekcję, powinnam wprowadzić
zmiany w dotychczasowym, tj. sprzed choroby, życiu.
tylko jakie?
i – co istotniejsze – jak?

... a śnieg pada, pada, pada...
niebo połączyło się z ziemią, zatarła się linia horyzontu,
nie ma asfaltu ani pobocza, zniknęły wyrzeźbione
ostatnim ociepleniem koleiny na piaszczystej
dróżce do chaty, wszystko stało się białe.

pojechałyśmy dziś z panią domu pod Orzysz,
załatwiać jej sprawy zawodowe.
jechałyśmy, a właściwie ślizgałyśmy się, osiągając
maksymalną prędkość trzydziestu kilometrów na godzinę.
wiatr poruszał śniegiem na drodze, tworząc różne wzory.
wyglądało to, jakby płatki śniegu wirowały
w czarodziejskim przedstawieniu, maleńkie białe
baletnice, Cirque du Soleil w skali mikro...

lubię spędzać tu czas.
bardzo.

SOBOTA 19 lutego 2011
zbiegiem okoliczności przeczytałam ostatnio
na kilku blogach posty, które mnie z   ziły.
prymitywne posty i komentarze, któ   ęły
dulszczyzną i demagogiczną retoryką. wc
fuj.
nie lubię demokracji, nawet w internecie.

* * *

cenię rzeczy proste.
ludowe mądrości. i sztukę, wzornictwo użytkowe, architekturę,
ubrania. naturalne surowce. nieskomplikowaną kuchnię,
jednogarnkowe potrawy. wiejską przyrodę – maki, chabry,
floksy, malwy, niezapominajki. kolory pierwsze. jasne
sytuacje, klarowne przekazy, zwięzłe wypowiedzi.
minimum formy, maksimum treści.

* * *

jeśli czegoś nie wiem – przyznaję się.
sprawdzam, szukam informacji.
jeśli potrzebuję pomocy, proszę o nią.
jeśli coś źle zrobię, pomylę się – przepraszam.
jeśli mam ochotę być sama – chowam się, izoluję.
nie obarczam innych swoimi problemami.
nie „wiszę" emocjonalnie na nikim.
nie manipuluję.

jeśli przedszkolanka bije Syna, piszę pismo do Pani
Dyrektor, straszę kuratorium. do skutku.
jeśli Syn kłamie, świadomie robi źle, karzę
Go. nie udaję, że nie widzę.
gdy chcę, żeby Niemąż złożył mi życzenia urodzinowe,
informuję Go w przededniu o nadchodzącym święcie.
chcę otrzymać jednoznaczną odpowiedź –
formułuję zamknięte pytanie.
przede wszystkim – szukam rozwiązań w sobie.
nie marudzę, nie jęczę. działam.

było to tak:
gdy byłam dziewczynką, Babcia B. powiedziała mi,
że jako dorosła powinnam być *samodzielna, samorządna,
samofinansująca się.* słowem – przekazała wzorzec.

a może zdrowiej byłoby być bezradną cielęciną?
niewyraźną, rozmazaną kobietką, która wymusza opiekę,
która przerzuca odpowiedzialność za siebie na innych?

ciekawe, co na moje wynurzenia powiedziałby Simonton.

NIEDZIELA 20 lutego 2011
ponad tydzień już tu jesteśmy.

w tym czasie dopadało śniegu.
i podobno jest bardzo mroźnie.

podobno, bo nie wiem, bo nie byłam na dworze,
bo wzięło mnie przeziębienie.
wygrzewam się w łóżku z kocicami, gapię się na płonące
w kominku polana, na rozrabiające dzieci.

wpadł do nas wujek Jaguar, mój przyjaciel z licealnej ławy.
jak zwykle rozmawialiśmy o tym, jak żyć szczęśliwie.
ta rozmowa trwa od czasów szkoły.
nadal nie doszliśmy do wniosków.
musimy się pospieszyć, bo połowa życia już za nami.

* * *

przyglądam się rodzinie, którą staliśmy się wraz z Synem i Niemężem.
do tej pory nie widziałam nas wyraźnie, za bardzo byłam
skupiona na podstawowym funkcjonowaniu, na bólu,
na uciążliwych dolegliwościach, na lęku, na strachu.
zaskakuje mnie to, co widzę.
tworzymy rodzinę.
po raz pierwszy w życiu zbudowałam *normalną* rodzinę.

po wielu poszukiwaniach trafiłam na Niemęża,
zjedliśmy beczkę soli i oto proszę, są efekty.
Syn zwraca się do nas per *kochani rodzice.*
stworzyliśmy w Jego głowie homogeniczny obraz *nas,*
jednogłośnego tworu, który wspólnie wychowuje.
od kilku miesięcy na Jego rysunkach występujemy w trójkę: On,
pośrodku Wujeczek, obok Mama. w otoczeniu serduszek i kwiatków.

* * *

tytułem wprowadzenia do dialogu:
tutejsza pani domu rozstała się niedawno z mężem.
mamy dzieci w tym samym wieku, są sześciolatkami.
gdy odeszłam od Voldemorta, Syn miał mniej niż dwa lata.

dzieci konwersują ze sobą przy kuchennym stole.
ona: *wiem, jak się czujesz bez tatusia, bo mnie też jest źle.*

on: *mnie nie jest źle, bo mam bardzo miłego Wujka.*
ona: *też bym chciała mieć wujka.*

morał: drogie dziewczyny, jeśli mieszkacie z jakimś Voldemortem,
bierzcie dzieciaka pod pachę i czmychajcie czem prędzej.
nie ma na co czekać.
im dłużej z nim będziecie, tym mocniej dziecko
będzie przeżywać Wasze rozstanie.

zaś instrukcja na *potem* jest następująca: logujecie się
na portalu randkowym, znajdujecie własnego Niemęża,
zachorowujecie beznadziejnie na raka (ty albo on, obojętne),
zdrowiejecie i już, GOTOWE: rodzina jest scementowana.
proste, prawda?

WTOREK 22 lutego 2011
dziś nastąpiła eskalacja interakcji z tutejszym
kotem, którą okrasiłam przemocą domową.

jeśli kiedykolwiek będziecie spekulowali, czy można zamknąć
drzwi z kotem w ościeżnicy, to informuję, że można.
nie musicie więc już jałowo dywagować ni dokonywać obliczeń
na kartce – Giancarlo sprawdził empirycznie.
tak. można drzwi zamknąć. tylko że przytrzaśnięty
kotek mordę straszliwie pruje.
żeby nie ogłuchnąć, trzeba go szybko uwolnić albo –
ewentualnie – uciekać z miejsca eksperymentu.

Syn dostał klapsa w zadek za bycie nieuważnym,
po czym zadokowałam Go w kącie.
po dłuższym namyśle przemówił:
– *mamusiu, przepraszam.*
– *mnie nie przepraszaj.*
– *kota mam przeprosić???* – Synowi oczy się
zrobiły wielkie niczym talerze.
– *nie, masz wyciągnąć wnioski.*

– wyciągam.
– jakie wnioski wyciągnąłeś?
– że gdy kot idzie, to nie wolno bez popatrzenia
na podłogę drzwi zamykać.
uf.

(poprzednie przytrzaśnięcie drzwiami również należy do Syna,
tyle że wówczas zamknął drzwi na własnych palcach).

ostatnim razem dałam Mu klapsa, gdy miał chyba ze cztery
lata, gdy mimo próśb dotyczących niebiegania po parkingu
i mimo kontrolnego przytrzymywania za kaptur kurtki
wyrwał się i wbiegł między jadące samochody.

tak, tak, moi mili Czytelnicy.
co jakiś czas, w pewnych sytuacjach, budzi się
we mnie troglodyta, który wierzy w krańcowo
upokarzającą wartość edukacyjną klapsów.

PONIEDZIAŁEK 28 lutego 2011
chyba mam kryzys (może wieku średniego).
(właściwie mam ten kryzys, odkąd pamiętam).

ale teraz nawet pisać mi się nie chce.
w sumie nic mi się nie chce.

tak.
Syn radośnie bryka po domu.
jeszcze nie wie, że wszystko jest bez sensu.
ale już niedługo, już niedługo.
dowie się.
poczuje.
rozgniecie Go beznadzieja i lichość tego świata.

dziś wieczorem widzieliśmy na ośnieżonej drodze jeża.
tuptał nieporadnie białym poboczem.

Niemąż stwierdził, że wygląda jak ten jeż.
że niby tak samo jest pociesznie gruby.
nieprawda.
zaczyna być gruby, ale jeszcze nic w tym pociesznego.
więc tuptał.
a wokół śniegu było wchuj.
i pocieszne tuptanie stało się żałosne.
w końcu wlazł między wysokie trawy
i schował się do jamki w ziemi.
tak zakończył się jeża wiosenny rekonesans.

a wiosny jak nie było, tak nie ma.

SOBOTA 5 marca 2011
w nocy we śnie ukazał mi się Niemąż – w szatach
Matki Boskiej, ręce złożone do modlitwy, wyraz
twarzy uduchowiony, spojrzenie błogosławione.
i przemówił: *nie martw się, Maleństwo moje,
wszystko się ułoży.*

(przed snem czytałam
Masakrę profana Jarosława Stawireja).

* * *

pojechałam w gości do Siostry Jaguara.
rozmawiałam z Jej trzyletnim Synkiem.
– *znasz jakieś przekleństwa?*
– *znam.*
– *powiedz cioci jakie.*
– *znam... na przykład... takie... przekleństwo czytania.*

o tak, to prawdziwe przekleństwo – jak człowiek
zacznie czytać, to przestać nie może.
a najgorszym przekleństwem jest, gdy sam nie umie
czytać i zmusza innych do czytania sobie na głos.

CZWARTEK 10 marca 2011
○ Republika, *Zapytaj mnie, czy cię kocham*

zmiany, zmiany, zmiany.
lojalnie uprzedzam, zamykam w najbliższą
sobotę publiczny dostęp do tego bloga.

PIĄTEK 11 marca 2011
○ Jacques Bono, suita na wiolonczelę nr 1
Jana Sebastiana Bacha, preludium

zaskoczyliście mnie.
dostałam kilkaset maili i kilkaset wiadomości
na gg z prośbami o dostęp do bloga.
to oznacza, że nie jestem w stanie zaprosić wszystkich
do czytania mnie (blogger ogranicza czytających
do 100 osób). z drugiej strony nie chcę robić selekcji...
chciałabym tylko nieco ograniczyć anonimowość...

SOBOTA 12 marca 2011
○ Laura Pausini, *It's not goodbye*

zaskoczyliście mnie liczbą zgłoszeń.
wiem ze statystyk, że jest dużo wejść na bloga, ale sądziłam,
że to jedna osoba tak klika, nie mogąc załadować strony ;)

nie znalazłam platformy, na którą mogłabym
się eksportować z tym blogiem.

nie mogę odmówić dostępu setkom Czytelników, tym
bardziej że musiałabym z tych setek wybrać tylko sto osób.
nie wiedziałabym, jakimi kryteriami „selekcji" się kierować.

postanowiłam więc, że wycofuję się
z ograniczania dostępu do bloga.

w zamian – wprowadzam od dziś zatwierdzanie komentarzy.
serdecznie przepraszam Was
za zamieszanie, które wytworzyłam.
mea culpa.

* * *

odkąd wróciliśmy z zimowiska, pogrążam się w chaosie – nie
ogarniam naraz trzech etatów (ha! bałam się, że nie dostanę
żadnej pracy, a mam trzy!), dziecka, sprzątania, zakupów.
zrezygnowałam więc z działań mniej
istotnych – ze sprzątania i zakupów.
w efekcie syf w domu jest wręcz epicki,
a lodówka żałośnie chłodzi samą siebie.

a ja nie mam czasu na nic.
pędzę. gonię. biegnę.

wczoraj wieczorem Syn był tak potwornie głodny,
że postanowił sam ugotować parówki.
wybiłam Mu to z głowy.
nie żebym martwiła się, że się oparzy.
po prostu nie ma parówek.
(*jak to, nie mamy parówek? przecież zawsze tu leżały* –
wymamrotał zdziwiony, gdy zanurkował do lodówki).

nie ma też papieru toaletowego ani żwirku dla Viledy.
i jeszcze paru rzeczy.

nic to.
I'll think about that tomorrow.

NIEDZIELA 13 marca 2011
Gino Vannelli, *Gettin' high*

byłam na niedzielnym kotlecie u Babci B.
w Jej ogrodzie zakwitły przebiśniegi.

po pół roku zimy nadeszła wiosna.
jak dobrze.

* * *

Mama Niemęża modli się za mnie,
za Niego, za mojego Synka, za Babcię B.
bo ja jestem dobra w modleniu, to będę się za was modliła.
fajne podejście.
niech każdy robi to, w czym jest dobry.
tak powinno być.

Vileda też jest dobra w tym, co robi – głośno
strzela z gumek recepturek.
hop! i kocica jest na stole, przy którym pracuję na laptopie.
a na biurku piętrzą się stosy dokumentów omotane gumkami.
wystarczy zaczepić łapką gumę, mocno ją napiąć, guma
z hukiem strzela, dokumenty się rozsypują.
mrrrrach, to było grrrrejt.
zaczepia więc ponownie łapeczką, jeszcze
mocniej odciąga, gumka pęka.
mrrrrach, mrrrach, podsuń mi, prrrrrroszę,
kolejne papierzyska spięte gumką.

właśnie.
a w czym ja jestem dobra?

PONIEDZIAŁEK 14 marca 2011
Diana Krall, *The look of love*

rany, ale jestem zmęczona. cały dzień biegałam
z motorkiem w tyłku po mieście. teraz padam z nóg.
ale to jest przyjemne zmęczenie – zmęczenie
po dniu pełnym pracy.
i to nie jest zmęczenie jak kiedyś, zanim się
dowiedziałam, że mam raka. wówczas moje zmęczenie
było zbolałe, rozpaczliwe, beznadziejne.

teraz wiem, że jutro rano obudzę się wypoczęta
i będę miała siłę działać dalej.
ja żyję!
nareszcie to do mnie dociera.

wznoszę więc toast dżinem z tonikiem: za moje
zdrowie, zdrowie moich Bliskich, Wasze zdrowie.

ŚRODA 16 marca 2011
Hess Is More, *Yes Boss*

Niemąż nadal nieobecny.
nie lubię tęsknić.
znaczy się lubię, ale tylko trochę i tylko czasami.
tak trochę, pół łyżeczki, nie więcej.

wracaj już, wracaj.
czekamy.

Ja ciebie kocham! Ach te słowa
Tak dziwnie w moim sercu brzmią.
Miałażby wrócić wiosna nowa?
I zbudzić kwiaty, co w nim śpią?
Miałbym w miłości cud uwierzyć,
Jak Łazarz z grobu mego wstać?
Młodzieńczy, dawny kształt odświeżyć,
Z rąk twoich nowe życie brać?

Ja ciebie kocham? Czyż być może?
Czyż mnie nie zwodzi złudzeń moc?
Ach nie! bo jasną widzę zorzę
I pierzchającą widzę noc!
I wszystko we mnie inne, świeże,
Zwątpienia w sercu stopniał lód,
I znowu pragnę – kocham – wierzę –
Wierzę w miłości wieczny cud!

Ja ciebie kocham! Świat się zmienia,
Zakwita szczęściem od tych słów,
I tak jak w pierwszych dniach stworzenia
Przybiera ślubną szatę znów!
A dusza skrzydła znów dostaje,
Już jej nie ściga ziemski żal –
I w elizejskie leci gaje –
I tonie pośród światła fal!

Adam Asnyk, *Ja ciebie kocham*

CZWARTEK 17 marca 2011
Toto Cutugno, *Solo noi*
Vendo tutto se vuoi.
Solo noi, solo noi.
Odio queste lenzuola che il tempo cancella il profumo di te.

tęsknię, tęsknię...

PIĄTEK 18 marca 2011
– mamo, dlaczego pod wpływem czasu ludzie się starzeją?
– bo tak już jest – odpowiadam byle jak. nie mam dziś czasu
na rozmowy o życiu. ani na żadne rozmowy. ani na nic.
kolejny tydzień zasuwam na maksymalnych obrotach.
– a tak konkretniej? – Giancarlo nie daje za wygraną.

a tak konkretniej, Synu, to wolę nie brnąć w ten temat.
nie ogarniam parametru czasu, nie rozumiem go.

* * *

– mamo, nie pracuj tyle. odpocznij sobie, połóż się
do łóżeczka, bo znowu raka dostaniesz.
– ale ja muszę pracować, jak nie będę, to nie
będziemy mieli pieniędzy.
– to powiedz Wujeczkowi, żeby zarobił,
ty przecież nie możesz się przemęczać.

no wiem, wiem, że nie mogę.
tylko co z tego.

gdzieś wyczytałam, że podobno większość osób, które
chorowały na raka, nie wraca już do aktywności zawodowej.
ciekawe dlaczego.
z braku sił? z braku wiary w siebie? z rozsądku?

SOBOTA 19 marca 2011
Norah Jones, *Are you lonesome tonight*

dziś ustaliłyśmy z Przyjaciółką: będąc w parze, ludzie
siebie tworzą – tak samo jak mogą niszczyć.
a Wy, czy wierzycie, że na to, kim jesteś, wpływa, z kim jesteś?

ja to wiem.

dobroć wraca.
idę spłacać dług :)

NIEDZIELA 20 marca 2011
Gigliola Cinquetti, *Ma l'amore no*

rano przywiozłam najserdeczniejszego zioma
z grupy przedszkolnej do naszego domu.
chłopaki uwielbiają spędzać czas ze sobą.
najpierw grali na iksboksie w *Batmana Lego*, potem
ganiali się i ostrzeliwali, w końcu legli na naszym
gigantycznym łożu wśród tysiąca poduszek i bawili
się w dużego kota i w małe kociątko (zabawa polegała
na turlaniu się po łóżku wzdłuż i wszerz).
słodziaki.

Po południu odwiozłam zioma do Jego kwatery.
Giancarlo zdecydował, że chce poczekać na mnie
w domu – był to Jego debiut w zostawaniu samemu.

wróciłam, a tu… taaa-daam! stół przygotowany
do obiadu – Syn sam z siebie, spontanicznie,
rozłożył talerze, sztućce, kieliszki do wody.
dorośleje…

podałam obiad, a w trakcie posiłku dopadło mnie zmęczenie.
i spanikowałam.
że właśnie wraca rak.
a ja teraz sama w domu z dzieckiem.
i kto mi pomoże.
kto wytrze smarka, kto zaniesie do łazienki na siku,
kto przygotuje i poda herbatkę i kanapkę, kto mnie poniunia.

przeraziłam się.
postanowiłam więc przeczekać zły czas i poszłam spać.
może to kiepska strategia.
grunt, że działa.

PONIEDZIAŁEK 21 marca 2011
○ Kings of Lion, *Sex on fire*

pojechaliśmy z Synem na oglądanie mnie od środka.
Giancarlo zachwycił się Panem Profesorem (kolejny
lekarz wynaleziony przez Babcię B., którego z całego
serca rekomenduję) oraz Jego maszyną do USG
(*ja też chcę mieć taki komputer, jak będę dorosły*).
Pan Profesor sam po nowotworze, więc od razu znaleźliśmy
magiczną nić porozumienia ludzi po przejściach (*widzę,
że pani tak jak ja nic sobie z tej choroby nie robi. i tak
trzymać, tak trzymać. trzeba żyć normalnie*).
oprócz wykonania drobiazgowego USG jamy brzucha
Pan Profesor pokazał Synkowi moje serce (*ciekawe, kogo
mamusia ma w serduszku, chodź, podejrzymy*) oraz
macicę (*tu byłeś, zanim się urodziłeś, dziwne, cooo?*).

płynu mam dużo w otrzewnej.
może być z powodu kłopotów z białkiem.
trza zrobić proteinogram i takie tam.

CZWARTEK 24 marca 2011
○ Dave Lindholm, *Pieni ja hento ote*

pławię się w samozadowoleniu: Niemąż zachwycony nowym
kolorem włosów (*rudziasku ty mój,
wiewióreczko piękna, pięknotko moja*), Synek też
(*moja ty mamusiu, marcheweczko prześliczna*).
czemuż ja nie wpadłam na to wcześniej, żeby
się tak się upiększyć, no czemu.

a jak zarobię trochę kasy, dorobię sobie rzęsy.
jedna z moich przyjaciółek ma zrobione, wygląda prześlicznie.
no i jakie to praktyczne: nie trzeba smarować rano
oka tuszem, tylko od razu po przebudzeniu (a nawet
przed) wygląda się zmysłowo i inteligentnie.

○ Vasco Rossi, *Senza parole*
○ Vasco Rossi, *Sto pensando a te*

spotkałam na mojej drodze mentalne szczurki.
tym razem w życiu prywatnym.

znacie ten typ?
są z definicji żałosne – to ich sposób
na zdobywanie zainteresowania świata.
oczekują współczucia, litości.
przejmująco opowiadają o swojej niedoli, ale
jednocześnie atakują. (potem mówią, że ugryzły
ze strachu przed pogryzieniem).
obiecują pomoc, która na słowach się kończy. (ooo, widzisz,
jakie są nieszczęśliwe? przecież tak bardzo chciały pomóc).
zadają niby-troskliwe pytania, ale faktycznie
chodzi im o zaspokojenie próżnej ciekawości.

pochyliłam się, przyglądałam się, obserwowałam.
raz nakarmiłam, dwa razy pomogłam, trochę poprzytulałam.
niestety nie da się tego kurewstwa nijak udomowić.

nadszedł więc czas Armagedonu.
wyciągnęłam łopatę i zabijam.
chlusta krew, giną wścibskie zwierzątka o ohydnym wyglądzie,
przebiegłym spojrzeniu i głupio-cwanym rozumku.

SOBOTA 26 marca 2011
○ Zaz, *Mi va*

byłam u Babci B.
nakarmiła mnie za cały tydzień.
ledwo się poruszam.
idę się przewrócić w pościel i błogo zasnąć.
niech się sadło zawiązuje.

a tymczasem sąsiadka Babci B., staruszeczka Zofia,
będzie jutro od rana odmawiać litanię za mnie
(o czym powiadomiła Babcię telefonicznie).
nie wiem, czy to w czymkolwiek mi pomoże,
ale pewnie Zofii – tak.

choć przyznaję, że przyjemnie jest wiedzieć,
iż ludzie otaczają mnie dobrymi myślami.
i przyjemnie jest też otaczać innych dobrymi myślami.
… czasami tylko tyle możemy zrobić…

WTOREK 29 marca 2011
Yves Montand, *Les feuilles mortes*

nie wiem, jak Wam o tym napisać, żebyście nie zaczęli
podejrzewać mnie o totalne rozmiękczenie mózgu po chemioterapii.
otóż zrządzeniem losu spotykam na mojej drodze dobrych ludzi.
i nie mam na myśli Babci B., Niemęża, Synka
czy Agi (z którą nie jestem w związku tylko dlatego,
że nie jest homo, a przynajmniej – bi).

wewnętrzny imperatyw każe mi opowiedzieć
o otrzymywanej dobroci i pisemnie podziękować za nią.
wiem, że brzmi to tandetnie i wieje brazylianą, ale co z tego.
muszę i już.

– dziękuję Zimnu, że mi pomogła w załatwieniu
Bardzo Ważnej Sprawy, te same podziękowania kieruję do Li,
– dziękuję Sebastianowi za pracę, którą mogę
wykonywać bez wychodzenia z domu,
– dziękuję Renacie i Jej Mężowi, WS, Unforgivenowi i Łukaszowi
za pomoc w szukaniu pracy, za podsunięcie ofert pracy,
– dziękuję Kasi za Viledę (nawet jeśli obgryza kaloryfer),
– panu Cezaremu za opiekę nad wszystkimi moimi
komputerami, które ku Jego uciesze regularnie psuję,
– panu Januszowi za terabajty e-booków,

– zaś moim chustkowym Czytelnikom dziękuję za kibicowanie, wspieranie, dobre słowa, za to, że JESTEŚCIE.

codziennie odwiedza mnie około półtora
tysiąca osób, to niewiarygodne!
piszecie do mnie maile, w których opisujecie Wasze zmagania
z rakiem; piszecie o sile, którą czerpiecie do walki z mojego
bloga, ale również wspieracie mnie w mojej codzienności.

z niektórymi z Was koresponduję, z innymi
miałam możliwość spotkać się.

dzięki *Chustce* poznałam wspaniałych ludzi.

boże, pobłogosław internet!

CZWARTEK 31 marca 2011
Zbigniew Wodecki, *Opowiadaj mi tak*
Opowiadaj
nikt nie opowiada tak jak ty
choć bajeczki te na pamięć znam
jakże wszystko to cudownie brzmi

Siądź naprzeciw
niech tam sobie leci, płynie czas
chcę usłyszeć wszystko jeszcze raz

ref. *Słoneczko*
choć tyle wprawy mam
tyle bajek znam
ale tak jak ty nie czaruje nikt
uwierz mi
tak to nikt
Słoneczko
ty opamiętaj się
owszem czaruj, świeć

tylko o tym wiedz
ja ostrzegam cię
chyba że chcesz spalić mnie

Lecą liście
no i oczywiście jesień już
zaraz spadnie znowu biały puch
no i naturalnie wiatr i mróz

Cóż to dla mnie
odkąd ciebie tylko odkąd znam
łatwo sobie z zimą radę dam

ref. *Słoneczko*
choć tyle wprawy mam
tyle bajek znam
ale tak jak ty nie czaruje nikt
uwierz mi
tak to nikt
Słoneczko
ty opamiętaj się
owszem czaruj, świeć
tylko o tym wiedz
ja ostrzegam cię
chyba, że chcesz spalić mnie

* * *

jak ja lubię spędzać czas z Niemężem, słuchać Jego głosu.
gdy byłam bardzo, bardzo słaba, Niemąż kładł się
koło mnie i szeptał mi do ucha różne historie.
o tym, co będziemy robili, gdy wyzdrowieję,
gdzie pojedziemy rowerami na wycieczkę,
dokąd polecimy na wakacje, której
restauracji menu sprawdzimy...
on opowiadał, głaskał mnie po głowie, a ja zasypiałam
wtulona w Jego ramię, ukołysana szeptem...

➜ 2011 kwiecień

Siądź naprzeciw
niech tam sobie leci, płynie czas
chcę usłyszeć wszystko jeszcze raz

Słoneczko
choć tyle wprawy mam
tyle bajek znam
ale tak jak ty nie czaruje nikt
uwierz mi
tak to nikt
Słoneczko...

NIEDZIELA 17 kwietnia 2011
○ Led Zeppelin, *Since I've been loving you*

znalazłam taki aforyzm: *szczęście to coś do zrobienia,*
ktoś do kochania i nadzieja na coś.

no to jestem szczęśliwa.
BARDZO.

* * *

wierzycie w amulety?
ja tak. tak chcę.

wierzę w siłę łańcuszka od Babci B. (i w wisiorek,
który dokupiłam do tego łańcuszka).
wierzę w moc bransoletki od Niemęża, na której
wisi pięć zawieszek – symboli.
wierzę w moc bransoletek od Syna, plastikowych
badziewi na sznurko-gumkach.
a wczoraj dołączyła do zestawu niezdejmowalnej
biżuterii czerwona wełenka.

wierzę w amulety.
wierzę w ochronną siłę miłości.

i choć początkowo wydawało mi się to nieracjonalne,
zdumiewające, z czasem zrozumiałam sens standardowego
pytania onkologa: *czy ma pani dla kogo żyć?*

ŚRODA **20 kwietnia 2011**
Rod Steward, *Sailing*

dziś przy odbieraniu progenitury z uczelni
zostałam poproszona na rozmowę z przedszkolanką
i Synem w sprawie tegoż oraz śrubki.
otóż w dniu dzisiejszym Giancarlo wykręcił
śrubkę z krzesełka, po czym ze swoim najlepszym
ziomem wyrzucili ją komisyjnie do kibelka.
pani przedszkolanka dała im po gumowej
rękawiczce i kazała wyławiać śrubkę z klopa.
po odzyskaniu śrubki zostali zaproszeni
na rozmowę z dyrektorką.

Syn był zdruzgotany swoim brakiem odpowiedzialności wobec
przedszkolnych śrubek i perspektywą srogich reperkusji.
żeby nie nabawił się w niedalekiej przyszłości raka żołądka, zanim
wyszliśmy z przedszkola, schyliłam się i naszeptałam Mu do ucha,
że bawią mnie takie historie i nie zamierzam Go karać.
następnie pojechaliśmy do Babci B. na obiad.
Giancarlo z progu zrelacjonował Babci B. swoją
przewinę oraz serdecznie się pokajał.
Babcia B. wysłuchała Go z narastającym zdumieniem i słabo
skrywanym uśmiechem, po czym kazała Mu jutro powiedzieć
przedszkolance, że jak jej mało śrubek, to u Babci w garażu
jest dużo i On może do przedszkola zanieść kilogram śrubek.
przekaz powtórzyła dwukrotnie, upewniając się,
że Giancarlo zapamiętał, co ma powiedzieć.

chryste, jeśli On to jutro powie w przedszkolu,
znowu mnie wezwą na rozmowę.
tyle że tym razem w sprawie śrubek i Babci B.

w nocy przyśnił mi się Ojciec.
był jak zawsze szykownie zdystansowany, siedział na *swoim*
miejscu przy stole kuchennym i powiedział do mnie
z dezaprobatą: *przestań. przestań płakać, nie masz powodu.*
– *ale ja nie płaczę, tato* – chciałam powiedzieć,
lecz słowa ugrzęzły w gardle.

Tato, ja nie płaczę, ja tylko się martwię.

* * *

rano, niedaleko domu, zatrzymałam w kadrze staruszka.
ostrożnie, na drżących nogach, szedł o lasce.
na smyczy za nim, nie mniej skupiony, dreptał łapka
za łapką piesek staruszka – pies staruszek.
szli powoli w niemej procesji.
celebransi schyłku życia o poranku.

Po południu odbierałam przesyłkę z pociągu.
na peronie stał tłum odświętnie zaaferowanych ludzi.
wśród nich zatrzymał się obok mnie starszy
pan z niemowlakiem w ramionach.
obaj płomiennie rudzi, piegowaci, pyzaci; obaj starannie
ubrani na biało i granatowo: duży w granatowy garnitur
i w białą koszulę z mięsistej bawełny, mały – w mięciutkim
białym sweterku i granatowych śpioszkach spodenkach.
czekali na pociąg, emanując radością i zapachem
proszku do prania dla niemowląt.

wieczorem w tym samym miejscu, gdzie
rano spotkałam pana z psem, leżał w kałuży
bordowoczarnej krwi młody chłopak.
leżał skulony w pozycji embrionalnej, zasłaniając
dłońmi głowę. jakby nie zauważył, że już go nie biją.

leżał nieruchomo, tylko palcami jednej dłoni głaskał się
po uchu – wydało mi się, że sprawdza, czy nadal jest cielesny.
zadzwoniłam na telefon alarmowy, policjanci prędko przyjechali.

* * *

nadchodzi Wielkanoc.
święto Zmartwychwstania...

NIEDZIELA 24 kwietnia 2011
wielkanoc.
włączyłam kaloryfery.
zawinęłam się w koc i piję gorącą czekoladę.
Vileda przeprowadza fotosyntezę w świetle biurkowej lampki.

rodzinnych i spokojnych Świąt Wam życzę.

PIĄTEK 29 kwietnia 2011
3 Doors Down, *Here without you*

jest późne popołudnie.
odpoczywam w ogrodzie na huśtawce.

2011 kwiecień

wgramolił się Pan Jędruś.
jest rozgrzany słońcem, jeżdżeniem boso na rowerze,
wyrywaniem podpórek winogronom, grzebaniem
w skibach ziemi za marchewkami (i co z tego, że to nie
pora na marchewki – może jak poszuka, to znajdzie?).
pachnie mlekiem, powietrzem, trawą, ziemią.
przytulił się do mojego ramienia, opowiada mi o ulubionej
zupie z kakao, wody i soli, o tym, jak wyrywał trawę, nosił
ją na taras i sikał na nią; o tym, że marzy Mu się taka jak
moja, ale chłopaczyńska szczotka do zębów na bateryjkę.

bujam nas, oglądamy zdjęcia w aparacie,
zaśmiewamy się z naszych min.
tam dom twój, gdzie serce twoje.

NIEDZIELA 8 maja 2011

The Beatles, *Hey, Jude*

za dużo ostatnio wyjeżdżałam, porzucając Syna to tu, to tam.
stęsknił się za mną bardzo i nie odstępuje mnie teraz na krok.
a ja muszę nadrabiać zaległości, nie mam czasu na życie
rodzinne. korzystając z niedzieli, zajęłam się pracą.
Giancarlo przy mojej nodze, na dywanie, budował z lego
schron dla przestępców, którzy zbiegli z więzienia.
zainstalował im nawet klimatyzację oraz system
wczesnego ostrzegania o zbliżających się policjantach.

hm, nie wiem, co o tym sądzić.

PONIEDZIAŁEK 9 maja 2011

Moby, *Wait for me*, remix Villa

odebrałam wyniki badań.
wszczepów brak.
nie zauważono, w każdym razie.

płynu w otrzewnej, za wątrobą i w miednicy mniejszej mnóstwo.
pęcherz przecieka?

a markerów nie robię, nie chce mi się humoru psuć.

i w sobotę zważyłam się u Gibcia i Karata.
46 kg.
nieźle!

WTOREK 10 maja 2011
Adele, *Rolling in the deep*

przewaliłam dziś wieczorem kilkanaście amerykańskich
blogasków „przetrwalników" (survivorów).
w każdym z nich autorzy bardzo silnie kładą akcent
na odczuwaną wdzięczność, radość z życia.
mam to samo.
a nie czułam czegoś podobnego przed zachorowaniem,
choć żyłam bardzo intensywnie.
wnioskuję, że opisywane uczucie jest nie tylko amerykańskim
hurraoptymizmem; to rodzaj – nazwijmy go roboczo – szczęścia,
które jest pochodną docenienia życia jako takiego.

i zauważyłam, że stałam się mistrzynią
przekuwania porażek w sukcesy.
do tego stopnia, że zastanawiam się, czy istnieje taki
cios, w którym nie dostrzegłabym pozytywów.
wiecie, co mam na myśli?

CZWARTEK 19 maja 2011
George Michael, *Father figure*

wychodzimy z przedszkolnego ogrodu.
oszałamiająco pachnie słońcem, bzami, ciepłą
ziemią, wakacjami pod namiotem.

– *nie, nie jestem pewien, czy nie będziesz*
się na mnie gniewała – Giancarlo kręci
w zamyśleniu rozkudłaną główką.
– *co tam, co tam, opowiadaj* – tulę w mojej
chłodnej dłoni Jego rozgrzaną dłoń.
– *całowałem się dzisiaj w usta z Julką* – mówi
szybko, na przydechu, i nieruchomieje, patrzy
na mnie spod grzywy, bada moją reakcję.
wie, że całowanie się w usta jest zarezerwowane
dla dorosłych, którzy się kochają.
zamyślam się. usiłuję przywołać wspomnienie
pierwszego pocałunku w usta.
chyba był ze Zbyszkiem. nie, raczej z Piotrkiem. a może
z Mają. przykre, nie pamiętam nic z tego zdarzenia.
Syna niepokoi moje milczenie, więc
profilaktycznie rozpoczyna uzasadnianie.
– *naprawdę musieliśmy się całować. nad nami ciąży miłość.*
– *rozumiem* – odrywam się od skanowania pamięci.
tak.
serio znam ten stan, Synu.
znam.

– *Julkę całowałem, bo kocham, ale z Marysią też się*
całowałem. ale z nią tylko dlatego, bo chciała. jej nie kocham.
jaaasne.
jaka życiowa sytuacja.
ma szansę jeszcze nieraz się powtórzyć
w przeciągu najbliższych pięćdziesięciu lat.

ŚRODA 25 maja 2011
Lao Che, *Hydropiekłowstąpienie*

byłam dziś w szpitalu na występach.
tradycyjnie podczas USG pan doktor znowu się
zmartwił, że zgubiłam gdzieś śledzionę.

tradycyjnie znowu go uspokoiłam, że została usunięta,
a wciskanie mnie głowicą w leżankę raczej nie zmieni stanu rzeczy.

wyniki badań niebawem.

PIĄTEK 27 maja 2011

Krystyna Janda, *Jest fantastycznie!*

Nie mówię, że jest źle
Bo jest, bo jest fantastycznie!
Nie czepiam się, bo patrzę dziś
Na świat bezkrytycznie
Nie mądrzę się, bo można od
Zbyt uczonych tyrad dostać świra
Wolę w mowie rzec Szekspira:
Jest nice, jest nice, jest nice, jest najsympatyczniej
Cudownie jest – do siebie sama mówię
Powtarzam tak wciąż
Bo w życiu dętym, smętnym, mętnym, pokrętnym
Pogadać z kimś inteligentnym chcę
Więc mówię sama sobie
Że mi jest fantastycznie!
Nie mówię: „szaro jest”
Lecz, że jest cudownie szaro
Uśmiecham się do marzeń mych
Z nadzieją i wiarą
I mam ten luz, że z sobą raz
Potrafię być szczera
Jak cholera i w języku rzec Moliera:
Quel bonheur, bo ner-, bo nerwy napięte
Tak mówią mi: kochana, ciepła, czuła
Dla siebie raz bądź
Bo w życiu dętym, mętnym, smętnym, pokrętnym
Pogadać z kimś inteligentnym chcę
Więc mówię sobie: jesteś świetna
Jest fantastycznie!
Bo jednak mnie i tobie się przydarzyło

Coś, co bardzo przypomina miłość
Dlatego mówię sobie dziś
Że jest fantastycznie!

w przedszkolu wisi wystawka portretów
matek z okazji wiadomego święta.
– *a to jesteś ty, mamusiu. masz złote włoski,*
niebieską buźkę, różowy lakier na powiekach
i różowe rzęsy – Syn ze swobodnym wdziękiem
omawia swoje dzieło. zdaje się nie zauważać różnic
w postrzeganiu innych mam przez dzieci.

zapomniałabym: wręczono mi z okazji
Dnia Matki korale z makaronu penne.
a dla tatusia został wykonany zielony papierowy
krawat. gęsto zdobiony znakami zapytania.

narasta we mnie duszące uczucie wielopłaszczyznowej
mnogości znaczeń i podtekstów.
jak w obrazach mistrzów holenderskich.

SOBOTA 28 maja 2011
Bob Marley & Sublime, *Pass the marijuana*

– *sadzić, palić, zalegalizować* – skandował tłum, a my –
grupa kobiet i dwóch nieletnich mężczyzn – wraz z nim.
... gdyż, wracając z Pikniku Naukowego, uczestniczyliśmy
niechcący w Marszu Wyzwolenia Konopii.

i poczułam się stara.
bardzo stara.

bo tłum zwracał na nas uwagę.
bo tłum, mimo że kompletnie ujarany,
utożsamił nas z pokoleniem rodziców.

i widząc nas, skandujące, uczestnicy marszu bili nam
brawo i podnosili kciuki do góry w geście aprobaty.

tak.
tłum zrobił mi przykrość.

bo przecież ja nie jestem stara – mój Syn mnie w tym upewnia!
nie jestem stara! jeszcze wiele mogę, przysięgam!
np. bawię się lego, oglądam *Pingwiny z Madagaskaru*,
tańczę przy muzyce włączonej na cały regulator...

to za mało?
nie, to nie za mało. ani nie za dużo.
po prostu dorasta następne pokolenie, a ja dopiero
dziś to tak wyraźnie dostrzegłam.

WTOREK 31 maja 2011

Sidney Polak feat. Pezet, *Otwieram wino ze swoją dziewczyną*
przy gorącej czekoladzie, która przyfrunęła do nas
prosto z Dominikany, też się dobrze to śpiewa :)

* * *

lubię ten stan: wszędzie wszystko uklepane.
podłogi i okna – umyte, arrasy – odkurzone, kocia kuweta –
wysprzątana niczym piaskownica przed zimą, kwiaty –
podlane, lodówka – pełna, pranie schnie i pachnie (kto lubi
nastawiać pralkę na pranie w nocy, ręka do góry), ubrania
w garderobie prężą się na wieszakach. rachunki popłacone.
punkcja i odciągnięcie płynu z otrzewnej – zrobione (polecam,
prawie nie boli, a ile radości – brzuch się robi mniejszy), zaś
płyn udał się do odwirowania na badanie hist.-pat.
wyniki badań krwi – odebrane (no dobra, to nie
do końca prawda – w laboratorium gdzieś wciągło
proteinogram, trwają poszukiwania).
Ulubiony Doktorek właśnie wraca z zamorskich podróży, więc jak
tylko skompletuję wyniki badań, pognam do Niego na kontrolę.

dziecko – zadowolone (nie wytrzymaliśmy i antycypowaliśmy
w niedzielę Dzień Dziecka, daliśmy Mu zegarek – od niedzieli
co kilka sekund zawiadamia nas, która DOKŁADNIE jest godzina).
last, but not least – Niemąż zadowolony z siebie
(od czasów Ewy, jak wszyscy wiemy, zadowolenie
niemężów jest tożsame z zadowoleniem nieżon).

no!

zabieram się więc za pracę.
kochane pieniążki, taś, taś do mnie...

ŚRODA 1 czerwca 2011
składam sobie i Wam wszystkim najlepsze
życzenia z okazji Dnia Dziecka.
cieszmy się (z) naszymi dziećmi!

SOBOTA 4 czerwca 2011
Kóstas Martákis, *Poté*

odebrałam wyniki badań krwi i płynu z otrzewnej.
więc jeśli chodzi o ciało – jestem zdrowa.

PONIEDZIAŁEK 6 czerwca 2011
Gary Moore, *Parisienne walkways*

ostatnie dni nie różniły się niczym szczególnym od pozostałych.
żeby nie przynudzać, pozwolę sobie wymienić wybrane zdarzenia:
– tankowałam i tak się zamyśliłam, że odjechałam
spod dystrybutora, wyrywając węże (od gazu
i od benzyny) temu dystrybutoru,
– założyłam konto bankowe – podczas uroczystego rozdziewiczania
karty bankomat ją pożarł i pojawił się komunikat *BANKOMAT
NIECZYNNY – AWARIA*; kartę mają przesłać, jak naprawią bankomat,
– dostałam 300 zł mandatu + 10 punktów za energiczną
jazdę w terenie zabudowanym. udało się załatwić sprawę

„na raka" – do czegoś się w końcu przydał; czekam
na komentarze świętoszków, że to nieuczciwe :>
– pobrałam z netu maszynę do uzupełniania wniosków
unijnych, ale niestety *Podczas wykonywania bieżącego żądania
sieci Web został wygenerowany nieobsługiwany wyjątek.
Informacje dotyczące pochodzenia i lokalizacji wyjątku można
zidentyfikować przy użyciu poniższego śladu stosu wyjątku* –
nie wiem, co to znaczy – grunt, że wniosku uzupełnić się nie da.
ponadto od dziś odpoczywam od firmowej poczty, bo nazwa.pl
zapomniała o fakturze, więc usługa została odłączona.

dzieje się!

∗ ∗ ∗

Syn z uporem maniaka dopytuje się, który bank jest LEPSZY.
i które ubezpieczenie jest DOBRE.
i dlaczego. i jakie są wykluczenia. i OWU.
i czym się różnią oferty poszczególnych
banków i ubezpieczycieli.
nie wiem, nie znam się, zarobiona jestem.
nie mam pojęcia.

– *dlaczego, dlaczego, mamo, dlaczegoooo...* –
huczy i dudni mi echem w głowie.

WTOREK 7 czerwca 2011
Mike Patton, *Ore d'amore* (z albumu *Mondo Cane*)

Róża znowu utknęła w progu, rozdarta
między fizjologią a bezpieczeństwem.
chce iść do ubikacji, chciałaby zamknąć drzwi,
ale wówczas straci z oczu swój pokój.
więc stoi. jedna dłoń drży zaciśnięta na rolce papieru
toaletowego, druga – kurczowo trzyma ościeżnicę.
Róża popiskuje cichutko, obezwładniona lękiem przestrzeni
korytarza, przerażona emocjami, których nie potrafi już nazwać.

mijam Różę, w duchu życząc jej (i sobie)
odwagi w codziennych zmaganiach.
wchodzę do pokoju obok.

Maria od czasów trepanacji czaszki nie lubi wychodzić
na spacery. nie czuje się pewnie na dworze. mówi
mi z oczami pełnymi łez, że boi się, że może się zgubić.
– *no ale co z tego* – dodaje, patrząc na mnie z ukosa – *że wolę*
siedzieć w swoim pokoju? i tak mam mnóstwo zajęć.
Maria przygotowała się do spotkania ze mną.
wyszperała mnóstwo wzorów i szablonów, a teraz
grzebie w nich zadowolona, aż kalki furkoczą.
Maria uśmiecha się do mnie promiennie i mówi: *póki coś*
będę robiła, będę potrzebna, więc będę żyła, prawda?
tyle w niej ufności i radości.
nie sposób nie podzielić jej toku myślenia
i nie odwzajemnić uśmiechu.

kanciapa bardzo powoli rozwija się.
prócz rzeczy pięknych stworzonych przez moich wyjątkowych
bliskich zdecydowałam się sprzedawać dzieła wykonane
przez staruszków z pobliskiego domu opieki społecznej.
bo – jak mówi Maria – *póki coś będę robiła, będę*
potrzebna, więc będę żyła, prawda?

CZWARTEK 9 czerwca 2011
James Blake, *Limit to your love*

okazuje się, że jak się umiejętnie temat rozegra,
można nie iść do przedszkola (dobrze, że odkrył
to w ostatnim miesiącu edukacji).

– *mamoooo... mamusiuuuu...* – dobiega jęk z pościeli.
– *mhm?* – zagaduję znad komputera.
– *wiesz, dziwnie się czuję: czuję, jakbym miał stres, chociaż*
stresu nie mam... – Syn próbuje rozpoznać teren, nieco klucząc.

– mamo – zniża głos do dramatycznego szeptu –
więc dziś w nocy nie zasnę z obawy, że może mogę
mieć stres, bo zacznie mnie boleć ucho.
milczę, czekam na puentę.
– sama wiesz, co to znaczy: jutro absolutnie nie
mogę iść do przedszkola – kończy wypowiedź
z niekłamanym zadowoleniem.

jasssssssssne.

SOBOTA 11 czerwca 2011

Mezo, *Sacrum*

(...) Chcę do jednego miejsca na ziemi, gdzie
problemy przestają mieć znaczenie
do objęć, które akceptują me słabości
do nich pragnę, tylko do mej miłości
Jest na ziemi jedno moje małe miejsce
gdzie poza biciem serca nie liczy się nic więcej
uciekam tam z moją całą miłością
wierzę w Ciebie, wierzę w moje Sacrum
Sacrum – bez kontaktu z otoczeniem
oka mgnienie i mogę się przenieść
w inny wymiar pozbawiony pancerza
w który codzienność bezwzględnie uderza
pobłogosław, Panie, pobłogosław chwile
gdy każdy problem to błahostka
uciekam w moje świętości
w objęcia tych, którzy akceptują moje słabości
rodzina – o której zawsze marzyłem
dom – który był zawsze azylem
miłość – to najpiękniejsze Sacrum
więc nie traktuj jej jak kontraktu
który zrywasz, kiedy dzień masz gorszy
kiedy zyski chwilowo są mniejsze niż koszty
Sacrum nie zmieni lekki podmuch wiatru
to źródło, którego nikt nie może zatruć. (...)

* * *

stwierdzam z satysfakcją (chociaż trochę też
ze zdziwieniem), że jestem szczęśliwa.
mam Sacrum.

* * *

byłam dziś w gościach. na oględzinach, albowiem licealnemu
Narzeczonemu, Doktorowi Psychiatrii, urodziła się Druga.
Druga (dwutygodniowa) jest urocza.
podczas mojej wizyty spała jak anioł, piła jak smok
i gapiła się jak sroka, robiąc do tego pocieszne
miny. żadnych ryków czy niedopowiedzeń.
no ale. podobno w nocy zamienia się w potwora.
a Pierwsza (pięciolatka), zestresowana zazdrością, przycupnęła
mi na kolanach, objęła za szyję, wtuliła się i zasnęła.
przesiedziałam nieruchomo ponad dwie godziny, tuląc
Ją w ramionach, głaszcząc po głowie, po pleckach,
słuchając Jej spokojnego oddechu.
bardzo, bardzo relaksujące, zmysłowe uczucie.
musi to atawizm, jak nic.

ŚRODA 15 czerwca 2011
○ Toto, *Don't chain my heart*

Niemąż mówi: *nie mogę odżałować, że nie poznałem cię,*
jak byłem młodszy, na przykład jak miałem dwadzieścia czy
trzydzieści lat, że też ja tyle czasu zmarnowałem bez ciebie.
nic nie mówię, przewalam oczami, skubię
skórkę przy paznokciu, słucham.
po chwili namysłu dodaje: *taa, ale wtedy nie miałbym u ciebie szans,*
bo pewnie nie chciałabyś nawet spojrzeć na takiego niedojrzałego typa.
patrzę Mu w oczy, nie wiem, co powiedzieć.
myślę to samo o sobie. szkoda, że tyle na Niego czekałam.
ale widać dopiero teraz jest nasz czas.

lepiej późno niż wcale.

Stanisław Sojka i Czesław Mozil, *Na cześć księdza Baki*

w związku z *kanciapą* byłam w pewnym
szpitalu psychiatrycznym dla dzieci.
w korytarzu wisi genialna plansza:

Prośba dziecka
1. Nie psuj mnie. Dobrze wiem, że nie powinienem
dostać wszystkiego tego, czego się domagam.
To tylko próba sił z mojej strony.
2. Nie bój się stanowczości. Właśnie tego
potrzebuję dla poczucia bezpieczeństwa.
3. Nie bagatelizuj moich złych nawyków. Tylko ty możesz
pomóc zwalczyć zło, póki jest to jeszcze w ogóle możliwe.
4. Nie rób ze mnie większego dziecka, niż jestem.
To sprawia, że przyjmuję postawę głupio dorosłą.
5. Nie zwracaj mi uwagi przy innych ludziach, jeśli nie
jest to absolutnie konieczne. O wiele bardziej przejmuję
się tym, co mówisz, jeśli rozmawiamy w cztery oczy.
6. Nie chroń mnie przed konsekwencjami. Czasami dobrze
jest nauczyć się rzeczy bolesnych i nieprzyjemnych.
7. Nie wmawiaj mi, że błędy, które popełniam, są
grzechem. To zagraża mojemu poczuciu wartości.
8. Nie przejmuj się za bardzo, gdy mówię, że cię nienawidzę.
To nie ty jesteś moim wrogiem, lecz twoja miażdżąca przewaga.
9. Nie zwracaj zbytniej uwagi na moje drobne dolegliwości.
Czasami wykorzystuję je, by przyciągnąć twoją uwagę.
10. Nie zrzędź. W przeciwnym razie razie muszę
się przed tobą bronić i staję się głuchy.
11. Nie dawaj mi obietnic bez pokrycia. Czuję się przeraźliwie
tłamszony, kiedy nic z tego wszystkiego nie wychodzi.
12. Nie zapominaj, że jeszcze trudno mi jest precyzyjnie
wyrazić myśli. To dlatego nie zawsze się rozumiemy.
13. Nie sprawdzaj z uporem maniaka mojej uczciwości.
Zbyt łatwo strach zmusza mnie do kłamstwa.

14. Nie bądź niekonsekwentny. To mnie ogłupia
i wtedy tracę całą moją wiarę w ciebie.
15. Nie odtrącaj mnie, gdy dręczę cię pytaniami.
Może się wkrótce okazać, że zamiast prosić cię
o wyjaśnienia, poszukam ich gdzie indziej.
16. Nie wmawiaj mi, że moje lęki są głupie. One po prostu są.
17. Nie rób z siebie nieskazitelnego ideału. Prawda na twój
temat byłaby w przyszłości nie do zniesienia. Nie wyobrażaj
sobie, iż przepraszając mnie, stracisz autorytet. Za uczciwą grę
umiem podziękować miłością, o jakiej nawet ci się nie śniło.
18. Nie zapominaj, że uwielbiam wszelkiego rodzaju eksperymenty.
To po prostu mój sposób na życie, więc przymknij na to oczy.
19. Nie bądź ślepy i przyznaj, że ja też rosnę. Wiem, jak
trudno dotrzymać mi kroku w tym galopie, ale
zrób, co możesz, żeby nam się to udało.
20. Nie bój się miłości. Nigdy.

podpisuję się obiema dłońmi pod tymi „przykazaniami".

WTOREK 21 czerwca 2011
Lynyrd Skynyrd, *Simple man*

jedziemy samochodem, konwersujemy.
uwielbiam to!

– Synku, od września idę do szkoły.
– no wiedziałem, że tak zrobisz, przecież mówiłaś
mi, że mądry człowiek uczy się całe życie.
– to prawda, tak robią mądrzy ludzie.
– będziesz się uczyła z dziećmi?
– nie, z dorosłymi.
– a czego będziesz się uczyła?
– robienia makijażu do zdjęć i do teatru.
– o rany, mamo, to strasznie głupie, nie mogłabyś
lepiej pouczyć się matematyki?

CZWARTEK 23 czerwca 2011

Marcin Nowakowski, *You are the sun*

a cały czas mam w głowie tę myśl: miałam przecież już nie żyć.

WTOREK 28 czerwca 2011

5'nizza, *Jamajka*

dziś jedna z moich Czytelniczek wyeksplikowała
mi możliwości wolnego zawodu.
otóż mając wolny zawód, wolno pracować
po czternaście godzin na dobę.
potwierdzam.

syn ma wciąż żywe korpowspomnienia, więc
teraz nie rozumie, o co tu chodzi.
– *czy możesz wziąć wolne, mamo?*
– *nie mogę, muszę pracować.*
– *powiedz prezesowi, żeby dał ci wakacje.*
– *ale ja nie mam już prezesa.*
– *to ty tak sama z siebie pracujesz i pracujesz?*
– *tak, przecież wiesz dlaczego.*
– *wiem, wiem. zarabiasz na wielką pakę lego* Harry Potter.

i po chwili:
– *a gdybyś przestała pracować, co by się stało?*
– *nie mielibyśmy pieniędzy.*
– *ale Wujek by nam dał. albo Babcia.*
– *jasne.*
– *ale nie weźmiemy nigdy pożyczki, dobrze?*
– *bo?*
– *bo ci od pożyczki każą oddawać*
więcej, niż się pożyczyło, wiesz?
tu Syn samozwańczo robi krótki wykład o koszcie pieniądza
oraz o zasadach funkcjonowania instytucji finansowych.

zaskakują mnie obszary wiedzy, które
eksploruje z zainteresowaniem.
nie kieruję Nim, jedynie nakierowuję, wskazuję możliwości,
jednocześnie odkrywając (przed Nim) Jego możliwości.
frapujące.

obecnie przeżywa fascynację rosiczką.
z braku choćby jednej żywej w okolicznym ogrodniczym
na razie zadowolił się wieloma z lego.
obiecałam, że kupimy rosiczkę, ale czuję, że źle zrobiłam.
otóż przyjrzałam się ostatnio tej roślinie w zaprzyjaźnionym
sushi. i dostałam torsji na widok wystających
z listków nierozpuszczonych komarzych nóżek.

PIĄTEK 1 lipca 2011
Kayah, *Jutro rano*
ale teledysk!
jest MOC!

* * *

korzystam z nieobecności Syna.
poszłam spać po 4 rano.
nie, nie z powodu hulaszczego trybu życia.
pracowałam.

05.02   pierwszy telefon
– *mamusiu* [w tle głos: *daj jej pospać*], *a my właśnie będziemy
wyjeżdżali na wakacje. tak, zjem śniadanko... tatoooo, zrób
mi kanapeczki z żółtym serem i masełkiem. dobrze, wracaj
spać, mamusiu. zadzwoń do mnie, jak się wyśpisz.*

06.30   drugi telefon
– *mamusiu, jedziemy, jesteśmy już koło cukrowni. ooo, serio,
to niedaleko? tato, mama mówi, że to już niedaleko. dobrze,
wracaj spać, mamusiu. zadzwoń do mnie, jak się wyśpisz.*

09.22 trzeci telefon
– *mamusiu, wiesz, że tatuś pozwolił mi jechać
w piżamce? mamusiu, wiesz, że pogodę mamy dość
ponurą? nie, nie chce mi się spać. dobrze, wracaj
spać, mamusiu. zadzwoń do mnie, jak się wyśpisz.*

dobra, nie ma sensu już spać.
wstałam.

10.55 czwarty telefon
– *mamusiu, wstałaś, wyspałaś się? my nadal jedziemy,
strasznie długo to trwa, mam dosyć. przyjedziesz
do mnie? a wiesz gdzie jest nad Bałtykiem? ooo, o jak
dobrze, kocham cię, mamuniu. do zobaczenia.*

12.54 piąty telefon
– *mamusiu, dojechaliśmy, jest tak, jak mówiłaś, jest
potwornie zimno i strasznie wieje. przyczepa jest
luksusowa, nie ma w niej łazienki ani kuchni, ani
telewizora, ale jest ogromna. tak, mam czapkę
na głowie, kocham cię, mamusiu, do usłyszenia.*

13.40 szósty telefon
– *mamusiu, jesteśmy w restauracji kaszubskiej, zjadłem
pysznego łososia, tatuś zjadł rybę takąotakąojakąś,
bardzo za tobą tęsknię i kocham cię.*

16.01 siódmy telefon
– *mamusiu, idziemy zaraz nad morze zbierać muszelki,
tatuś kazał założyć różowe skarpetki w serduszka, dlaczego
on mi kupił takie skarpetki? dobrze, wyrzucę skarpetki
do śmieci i założę rajstopki, mamusiu, oni śmieją się ze
mnie, że jestem maminsynek, dlaczego robią mi przykrość,
ja lubię z tobą rozmawiać, co jest w tym złego, przecież
ja jestem bardziej przyzwyczajony do ciebie niż do taty.*

➜ 2011 lipiec

16.19 ósmy telefon
– *pani MAMA? my mieszkamy w kwaterze*
na Kotwicznej 2, właśnie znaleźliśmy telefon i dzwonimy
pod numer, który znaleźliśmy w tym telefonie.

19.37 dziewiąty telefon
– *mamusiu, właśnie odebraliśmy telefon, czy nie jesteś*
zła, że go zgubiłem? tatuś powiedział, że muszę tu zostać
dwadzieścia dni i że za tydzień nie wrócę wcale do domu.
mamusiu, tęsknię bardzo za tobą, tu jest strasznie zimno.

NIEDZIELA 3 lipca 2011
Michał Bajor, *Nie chcę więcej*

jedyny tekst z wczoraj nadający się do zacytowania:
– *mamusiu, zbierałem muszelki na plaży,*
muszelki dla ciebie i dla Wujka, ale było
tak zimno, że mi wypadały z dłoni.

WTOREK 5 lipca 2011
coś wisi w powietrzu.
coś jeszcze prócz martwej ciszy.
zastanawiam się co.
chyba złe przeczucia.

NIEDZIELA 10 lipca 2011
Sade, *Still in love with you*

cztery minuty przed północą Syn wrócił z „wakacji".

PONIEDZIAŁEK 11 lipca 2011
Ewa Demarczyk, *Groszki i róże*

AniaHa powiedziała, żeby nie liczyć.
więc nie liczę.
ale...

pierwsza była Marysia.
potem Herzogin.
kilka dni temu – Brat Mai. Tato Małgosi.
dziś – Bea.

zadzwoniłam do przyjaciela i mówię: *smutno mi.*
– *to posmuć się, czasami tak trzeba* – odpowiedział.

tymczasem za kulisami bloga toczy się prawdziwe życie.
ludzie rozwodzą się, popełniają samobójstwa, zostają przez
rodzinę zamknięci w szpitalu psychiatrycznym. zabijają
samochodem po pijaku przechodniów, piszą anonimy,
wtapiają oszczędności życia w kredyt mieszkaniowy,
zachodzą w ciążę, okradają Skarb Państwa, zabijają podczas
napadu przypadkowym skokiem kolan na tchawicę. biorą
ślub, piorą, prasują, gotują, prostują u ortodonty zęby.
przemycają kokainę, zegarki, informacje, karty SIM.
do wyboru, do koloru.
a ja muszę zebrać się w sobie i wyruszyć
na badania kontrolne.
niby nic, a jednak.

PIĄTEK 15 lipca 2011
zachwiała mi się równowaga i nie daję rady składnie pisać.
myślami jestem daleko, bardzo daleko.

Vileda nie odstępuje mnie na krok.
przy komputerze leży na moich kolanach.
w łóżku – z łbem wciśniętym w moją pachę.
w łazience pilnuje mnie, chłepcząc bieżącą wodę z kranu.
Syn powtarza, że jestem najukochańszą
i najlepszą mamą na świecie.
Niemąż ściska moją dłoń w swojej dłoni, gdy
widzi, że zaczynają mi się szklić oczy.
ale ja nie płaczę, nie.
nie mogę.
nie mam tuszu wodoodpornego, więc nie mogę płakać.

w poniedziałek zrobię dwa badanka, na środę
planuję wizytę u Ulubionego Doktorka.
pewnie zleci wykonanie TK i MR.

ŚRODA 20 lipca 2011

○ Brygada Kryzys, *To, co czujesz*

byłam dziś u Ulubionego Doktorka.
mam skierowanie na tomografię.
i receptę na strzyk-strzyk z bedwanaście.
i zalecenie żarcia żelaza.

podczas mojej wizytacji onkologa Syn
rozrywał się towarzysko w kajaku.
dacie wiarę, że sześciolatek umie/może sam pływać kajakiem?!
jestem dumna. i zachwycona.

CZWARTEK 21 lipca 2011

○ Elaine Paige, *Memory*

miałam wtedy półtora roku.
pamiętam widok z okna samolotu. małe domki, które
chciałam wziąć w dłoń i schować do kieszeni.
druga migawka dotyczy hotelu. czerwony dywan w holu
i odkurzacz, który był niemal mojego wzrostu.
trzecie wspomnienie dotyczy żywopłotu
i chodnika przy Balatonie.

Giancarlo pamięta schody w domu w Nigdzie
(tam gdzie mieszkaliśmy z Jego ojcem).
pamięta te drewniane schody i okno, przez które
wyglądał, gdy już udało Mu się do niego podpełznąć.
Jego wspomnienie jest wcześniejsze od mojego.
miał wtedy około roku.

oprócz tego obrazka z wakacji trzymam wiele
innych. chyba z podobnego okresu.
zatrzymałam pod powiekami cienie kształtów,
niewyraźne kolory, rozmyte faktury.
najmocniej czają się we mnie zapachy.

kotlety mielone i sałata ze śmietaną Babci M., Mamy Mamy.
jaśmin, peonie, konwalie w porannej rosie.
jajecznica ze szczypiorkiem.
fioletowe irysy.
ozon po burzy.
choinka z prezentami.
letni kurz. mróz.

WTOREK 26 lipca 2011
Strachy na Lachy, *Czarny chleb i czarna kawa*

czasu się nie zatrzyma. czasu się nie zawróci.

* * *

a tyle jeszcze rzeczy mam do zrobienia.
zjeść 26 września 2011 sushi z moimi ulubionymi mecenasami.
kupić psa. będzie miał na imię Kawon.
zrobić biznes życia.
popłynąć łódką po mazurskich jeziorach ze sternikiem Niemężem,
przyjaciółmi, naszymi dzieciakami oraz Viledą i Kawonem.
wyprawić Syna na studia.
zatańczyć z Voldemortem na weselu Syna. założę szpilki
z metalowymi flekami i niechcący będę mylić w tańcu kroki.
rozpieszczać wnuczęta: nosić je cały czas na rękach, pozwalać
na rysowanie po ścianach, karmić przed obiadem słodyczami.

taki mam, kurwunia, plan.
oby błogosławiony Jerzy zechciał go przedłożyć
władzom wyższej instancji.

CZWARTEK 28 lipca 2011
Pink Floyd, *Obscured by clouds*

w powietrzu coś wisiało już od kilku tygodni.
pewnej poniedziałkowej nocy Giancarlo wstał z łóżka i przytuptał
do mnie, siedzącej z zapoconymi oczami przed laptopem.

– chciałabyś może o czymś ze mną
porozmawiać? – zapytał z poważną miną.
– nie, Synku. idź spać.
– a może chciałabyś mi powiedzieć, że będziesz
mnie kochała nawet wtedy, gdy umrzesz?

* * *

byłam wczoraj na trzech tomografiach.
kciuków za opis nie trzymajcie – porozmawiałam
z technikiem obsługującym tę kosmiczną maszynę.
czarownie świecę naciekami w obrębie miednicy
mniejszej, a na wątrobie wyrosły guzy z przepływami.

dum spiro, spero.

PIĄTEK 29 lipca 2011
David Bowie, *Let's dance*

byłam w pobliskim barze.
wypiłam hurtem wszystkie możliwe drinki.

bo żywe mam w pamięci słowa Ulubionego Doktorka:
pamiętaj, alkoholicy lepiej znoszą chemioterapię.

SOBOTA 30 lipca 2011
The Sound of Arrows, *Magic*

od dziś Chustka udziela profesjonalnych,
nieodpłatnych porad w zakresie przygotowania
do oraz godnego przeżycia sigmoidoskopii.

chętni proszeni są o zapisy telefoniczne do osobistej
asystentki Chustki – madmłazel Viledy pod
numerem telefonu 504-mrach-mrach-mrrach.

NIEDZIELA 31 lipca 2011
OneRepublic, *Secrets*

przyjechała kilka dni temu Przyjaciółka.
karmi mnie, zabawia i przewija. jestem dopieszczona.

łazimy po sklepach z ciuchami.
stałam się posiadaczką:
– legginsów à la Domisie w bardzo szerokie,
różowo-czerwone poziome pasy,
– legginsów w stylu *moje nogi są wyschniętymi*
parówkami w pomarszczonym celofanie,
– pomarańczowych: balerinek, szala i bransoletki,
– Sukienki Właściwej (kupiłyśmy identyczne).

bo przecież nie po to kupiłam sukienkę, by umrzeć!

WTOREK 2 sierpnia 2011
Renan Luce, *I was here*
piosenkę tę dedykuję mojemu
najukochańszemu Niemężowi.
i dziękuję Ci za dzisiejszy dzień.
kocham Cię, Nie-mężu.

ŚRODA 3 sierpnia 2011
Wham, *The edge of heaven*

powinnam jednak kupić śpitalny ślafroczek.
wówczas prezentowałabym się odpowiednio.
ale chyba nie chcę się prezentować, a już
szczególnie – odpowiednio.

ponadto:
nie lubię być w szpitalu.
nie lubię zapachu i odgłosów szpitala.

nie lubię wenflonu, kroplówek, podkładów,
mierzenia ciśnienia i szurania chodaków.
nie lubię służbowej radosności pielęgniarek.
nie lubię fachowej uprzejmości lekarzy.

nie lubię, nie lubię, nie lubię.

SOBOTA 6 sierpnia 2011
C. Jérôme, *C'est moi*

leżę na stole operacyjnym w flizelinowej koszulce. i zimno mi.
bardzo zimno. tak zimno, że drżę jak osika, że drżą mi kolana.
zamykam oczy. widzę Niemęża, w błękitnym
tiszercie, z amuletem na szyi.
uśmiecha się.
uśmiecham się.

otwieram oczy. jestem na sali pooperacyjnej.
zamykam oczy. widzę Niemęża, w błękitnym
tiszercie, z amuletem na szyi.
uśmiecha się.
uśmiecham się.

★ ★ ★

Słońce i księżyc
W tym samym niebie.
Drobna dłoń mojej żony.

Gary Hotham, przekład Czesława Miłosza

★ ★ ★

wyniki hist.-patu powinny być za dwa tygodnie.

CZWARTEK 11 sierpnia 2011
Sofia Rotaru, *Odna Kalyna*

Chodzą Śmiercie po słonecznej stronie,
Trzymający się wzajem za dłonie.

Którą z naszej wybierzesz gromady,
By w cmentarne uprowadzić sady?

Nie chciał pierwszej, że nazbyt miniasta,
Grób, gdy hardy, pokrzywą porasta.

Nie chciał drugiej, że nadmiernie złota,
Nie zna ciszy, kto się tak migota.

Wybrał trzecią, co choć bugulicha,
Lecz tak cicha, że wszystko nacicha.

Coś za jedna, że podobasz mi się
W swym bożystym na ziemi zarysie?

Żal mi, przeżal ptaka, co odlata,
Dla cię umrę z nieżalu do świata.

Blada jesteś, jak to słońce w zimie –
Kędy dom twój i jak ci na imię?

Dom mój stoi na ziemi uboczu,
A na imię nic nie mam, prócz oczu.

Nic w tych oczach nie mam, prócz wieczoru,
Pewna byłam twojego wyboru.

Jeden zowąd śmierć sobie wybiera,
Ale drugi tą śmiercią umiera.

Choć wybrałeś, nie wiedząc dla kogo,
Zawszeć będę pamiętną i drogą.

Jestem śmiercią twej matki, co w chacie
Uśmiechnięta czeka teraz na cię.

Bolesław Leśmian, *Śmiercie*

* * *

morfologia po tygodniu od wlewu oraz
po tygodniu żarcia tegafuru zrobiona.
WBC 2,50.

PIĄTEK 12 sierpnia 2011
TSA, *Twoja szansa II*

są plusy dodatnie raka, np.: znajduje się czas.
można więc pół nocy leżeć w łóżku z Synem, oglądając
filmy na jutjubie albo rozgrywając setną partię szachów.
można zaordynować Babci B. lepienie pierogów i gotowanie
barszczu (niech od dziś Wigilia będzie codziennie!).
albo można przyjechać do Ekszony, przewrócić
się o kanapę, omotać kocykiem, umościć na podusiach
i gadać godzinami o dyrdymałach.

SOBOTA 13 sierpnia 2011
Chet Atkins, walc nr 10 h-moll Fryderyka Chopina

muszę Wam o tym napisać. wydawało mi się zbędnym
truizmem pisanie takich postów, ale jednak...

to nie jest tak, że jak się ma raka, to minister wraz z całym
Ministerstwem Zdrowia, Enefzetem, ZUS-em oraz wszystkimi
okolicznymi ZOZ-ami, NZOZ-ami i hospicjami zaczynają
skakać wokół chorego, kręcąc piruety na ogonie.
nie, zdecydowanie NIE.
to jest *całkiem* tak samo jak z przeziębieniem.
masz przeziębienie – możesz pójść
do lekarza. możesz, nie musisz.

możesz wykupić przepisane lekarstwa. albo możesz
najeść się czosnku. albo granulek homeopatycznych.
możesz położyć się do łóżka i liczyć, że ktoś poda herbatę. możesz
też pracować, wychodzić z domu, spotykać się z bliskimi.
z rakiem jest identycznie.

tym samym dementuję obiegowe opinie:
nie, nie mam zapewnionej stałej opieki
służby zdrowia. ani żadnej innej.
nie przebywam w szpitalu. i nie muszę leżeć w łóżku.
nie muszę również brać lekarstw.
ani nie mam wyznaczonej szczególnej diety.

i jeszcze jedno – nie jestem przeziębiona.
nie zarażam.

PONIEDZIAŁEK 15 sierpnia 2011
◉ Michał Bajor, *Starzy ludzie* Jacques'a Brela
Nie mówią prawie nic, bezradnie patrzą
w krąg wyblakłym wzrokiem swym,
choć mogą forsę mieć, to biedni przecież
są, bo marzeń braknie im.
W ich domach zapach ziół i zapach dawnych
słów wsród smutnych ścian się zbiegł,
w Paryżu żyje się jak na prowincji, gdy ktoś przeżył życia wiek.

A gdy wpadają w śmiech, głos pęka im, gdy
o swych świetnych piszczą dniach,
a gdy wpadają w płacz, ich zmarszczek
gęsta sieć perliście lśni we łzach.
A jeśli trochę drżą, drżą, słysząc zegar, co w salonie mierzy czas
i gada noce, dnie swe „tak" i swoje „nie" i gada „czekam was".

Nie mają złudzeń już, ich książki dawno śpią, pianino w kącie śpi.
I kot już dawno zdechł, niedzielne winko
zaś już nie rozgrzewa krwi.
Tak skurczył się ich świat, że nie ruszają się za wiele, zwłaszcza
że przy oknie zaśnie się, w fotelu zaśnie się, spać można byle gdzie.

Jeśli wychodzą, to wychodzą wbici w czerń i człapią resztką sił
pochować kogoś, kto był jeszcze starszy i kto jeszcze brzydszy był.
I opłakując go, zapomnieć chwilę chcą o tamtych myślach złych,

że zegar noce, dnie swe „tak" i swoje „nie" gadając, czeka ich.
Nie umierają, nie, lecz zapadają w sen, któremu końca brak.
Wczepieni w dłonie swe, tak bojąc rozstać się, rozstają się i tak.
Kto z dwojga został sam, wciąż dotyk będzie
czuć stygnących drogich rąk.
Kto z dwojga został sam, bez trudu znajdzie
swój ziemskiego piekła krąg.

Zobaczyć można ich, jak z trudem niosą
w deszcz parasol swój i wstyd,
że mówią cicho zbyt, że chodzą wolno zbyt, że żyją długo zbyt.
A jeśli czegoś chcą, chcą komuś chociaż raz powierzyć myśli swe,
że zegar gada wciąż swe „tak" i swoje „nie" i gada „czekam cię",
że zegar, raz po raz, swe „tak" i swoje „nie", gadając, czeka nas.

(tłum. Wojciech Młynarski)
lubię myśleć o tym, co będę robiła na starość.

* * *

– mamusiu, gdy już umrzesz, będę cię odwiedzał
na cmentarzu i będę cię nadal kochał.
– ja też będę cię zawsze kochać. i będę z tobą
wszędzie, wystarczy, że spojrzysz w niebo – ja tam
będę. będę nad tobą czuwała i cię chroniła.
– a w deszczu będziesz?
– jasne! będę, przecież wiesz, jak lubię, gdy pada.
– to będę wychodził z wiaderkiem na dwór, będę
nabierał deszcz i zanosił go do swojego domu.

WTOREK 16 sierpnia 2011
Zakopower, *Pójdę boso*
Nieużyty frak
Dziurawy płaszcz
Znoszony but
Zapomniany szal
Zaszył się w kąt
Niemodny już

Każda rzecz
O czymś śni
Odstawiona
Jeszcze chce
Modna być
Zanim cicho skona

I dopiero gdy zawoła Bóg
To pożegnam wszystkie te rzeczy i znów
Pójdę boso
Pójdę boso
Pójdę boso
Pójdę boso

Zagubiony gdzieś
Parasol, z nim
Czekam na deszcz

Zegar nie wie, jak
Bez moich rąk
Ma życie wieść
W wielki stos
Piętrzą się
Odłożone
Każda chce
Żeby ją
Wziąć na drugą stronę

I dopiero gdy zawoła Bóg
To pożegnam wszystkie te rzeczy i znów
Pójdę boso
Pójdę boso
Pójdę boso
Pójdę boso

Zamkną za mną drzwi (pójdę boso)
Nie zabiorę nic (pójdę boso)
Zamkną za mną drzwi (pójdę boso)
Nie zabiorę nic

I dopiero gdy zawoła Bóg
To pożegnam wszystkie te rzeczy i znów
Pójdę boso
Pójdę boso
Pójdę boso
Pójdę boso

* * *

dziś odkryłam, jakie zajęcie sprawia, że (mimo pogłębiającego się
zmęczenia) zapominam o sensacjach związanych z chemioterapią.

wciągnęłam banana, łyknęłam biało-pomarańczową kapsułeczkę,
zapiłam soczkiem i wpadłam na dwie godziny w mrągowskie szmaty.
wygrzebałam: granatową płócienną kangurkę, dwie bluzy
(jedną bardzo grubą, różową – z gupimkotkiem, drugą
cieńszą, pomarańczową – z Różową Panterą, goszszsz,
dziecinnieję) oraz jedwabną bluzkę na Okazję.

mam więc kolejny plan: od dziś, po każdorazowym
łyknięciu 5-FU, lecę ryć w lumpie.

do tej pory uważałam, że kupowanie ubrań
w *moim* stanie to marnowanie pieniędzy.
w sumie nadal tak uważam, ale odkąd zaprzyjaźniłam się
z Byłą Żoną, to uważam, że nawet jeśli, to co z tego.

PIĄTEK 19 sierpnia 2011
Jamie Cullum, *Everlasting love*

żadna krowa ci nie powie, co widziała dzisiaj w rowie –
głosi jeden z bon motów ubikacji tawerny Zielony Wiatr.

no chyba że... krowa widziałaby mnie.
wówczas powiedziałaby, że widziała łysolka,
który poszedł za oborę na grzyby.
grzybów nie było – w lesie sucho.

* * *

z okazji wypadu sierści kupiłam dwa
szampony nawilżające i odżywkę.
nie pomogą, ale mam uczucie zadbania
i dobrze wydanych pieniędzy.

wielokrotnie zastanawiałam się, czy jak wypadają
po chemii włosy, to czy zewsząd.
teraz już wiem – ofszę.

Na stresy
Na stresy najlepsza pieszczota
Pogłaskać łysego... jak kota.

* * *

– *mamo, nie chodź po domu w czapce,*
ja się ciebie łysiutkiej nie boję.
– *chodzę w czapce, bo mi w łeb zimno, synu.*

Giancarlo tytułuje mnie *mój łysolku.* zapowiedział,
że jeśli dzieci będą się śmiały, że jestem bezwłosa,
wówczas On będzie robił do dzieci groźne miny.
zaproponowałam, że jeśli będzie się mnie wstydził przed
dziećmi, mogę – na Jego wyraźną prośbę – nosić czapę.
i wytłumaczyłam, że włosy mi wypadły
nie dlatego, że jestem chora.
włosy wypadły, bo tak wspaniale zadziałało lekarstwo.
i tego, fuck rak, się trzymamy.

– *mamo, a jeśli podstawię włączoną żarówkę z tyłu*
twojej czaszki, będzie ci teraz prześwitywał mózg?

NIEDZIELA 21 sierpnia 2011

Lao Che, *Urodziła mnie ciotka*

Niech pan pamięta (...), że wszystko jest we wszystkim.
Najdalsze gwiazdy wpływają na obwolutę kielicha
kwiatowego. W rosie dzisiejszego poranka jest wczorajszy
obłok. Wszystko splata wszechobecna zależność. Żadna
rzecz nie może wyjść spod władzy innych. A tym bardziej
rzecz myśląca, człowiek. Kamienie i twarze odbijają
się w pańskim śnie. Zapachy kwiatów zakrzywiają
drogę naszych myśli. Dlaczego więc nie modelować
dowolnie tego, co kształtowane jest przypadkowo?

Stanisław Lem, *Szpital Przemienienia*

i to jest moje credo.
wierzę w spójność rzeczywistości. w spraw przenikanie,
ludzi powiązania, w zamkniętą sumę energii wszechświata.
wierzę w sens nieustannego lepienia, modelowania
codzienności od nowa. w sens wycierania rozlanego mleka,
w zasadność chwytania się brzytwy, wyławiania śliwki
z kompotu, zakładania protez na połamane kozie nogi.

PONIEDZIAŁEK 22 sierpnia 2011

Waglewski, Fisz, Emade, *Chromolę*

wiem, nie wyglądam na *poważnie* chorą.
żeby wyglądać comme il faut, powinnam chodzić w spranej
pasiatej piżamie, powłócząc obandażowanymi nogami.
twarz mieć powinnam oblepioną zielono lśniącym gilem
i ciągnąć za sobą zakrwawiony kabel od kroplówki.
albo przynajmniej oblec się we włosiennicę, krzywo zamotać
na głowie burą szmatę, a będąc w pobliżu ludzi – przewalać
żałośnie okiem, teatralnie wzdychać i jęczeć spierzchniętymi,
sinymi wargami: *mam raka, uhuhuhuhuuuu...*

tak, wiem: wyglądam raczej na członkinię
bliżej niezidentyfikowanej subkultury.
coś obrzydliwego. coś innego. coś przerażającego: *coś*
między lesbijką, przeterminowaną pankówą z Jarocina,
więźniarką a transseksualnym harekrisznowcem.

od trzech dni mam możliwość sprawdzania, jak
niezwykle interesujące jest dla innych oglądanie
mnie w mało kobiecej fryzurze.
pozdrawiam więc wycieczki, które zwiedzały
zamek w Reszlu: *chuj wam w dupę!*
pozdrawiam również spacerujących po Mikołajkach:
wam też, ten sam chuj, w dupę!
pozdrawiam ponadto stolicę, warszawski kołowy ruch drogowy oraz
pewną pocztę przy ul. Grochowskiej: *chuj wam w dupę! chuj! w dupę!*
i nie, nie chodzi mi o to, że ludzie się przyglądają.
to, ewentualnie, staram się zrozumieć.
chodzi mi o komentarze, chichoty, o wskazywanie
palcem, trącanie się łokciami, o rozmowy, które
zamierają w pół słowa, gdy przechodzę obok.
nie wstydzę się ludzi.
nie wstydzę się choroby.
wstyd mi przed moim Synem, bo Go oszukałam.
ludzie, en masse, nie są fajni.

WTOREK 23 sierpnia 2011
Grace Jones, *I've seen that face before*

ha! co za skleroza!
przecież rok temu Niemąż kupił mi perukę w Krakowie,
gdy pojechaliśmy do pana profesora Tadeusza
Popieli po analizę SWOT mojego leczenia.
dziś grzebłam więc czem prędzej w garderobie,
zadzierzgłam ją na łysość i włała: otom ja,
w plastikowych warkoczykach prosto z Chin.

– mam założyć perukę?
– a ty jak chcesz, mamusiu?
– mnie to obojętne, ty zadecyduj, synku.
*– lepiej załóż, bo ludzie będą się z ciebie
naśmiewali, a to mnie wnerwi i będę zmuszony
wrzasnąć na nich, żeby przestali się gapić.*

i tak oto już jestem *normalna.*
a przy okazji – peruka przyjemnie grzeje łeb.

korci mnie, żeby zdejmować perukę przy wchodzeniu
do miejsc publicznych, z jednoczesnym gromkim
powitaniem, np.: *darz bór!* czy *ave, satan!*, albo z innym,
równie durnym hasłem, np.: *to napad, ręce do góry!*

ŚRODA 24 sierpnia 2011
Trevor Jones, ścieżka dźwiękowa z filmu *G.I. Jane*, suita

Włosy twe jak płomienna błyskawicy grzywa,
Jak surm mosiężnych świetna weselna muzyka,
Jak uroczyste święto bogatego żniwa,
Jak w południe lipcowe spieka słońca dzika.

Włosy twe: bursztyn, jedwab, ogień i oliwa,
Jesienny niebywały przepych października,
W zasobnych miodnych ulach praca pszczół szczęśliwa,
Złote szaleństwo wina dla ust biesiadnika.

Włosy twe: rozżagwiona rozkoszy pochodnia,
Kojące jako morze, kuszące jak zbrodnia...
Jak w lesie o zachodzie zabłądzić w ich złocie!
I po wirze upojeń, pieszczot zawierusze
Zagrzebać w nich swe usta i upoić duszę,
Dumną jak sen zwycięzcy w zdobytym namiocie!

Leopold Staff, *Twe złote włosy*

niezły wiersz.
aż mi się łyso zrobiło.

* * *

byłam dziś u Ulubionego Doktorka. dał mi druka na peruka.
jutro podstempluję go w Enefzecie, a następnie
pobiegnę mierzyć owłosienie.

wstępnie wybrałam kilka fasonów (są podobne
do siebie – problem w tym, że fasony na ekspedientkę
z mięsnego jakoś mnie nie kręcą).

WTOREK 30 sierpnia 2011
Ryūichi Sakamoto, *Solitude*

drugi wlew tuż, tuż – 1 września, więc zanimco, pojechałam
na byznesmytyng do fabryki Głównego Klienta.
fabryka daleko, wlew niedaleko, sprawdziłam mapę i żeby
nie marnować czasu, przy okazji odwiedziłam Punkt
Poboru Mocy nr 1 (każdy z nas ma takie PPM-y – ja mam
jeden na Mazurach, drugi – właśnie u Pana J.).

jadąc na byznesmytyng, tłumaczę zwierzyńcowi,
że mają się ZACHOWYWAĆ.
bo mama pracuje dla Klienta. bo to ważny Klient, a od tego
spotkania wiele zależy. więc żadnego szczania po kątach,
żadnych min, fochów, żadnego domagania się uwagi.
witamy się grzecznie, mówimy, jak mamy na imię, siadamy
w kąciku i siedzimy jak trusie, zrozumiano? bo jak nie,
to po spotkaniu nie będzie przystanku w McDonaldzie,
o klockach Lego *Harry Potter* nie wspominając.
zwierzyniec pokornie kiwa łbami ze zrozumieniem.
utrwalamy jeszcze raz scenariusz: witamy się kulturalnie
i zajmujemy się sobą, bo mamusia przyjechała
na spotkanie, żeby zarobić pieniążki na michę i żwirek.
zajeżdżamy.

Klient wita nas przy samochodzie, nie sposób więc dyskretnie przemilczeć obecności Córki, tym bardziej że Klient zachwyca się wyglądem kocicy i żałuje jej, że jest uwięziona w klatce. idziemy w czwórkę do przyfabrycznych biur: Klient, ja, Syn i Vileda. po drodze Syn przedstawia się Klientowi. wyciąga dłoń, mówi *dzień dobry*, kłania się, przedstawia imieniem (ha! widać od razu, że wnuk dyplomaty!), jestem zadowolona z siebie, idzie wszystko gładko.
następnie Syn dodaje: *proszę pana, a wie pan, że jeśli jest pan bogaczem, to moja mama wykiwa pana fabrykę na kasę?* – Klient blednie i zaczyna drgać mu żyłka na skroni.
następnie Córka – oswobodzona z transportera – wskakuje na dębowy gdański stół, przy którym pracuje Żona Klienta. Żona krzyczy w przerażeniu: *kot! kot chodzi mi po klawiaturze!*, a tymczasem Syn zakłada na głowę plastikowe wiadro, zaczyna przeraźliwie miauczeć, jednocześnie waląc się po wiadrze packą na muchy. natomiast ja zapadam się pod ziemię, nie pozostawiając po sobie nawet niedużej mokrej plamy.

CZWARTEK 1 września 2011
○ Joe Pass, *Autumn leaves*

zdumiewające: dożyłam.

minął rok.
raka *właściwego* już nie ma – są za to dorodne przerzuty.
włosów też nie ma, ale jest za to piękna beatakozidRak.
przedszkolak zamienił się w ucznia.
Niemąż – w nie Niemęża.
wspomnienie po psie – w kota.
38 – w 34.

ciekawe, jaki będzie 1 września za rok.
ciekawe, co i jak się zmieni.
czekam.

PIĄTEK 2 września 2011

niespodzianka! nie było wczoraj wlewu irinotekanu.
w ramach eksperymentów na sobie rozpoczęłam monoterapię
TS-1, ale za to w megadawce – 100 mg dziennie.
pojawiła się też nowa koncepcja: żeby zrobić – np. za dwa
tygodnie, równie ekstatyczny jak pierwszy – wlew
irinotekanu, aby następnie – gdzieś po trzech
tygodniach – spróbować wyoperować przerzuty.

jestem zaskoczona.
muszę zastanowić się, co robić.

SOBOTA 3 września 2011

○ Kult, *Hej, czy nie wiecie*
z dedykacją dla Syna, który polubił Kult i skanduje razem
z Kazikiem *hej, czy nie wiecie, nie macie władzy na świecie.*

★ ★ ★

Giancarlo kolejną dobę wykazuje niesłabnący entuzjazm
wobec nauki w szkole, a ja to uczucie podtrzymuję.
pęd do wiedzy wyssał (przez czternaście miesięcy) z mlekiem
matki, zaś wychowawczyni zrobiła na mnie korzystne wrażenie.
uważam, że połączenie tych czynników powinno
zaowocować sukcesami, chociaż w sumie już będę
usatysfakcjonowana, gdy nie będzie się nudził.

po lekcjach (ha! jak to brzmi!!!) był godzinę na świetlicy,
która zachwyciła Go możliwością samodzielnego
spędzania czasu, różnorodnością zabawek i książek oraz
nobilitującym kontaktem z dziećmi ze starszych klas.

ciekawa jestem Jego komentarza, gdy się zorientuje,
że chwilowo nauka sprowadza się do opanowywania
umiejętności pisania, czytania i operacji liczenia do dziesięciu...
albowiem Syn imaginuje sobie, że lada dzień powiodą
Go do pracowni chemicznej, w której będzie

przygotowywał w menzurkach i innych rurkach
wybuchowe mikstury rodem z *Harry'ego Pottera.*
delikatnie usiłuję wyprowadzić Go z błędu,
by uchronić przed rozczarowaniem i glebą.
kluczę, opowiadając Mu o podstawówce, gimnazjum,
liceum i studiach, o kolejności spraw, o zadaniach na miarę.
a On, niestrudzony, tłumaczy mi, że On da radę,
że On chce, że potrafiłby.
– *ech...* – myślę ze smutkiem – *takiego wała, Synu, takie*
rzeczy w szkole dzieją się tylko w filmach dla dzieci.

szukam więc książki / zestawu małego chemika.
enyajdija?

PONIEDZIAŁEK 5 września 2011
Viktor Pavlik, *Znajdy mene*
ach, te słowiańskie tęsknoty...

* * *

no i czar prysł.
bo:
– usiadł w ławce z chłopczykiem, do którego chciał się odezwać,
a który Mu odpowiedział: *nie dotykaj mnie, bo ci przyleję.*
– gimnastyka była na korytarzu, a nie – w sali.
– uczyli się swoich imion, literek w imionach i m.in. łączyli się
w grupy wg pierwszej litery imienia, ale tylko On był na literę,
na którą był (*mamo, a co ta pani nie widziała, że nie będę miał*
pary? mamo, dzieci się ze mnie śmiały, że nie mam pary).
– pani zakazała rysowania na laurce mamy, bo ma tam
być narysowany On (zakleiliśmy więc białą kartką
błękitną postać macierzy. w tym miejscu została
narysowana identyczna pomarańczowa postać Syna).
– zgubiły się wycięte z ćwiczeń do matematyki jebane
misie – liczmany. jutro będziemy szukali ich w szkole –
może wziął je ten Niedotykajmniebociprzyleję.

CZWARTEK 8 września 2011

Zemia Rodnô, hymn kaszubski

Syn zauroczony piosenką. mówi, że jest *bardzo romantyczna.*

* * *

Niedotykajmnniebociprzyleję rzondzi.
np. skomentował zachwyt Syna plastikową rurką
ze sklepiku szkolnego: *gówno warta jest ta twoja rurka.*
(rurka przynależy, chyba, w zbiorze słodyczy do podzbioru
cukierków. lśni w niej odblaskowo sypka słodka saletra.
należy dodać, że owa rurka została ofiarowana
przez koleżankę z klasy, Linkę.
cóż, może okaże się, że Giancarlo odziedziczył
po ojcu talent do ustawiania się.
to pożyteczna cecha, indiid).

Niedotykajmnniebociprzyleję, jak co dzień, dziś
również próbował lżyć i straszyć.
wdrożyłam z Synem strategię na kontratak polegającą na zachowaniu
kamiennej twarzy i na wnikliwym oglądaniu paznokci.
na razie zadziałała.
znaki na niebie i ziemi wskazują wszelako, że sytuacja będzie constans.
Niedotykajmnniebociprzyleję doprowadził już do gorączki
m.in. panią od angielskiego, nie wypełniając jej poleceń.
pyskował, rozrabiał i gadał na lekcji i coś tam, i coś tam,
więc skończyło się wezwaniem matki i jego do Pani Dyrektor.
ha!

* * *

a teraz oddalam się w plener szukać kasztanów,
albowiem w szkole kazali. na jutro.
nie wiem jak u Was, ale u mnie kiepsko z nimi.
byłam już na rekonesansie u nas we wsi, w zielonej
miejscowości u Babci B. oraz w miejscowości
o kobylej nazwie, ale wszędzie deficyt.

szrotówek zeżarł liście, kasztanowce szeleszczą smętnie suchymi
liśćmi, a kasztany w kubrakach trzymają się kurczowo gałęzi.
na ziemi nie leży nic, co mogłabym uznać za kasztan lub
kasztanek. ani za, chociażby, malusie kasztaniątko.

we wsi dwaj przemili emeryci wracający z Lidla pomogli
mi w skakaniu na drzewo i szarpaniu korony, ale niewiele
to dało. owszem, zapełniłam kieszenie kasztanami, ale są
one w ubraniach, więc wymagają rozwiązań siłowych.
na dokładkę gdy się już je rozkroi (deska, tasak, nóż z piłką,
te sprawy), okazuje się, że w środku kasztan jest niedojrzały, biały,
a do tego – ponacinany od zewnętrznej strony jak kiełbasa na grilla.
od biedy pewnie da radę z takiego kasztana
zrobić ludzika, ale będzie nieodparcie kojarzył się
z wątpliwą sztuką Gunthera von Hagensa.
znalazłam co prawda w Giancarlowym pudełku
ze skarbami kasztany sprzed kilku lat.
wszystko wskazuje na to, że z braku innych
te będą fungowały za tegoroczne.

cała nadzieja w familii.
Babcia B. zwerbowała CiocioBabcię.
jest więc szansa, że wspólnymi siłami całej
rodziny odrobimy pracę domową.

* * *

zapomniałabym: zrobiłam dziś rano morfologię.
na pohybel Rakeli nadal żyję.

PIĄTEK 9 września 2011
utwór nr 5 ze ścieżki dźwiękowej filmu *Utalentowany Pan Ripley*
– *mamo, super! melodia o uciekaniu!*
i po chwili: *ale fajne kreszendo i diminuendo!*
głośniej! głośniej! rozkręć głośność na maksa!

* * *

moi Drodzy,
serdecznie dziękuję za systematyczne zasilanie
mojego konta w Fundacji Rak'n'Roll.
dotychczas wpłaciliście siedemnaście tysięcy złotych.
dziś zamówiłam w tokijskiej aptece porcję lekarstwa,
która wystarczy mi na październik.

wydałam prawie dziesięć tysięcy.

ogromne podziękowania kieruję do Magdy Prokopowicz,
właścicielki Fundacji Rak'n'Roll, która osobistą
dłonią dokonała dziś przelewu na konto apteki.

proszę Was o dokonywanie kolejnych wpłat.
pomóżcie mi, proszę, wytrzebić raka.
przed nami przecież listopad, grudzień, styczeń...
do skutku!

SOBOTA **10 września 2011**
absurdalna piosenka przed metafizycznym wpisem.
Wojciech Młynarski, *Koza u rena*

Jak zawsze uczyli mistycy, dopiero w akceptacji
śmierci odnajdujemy prawdziwe życie.
(...) Gdy jest coś, co do czego zgadzają się hindusi, chrześcijanie,
buddyści, taoiści i sufi, wówczas prawdopodobnie jest to niezwykle
ważna prawda o uniwersalnym i ostatecznym znaczeniu, która
dotyka samego jądra kondycji ludzkiej. (...) Duch istnieje, Bóg
istnieje, Wyższa Rzeczywistość istnieje. Brahman, Dharmakaya,
Kether, Tao, Allach, Sziwa, Yaweh, Aton. „Nazywają Go wieloma,
który w rzeczywistości jest Jednym". (...) Niezwykłym przesłaniem
mistyków jest to, że w samym centrum swego istnienia jesteś Bogiem.
Dokładnie mówiąc, Bóg nie jest ani wewnątrz, ani na zewnątrz.
Duch przekracza wszelką dwoistość. Odkryć to można tylko przez
ciągłe zaglądanie do wewnątrz, aż „wewnątrz" stanie się „poza".
Najsłynniejsza wersja tej wiecznej prawdy pojawia się w upaniszadzie

Chandogya, gdzie jest powiedziane: „W swoim istnieniu nie dostrzegasz Prawdy, ale ona właśnie tam jest. W tym, co jest subtelną esencją twojego istnienia, wszystko, co istnieje, ma swoje własne Ja. Niewidzialna i subtelna esencja jest Duchem całego wszechświata. To jest Prawda, to jest Ja, i ty, ty jesteś Tym". (...) Jak to ujął święty Augustyn: „Bóg stał się człowiekiem po to, by człowiek mógł stać się Bogiem". Ten proces przejścia od „człowieczeństwa" do „Boskości", od osoby zewnętrznej do osoby wewnętrznej albo od ja do Ja znany jest w chrześcijaństwie jako metanoja, co oznacza zarówno „skruchę", jak i „przemianę". Żałujemy ja (albo za grzech) i przemieniamy się jako Ja (albo Chrystus), więc, jak powiedziałaś, „nie ja, lecz Chrystus żyje we mnie". Podobnie islam uważa tę śmierć-zmartwychwstanie zarówno za tawbah, co znaczy „skrucha", jak i za galb, co znaczy „przemiana"; oba są streszczone w zwięzłym zdaniu al-Bistamiego: „Zapomnienie ja jest przypomnieniem Boga". W hinduizmie i w buddyzmie śmierć-i-zmartwychwstanie zawsze opisywane są jako śmierć indywidualnego ja (jivatman) i przebudzenie prawdziwej natury, którą hindusi metaforycznie nazywają „Całym Istnieniem" (Brahman), a buddyści „Czystym Otwarciem" (shunyata). Chwila odrodzenia i przełomu to oświecenie albo wyzwolenie (moksha albo bodhi). Sutra Lankavatara nazywa to doświadczenie oświecenia „całkowitym zwrotem w najgłębszym miejscu świadomości", co oznacza po prostu zerwanie z tendencją do tworzenia oddzielonego ja. W zen ten zwrot albo metanoja nosi nazwę satori albo kenshō. Ken znaczy „prawdziwa natura", a shō „bezpośrednie widzenie". Widząc bezpośrednio, prawdziwa natura staje się Buddą. Jak to ujął Mistrz Eckhart: „W tym przełomie odkrywam, że Bóg i ja to jedno i to samo". (...) Ten obraz z dzieciństwa „rozprzestrzeniania się, mieszania z całym wszechświatem" jest czymś w rodzaju głównego motywu mojego życia. To jedyna rzecz, która naprawdę mnie wzrusza, (...): pragnienie (...) odnalezienia jedności ze wszystkim, rozciągnięcia dzieła życia poza siebie i poza innych. Moja prawdziwa pasja jest wewnątrz (...). Wszystko szybko mnie nudziło, ponieważ interesują mnie tylko sprawy wewnętrzne, duchowe. Kiedy usiłowałam skierować się na zewnątrz, traciłam zainteresowanie. Potrzebuję wewnętrznego głosu, wewnętrznego przewodnika, muszę

go wzmacniać, pielęgnować, kontaktować się z nim... Dopiero
wtedy będę mogła go usłyszeć tak, by nadał memu życiu kierunek.
Czuję, jak serce rośnie mi na myśl o tej możliwości. To zawsze
był główny temat, nić przewodnia mojego życia. Najpierw
musi przyjść to uczucie rozprzestrzeniania się, musi osiągnąć
głębię. Prawdę mówiąc, tym, czego ostatecznie pragnę, jest
stan absolutnie pozbawiony ego, wolny od oddzielonego ja...
I rzeczywiście, jest to dokładnie cel i przyczyna medytacji. (...)

Ken Wilber, *Śmiertelni nieśmiertelni*
(przekład Aldony Możdżyńskiej)

NIEDZIELA 11 września 2011
Dżem, *Sen o Victorii*

w domu na Mazurach dużo much i pająków.
przed snem moi mili bliscy ćwiczą usuwanie much forhendem.
co do pająków, zalecili mi, żebym sypiała
z laptopem ułożonym na sobie, na kołdrze.
tak na wszelki wypadek – gdyby pająki
chciały mnie wciągnąć pod łóżko.

rozważam możliwe scenariusze dalszego leczenia.
Niemąż powtarza: *poszukamy i znajdziemy*
rozwiązanie, tylko każę ci żyć.
oswajam myśl o kolejnej, trzeciej, dużej operacji,
o możliwej możliwości stomii i cewnika.
od zawsze uwielbiałam torby i torebki, ale żeby aż tak?

PONIEDZIAŁEK 12 września 2011
z okazji poprawy pogody dedykuję Wam tę wiosenną piosenkę:
Potap i Nastia, *Czumaczeczaja wiesna*

nie jestem dobrą matką.
Syn to potwierdza.
dodaje co prawda, że dobrą nie jestem, ale jestem najukochańszą.

➔ 2011 wrzesień

dziś rano coś mi odbiło i zapragnęłam być najlepszą z matek.
poleciałam do sklepu po świeżutkie bułeczki prosto-z-pieca.
i to był błąd.
więcej nie pójdę rano po bułki, przysięgam.
w połowie powrotnej drogi dorwała mnie sąsiadka,
która postanowiła wyznać mi grzechy.
i całą drogę do domu trajkotała.
– ja panią bardzo przepraszam, ale ja nie wiedziałam, że pani
jest chora, ja dlatego tak o tej czapce pani wtedy mówiłam.
gdybym wiedziała, ja bym nigdy nie zażartowała, ja panią
bardzo przepraszam, ja nigdy już się tak nie odezwę.
ożeszty.
nic nie pamiętam.
nie kojarzę, żeby mi cokolwiek powiedziała o czapce.
a nawet jeśli, to wisi mi to.
na wszelki wypadek, żeby spełnić oczekiwania
sąsiadki, postanowiłam być złośliwa.
z wysokości półpiętra wygłosiłam sentencję:
z tego wniosek, że warto nie oceniać po pozorach
i zastanowić się dwa razy, zanim zabierze się głos.

często mam wrażenie, że ludzie rozmawiają ze mną
tak szczerze, bo wydaje im się, że ja – stojąca niemalże
u bramy – doniosę na nich za chwilę do świętego Piotra.
obiecuję przeto, że będę dyskretnie milczała.
jak grób.

CZWARTEK 15 września 2011
Ruki Wwierch, *Kapali Slozy*

wytrzymajcie do 00:40, warto.
ach, ci czarnoskórzy Słowianie.

* * *

dziś będzie o szkole.
więc zaaklimatyzował się.

pani rozsadziła Go od Niedotykajmniebociprzyleję. siedzi z Zu.
z Zu, która jest porcelanowo blada, uroczo piegowata i ma długie,
jasnomiedziane włosy. i do tego – temperament diablicy.

* * *

wracamy do domu po szkole. lubię te opowieści
bezpośrednio po przeżyciu, jeszcze chaotyczne,
wibrujące od emocji, nieprzespane.

– *mamo, wiesz co? ja mam tylko trzy A z minusem.*
dziś znowu dostałem A z minusem, a Zu dostała samo A.
mamo, czy ten minus to jest „pała"?
ja nie chcę pały.
przecież mamy umowę, że jak będę mieć same
piątki, to mi kupisz tę grę, pamiętasz?
mamo, ale ja nie mam samych piątek, ja mam same piątki z pałami.
mamo.
pani wychowawczyni mnie chyba nie lubi.
ja się tak starałem ładnie odrobić tę pracę, a ona dała mi pałę.

* * *

– *będzie wywiadówka, wiesz? tu jest tak napisane* – Syn
wsuwa głowę do salonu i majta pomiętą skserowaną
kartką, którą wyszarpnął spośród książek z plecaka.
po chwili dodaje: *a wiesz, że ja wiem, po co będzie ta wywiadówka?*
– *mmmh?* – mruczę nieprzytomnie. szumi mi w uszach od chemii,
staram się w tym szumie dosłyszeć jakąś linię melodyczną.
dobra, nie wymagajmy od siebie zbyt wiele. w sumie
w szumie miło byłoby chociaż usłyszeć Głosy.
– *więc wywiadówka jest po to, żeby rodzice mieli powód,*
żeby się złościć na dzieci – wyjaśnia zdegustowany.
po czym, z nieukrywanym obrzydzeniem, podsumowuje:
na tym właśnie polegają wywiadówki. panie mówią złe
rzeczy o dzieciach, żeby rodzice byli źli na dzieci.

proszę, jakie to logiczne.

* * *

bawi mnie zeszyt do korespondencji ze szkołą.
Giancarlo sporządza w nim drukowanymi
kulfonami notatki.

NA PON. PAMIĄTKI Z WAKACJI

albo: SZLACZKI STR. 2 1 3.

frapuje mnie, jak sobie radzą z pamiętaniem,
co jest zadane, niepiśmienne dzieci.

PIĄTEK 16 września 2011

Ruki Wwierch, *On tiebia celujet*

– *w ubraniach wierzchnich nie wolno*
na basen – wysyczała sprzątaczka.
– *ale mi zimno. i ja dziecko tylko*
odprowadzam i pomagam się przebrać.
– *nie wolno!* – wrzasnęła.
zdjęłam kurtkę, zdjęłam czapkę, błysnęłam
gładkością i powiedziałam: *a to przepraszam.*
i nie mogłam się powstrzymać – zajrzałam
pani sprzątającej w oczy.

* * *

gdy Giancarlo był Pulpetem, zaraz potem, gdy poszedł
do przedszkola (i gdy już uciekliśmy od Voldemorta),
zażyczył sobie wózek do wożenia lalek.
kupiłam.
przez prawie rok woził w nim Kubusia Puchatka.
wychodziliśmy w trójkę na spacery (wówczas nikt
jeszcze nie słyszał o istnieniu Niemęża), a Pulpet
dzielnie pokonywał bariery architektoniczne
znane tylko młodym matkom.

odbyłam wówczas rozmowę z Voldemortem,
że chowam Syna na *pedała*.
argumentowałam, że nie widzę nic niestosownego
w posiadaniu wózka do wożenia lal ani tym
bardziej – w wychodzeniu z tym wózkiem.
mówiłam: *ostatecznie przecież nawet tobie zdarzyło*
się kilka razy – może nawet ze trzy – pchać wózek.

pamiętam też, że powiedziałam, że nawet jeśli skutkiem
ubocznym posiadania wózka przez Pulpeta będzie Jego
homoseksualizm, nie będzie mi to przeszkadzało.
ważne, żeby był szczęśliwy ze swoimi wyborami.
wtedy awantura skończyła się. zaczęły się wyzwiska na temat
mojego stanu umysłu. i tego, że chcę dziecku życie zniszczyć.

* * *

Giancarlo tęskni za swoim kolegą, Tosiem.
miał obiecaną wizytę u Tosia, ale zmieniły się
weekendowe plany i musieliśmy kanselować miting.
Toś jest wychowywany przez parę dziewczyn.

wracamy dziś ze szkoły, Giancarlo pyta:
a czy Toś ma dwie mamy? czy to możliwe?
tłumaczę: *mama, która Go urodziła, jest jedna, ale*
jest wychowywany przez dwie dziewczyny – więc
w sumie jakby miał dwie mamy.
– *fajnie* – kwituje zwięźle. i po chwili namysłu
drąży temat: *ale to chyba nie jest częste?*
– *ludzie łączą się przeważnie w pary kobieta i mężczyzna,*
ale są też pary mężczyzna i mężczyzna albo kobieta
i kobieta. i choć nie jest to częste, jest to normalne.
– *a to jest normalne, że są samotnie mieszkający ludzie?*
– *tak też się zdarza.*
– *smutne. takiemu komuś potrzebny jest*
przynajmniej kot albo pies, prawda?

NIEDZIELA 18 września 2011

○ Matisyahu, *One day*

kiedyś Ciocia Z., Mama Marty, powiedziała mi,
że odkąd dziesięć lat temu zachorowała na raka,
nie planuje dalej niż na trzy miesiące.
ja obejmuję myślami zaledwie tydzień.
potem widzę zamglony kontur następnych kilku dni, nic więcej.
nie mam odwagi snuć planów np. na to, co będzie za pięć lat.
bo pewnie nic nie będzie.
nie dla mnie.

a za pięć lat Syn pójdzie do gimnazjum. będzie mieć 11 lat.
tyle ile teraz ma Jego ukochana przyrodnia Siostra.

Niemąż będzie miał 45 lat. może będzie nadal
ważył koło setki, o ile znowu nie zatraci się
w miłości do kuchni i nalewek Babci B.
Babcia B. będzie miała 71 lat i będzie jak zwykle
upierała się, że nie potrzebuje niczyjej pomocy.
Vileda będzie miała 6 lat i zlew na wszystko, prócz
mokrego kitketa, suchej kajzerki i dźwięku drukarki.

CZWARTEK 22 września 2011
dziś ostatni dzień lata...

○ The Cure, *The last day of summer*

sprawy Wielkie, których się boję:
– że umrę, zanim wychowam Syna na Człowieka –
że zostawię Go na pastwę losu,
– że umrę nieświadoma odchodzenia,
– że coś niedobrego może się stać moim
bliskim, a ja nie będę potrafiła Im pomóc.

sprawy średnie:
przeraża mnie myśl o (szeroko rozumianej)

utracie niezależności, decyzyjności.
boję się braku pieniędzy, niesamodzielności finansowej.

sprawy niskie:
nie lubię déjà vu.
boję się niekontrolowanej agresji.
obawiam się pająków: szybko biegają i nigdy
nie umiem przewidzieć ich trajektorii.
brzydzę się much.
nie lubię, gdy w zimie jest poniżej -10 stopni
oraz gdy jest duże oblodzenie.

WTOREK 27 września 2011
dziś pieśń przypomniana przez Starszego Świagra.
○ · Toto, *Stop lovin you*

i wiersz, który ostatnio odkurzył Niemąż.

Siódmy anioł
jest zupełnie inny
nazywa się nawet inaczej
Szemkel

to nie co Gabriel
złocisty
podpora tronu
i baldachim
ani to co Rafael
stroiciel chórów

ani także
Azrael
kierowca planet
geometra nieskończoności
doskonały znawca fizyki teoretycznej

Szemkel
jest czarny i nerwowy
i był wielokrotnie karany
za przemyt grzeszników

między otchłanią
a niebem
jego tupot nieustanny

nic nie ceni swojej godności
i utrzymują go w zastępie
tylko ze względu na liczbę siedem

ale nie jest taki jak inni

nie to co hetman zastępów
Michał
cały w łuskach i pióropuszach

ani to co Azrafael
dekorator światła
opiekun bujnej wegetacji
ze skrzydłami jak dwa dęby szumiące

ani nawet to co
Dedrael
apologeta i kabalista
Szemkel Szemkel
– sarkają aniołowie
dlaczego nie jesteś doskonały

malarze bizantyńscy
kiedy malują siedmiu
odtwarzają Szemkela
podobnego do tamtych

sądzą bowiem
że popadliby w herezję
gdyby wymalowali go
takim jak jest
czarny nerwowy
w starej wyleniałej aureoli

Zbigniew Herbert, *Siódmy anioł*

pewien profesor z Królewca powiedział: *Są dwie*
rzeczy, które napełniają duszę podziwem i czcią: niebo
gwiaździste nade mną, prawo moralne we mnie. Są to dla
mnie dowody, że jest Bóg nade mną i Bóg we mnie.
pani basenowa ochroniarka dodała: *panią to żadne przyzwoite*
zasady nie obowiązują – gdy zaparkowałam na jednym
z sześciu pustych miejsc dla niepełnosprawnych (zapamiętała
mnie – mam etykietę *tej* suczy, która odprowadza dziecko
na basen, będąc w wierzchnim ubraniu i czapce).
Niemąż zmrużył oczy, pogłaskał mnie po policzku, po łysej głowie.
uśmiechnęłam się do swoich myśli.

znasz to uczucie, gdy kradnie się w sklepie śliwkę, wyciera
naprędce wosk o ubranie i zjada – jak gdyby nigdy nic?
a może wiesz, jak to jest, gdy przekraczasz prędkość
albo jedziesz na rauszu, a następnie korumpujesz
policjanta, byle tylko nie zabrał prawa jazdy?
a może przewalasz Skarb Państwa, generując lewe faktury
kosztowe, fikcyjnie zatrudniając pracowników?
oszukujesz eksa, że musisz odebrać mu prawa ojcowskie, bo bez
podpisu dwojga rodziców szkoła / szpital nie przyjmą dziecka?
może przemycasz ludzi, broń, kamienie szlachetne, narkotyki?
może żądasz przed sądem odszkodowania
za coś, co nie miało miejsca?

kto wyznacza Twoją normę moralną?
środowisko? sytuacja życiowa? doświadczenie?

CZWARTEK 29 września 2011

 Hans Zimmer, *Injection*

to kolejna piosenka od mojego ukochanego Starszego Świagra.

* * *

dziś zaczynam trzeci kurs chemioterapii.
mam czym się leczyć – z Japonii przyleciała giga paka tabletek.

lekarze oglądają mnie cierpliwie, rozważając
regresję na zmianę z progresją.
zaglądam w mądre, dobre oczy mojego ginekologa
Piotra, Człowieka przez bardzo duże C.
– *każdy z nas dostaje ciężar na miarę swoich możliwości* –
mówi, wypisując skierowanie do onkologa chirurga,
na którym pisze drukowanymi *bardzo pilne!!!*
i dodaje: *a pani jest kobita z jajami, dlatego
pani wylosowała aż taki garb.*

a ja płaczę.
ja nie chcę takiego życia.
ja chcę nudne życie.

PIĄTEK 30 września 2011

Hans Zimmer, *One day*

więc byłam.
onkolog ginekolog chirurg.
jasne spojrzenie, rzeczowy, klasa.
do tego jest tytanem pracy: przyjmuje pacjentki co 5 minut (na NFZ).

zajrzał, stwierdził, że nie ma widocznego ustąpienia
choroby, ale nie ma również widocznego postępu.
na wszelki wypadek postanowiłam uznać to za dobrą wiadomość.

nie ma cienia szansy na operację, dopóki:
1) masa nowotworu nie wycofa się całkowicie,

2) nowotwór nie będzie tylko w tym jednym miejscu,
ponadto nawet gdy nastąpi 1) i 2), operacja
nadal będzie bezsensowna, ponieważ:
3) jestem świeżo po dwóch bardzo rozległych operacjach,
4) po operacji trzeba odczekać kilka tygodni, by kontynuować
chemioterapię, a w czasie tej przerwy rakela może się rozbrykać,
5) operacja byłaby drastyczna (Niemąż genialnie
nazywa ją *całkowitym rozanieleniem*), co w moim
wieku jest niepotrzebnym okaleczeniem.

wnioski: kontynuować dotychczasową
chemioterapię, szukać optymalnej chemii.
Ulubiony Doktorek zostanie niedługo zasilony
nową porcją wniosków z analiz niemieckiego
laboratorium, może wymyśli nową miksturę.
na razie – żrę japońskie tabsy.

PONIEDZIAŁEK 3 października 2011
○ Charles Aznavour, *Je t'attends*

byłam dziś na USG u profesora.
profesor i ja jesteśmy *z tej samej ekipy* (tak to określił).
leżę.
profesor rozjeżdża mnie głowicą USG, jednocześnie
zachwyca się nereczką / pęcherzykiem / przerzutem /
plamką / ordynuje wciąganie – wypuszczanie powietrza.
i mówi do mnie tak: *pani jest taka jak ja, ja to widzę.*
wie pani, kiedy dowiedziałem się, że jestem chory
na raka, wracałem do domu tramwajem, patrzyłem
na drzewa i myślałem: ja umieram.
i wie pani, wtedy uznałem: nie, przecież tak nie może być.
tak nie może być.
muszę żyć normalnie.
– profesorze, jechaliśmy tym samym tramwajem,
patrzyliśmy na te same drzewa.
tak.

ten moment, gdy uświadamia się sobie
swoją śmiertelność, jest bezcenny.

więc to tak, właśnie.
a życie idzie do przodu.
działam.
dziergam faktury, pranie, paprykę w zalewie,
ciasto, list, skargę, zażalenie.
nadaję paczkę.
naprawiam samochód.
zlecam, podzlecam, zatwierdzam, kupuję, sprzedaję.
sprawdzam szlaczki w zeszycie od kaligrafii.
wysypuję śmieci z piórnika.
zmieniam żwirek.
podlewam kwiaty.

i czekam.
czekam.
bo przecież, jak powiedział Lec – *wszystko
mija, nawet najdłuższa żmija.*

PIĄTEK 7 października 2011
Dean Martin, *C'est si bon*

we wtorek rano wyssałam z siebie pod ciśnieniem krew.
do fiolek z krwią zostało dolane czarodziejskie Coś,
a następnie fiolki musiały stać dwie godziny.
w południe przyjechał kurier DHL. pół godziny rozkminialiśmy,
jak zapakować fiolki, żeby były zadowolone z podróży.
w środę po południu fiolki dotarły do laboratorium w Niemczech,
gdzie sprawdzono aktualne możliwości chemioterapii.
w czwartek wieczorem, tj. wczoraj, miałam
w mailu raport z analizy.

teraz czekam na opinię Ulubionego Doktorka, co robimy.
zmieniła się wrażliwość białek przerzutu

w stosunku do guza pierwotnego.
i tak np. irinotekan jest passé.
pochodne platyny też odpadają, taksany – również.
mam za to wrażliwą herceptynę (poprzednio nie
miałam jej wrażliwej), mTOR inhibitora i jeszcze
parę innych, więc jest w czym wybierać.
wg badania 5-FU działa – więc dalej jem japońskie
tablety, nadal w końskiej dawce 100 mg dziennie.

ludzie miłe!
jeśli macie taką możliwość, nie bierzcie chemii ot
tak, żeby brać (bo onkolog kazał, *bo tak trzeba*).
proszę Was, sprawdźcie najpierw, jaką chemioterapią najszybciej
uda się ubić (albo chociaż powstrzymać) nowotwór.
trzeba walczyć, bronić się, szukać możliwości.
domagajcie się chemioterapii celowanej,
indywidualnie dobieranej.
nie dawajcie się zbyć zapewnieniom, że NFZ czegoś nie refunduje.
jeśli nie refunduje, to trzeba to obejść inaczej.
bo co jest ważniejsze: życie czy przestrzeganie procedur?

* * *

byłam dziś w Fundacji Rak'n'Roll.
dostałam zestawienie wpłat – z Waszymi imionami i nazwiskami.
do 3 października wpłaciło na moje subkonto prawie 220 osób.
garść z Was znam, ale większości – nie. i pewnie
nigdy nie będę miała okazji poznać.
szukam słów, którymi mogłabym stosownie
wyrazić moją wdzięczność.
może napiszę po prostu:
DZIĘKUJĘ.
JESTEŚCIE WIELCY.
JESTEM ZOBOWIĄZANA.

obiecuję, postaram się Was nie zawieść.
zrobię co w mojej mocy, żeby zatrzymać chorobę.

jeśli jest jakiś Bóg, bez wątpienia odnotował
Wasz gest w swoim Zeszycie.
tak czuję.

raz jeszcze bardzo, bardzo serdecznie dziękuję.

SOBOTA 8 października 2011
Robertino Loretti, kołysanka *Buona notte*
Johannesa Brahmsa
odkąd zachorowałam, uwielbiam spać.
czerpię ze spania zwierzęcą przyjemność.

* * *

w weekendy biegamy *po kominach.*
w tygodniu nie ma na to czasu: bo szkoła, odrabianie
lekcji, praca, szpital, poczta, zakupy.
kiedyś – co oczywiste – spotykałam się tylko z *moimi* bliskimi.
odkąd jestem sparowana, grono powiększyło
się o znajomych Niemęża.
do tego doszła całkiem nowa kategoria znajomości – mamy.
i jak tu podzielić czas, żeby wszystkich odwiedzić?

tymczasem Syn dysponuje: *chcę się pobawić*
z Zu!, zawieź mnie do Dominika!, zadzwoń
do mamy Kacpra, chciałbym go zaprosić!
i tak miotamy się, próbując pogodzić rozrywki
dorosłych z potrzebami towarzyskimi Syna.
bezapelacyjnie wygrywają znajomi, którzy mają potomstwo
(optymalnie, jeśli między 5. a 15. rokiem życia).
znajomi bez dzieci są o tyle fajni, o ile mają telewizor
z odpowiednią liczbą programów dla nieletnich
lub jeśli udostępniają komputer z grami.
najfajniejsi są ci, którzy łączą te cechy.

dziś byliśmy u Tosia.
sytuacja wymknęła mi się spod kontroli.

i nie, nie Syn dał czadu – On bawił się m.in. w *osła tasmańskiego* (biegacie po domu i krzyczycie do zdarcia gardła *iii-oooo, iii-oooo*).
otóż po obiedzie zasnęłam. po godzinie otworzyłam oko na chwilę, znowu zjadłam, znowu zasnęłam.
w sumie jadłam godzinę i spałam trzy godziny.
taki ze mnie dziwny gość: żre i śpi.

nie lubię, że tak się dzieje.
rozumiem, ale nie lubię.
drażni mnie to.

PONIEDZIAŁEK 10 października 2011
Dj Tiësto, *Close to you*

jestem superkozą (profesor Szczylik).
jestem Walkirią (Magda Diana).
jestem najpyszniejszymi lodami z ogromną porcją czili (Niemąż).
mam siłę nosorożca (Zimno).
jestem kobietą jeżdżącą czołgiem (mecenas).

tak, to ja.
pędzę.
dam radę wszystkim przeciwnościom.
rozwalę raka, obalę system, zmiażdżę wrogów.
i tak właśnie będzie, to pewne, to postanowione.
ma być tak, jak ja chcę!
od kilku tygodni narasta we mnie skowyt.
Babcia B. mówi: *nie właź tam!*
a ja, tak ukradkiem, otwieram Jej bloga. i zerkam.

ludzie.
tyle nas tu jest.
zróbmy coś.
zarządzam na jutrzejszy dzień *wysyłanie światełka*,
jak metaforycznie mawiała Pau.

zarządzam słanie dobrej energii, modlitwy, pozytywnych wibracji.
ludzie.
zróbmy coś.

przecież wiara czyni cuda, prawda?

WTOREK 11 października 2011
Andreas Vollenweider, *Airdance*

lubicie słuchać ciszy?
ja – uwielbiam.
tyle jest jej rodzajów! jest inna w śpiącym domu,
inna – w lesie, jeszcze inna – pod wodą.

* * *

W dzisiejszym świecie bardzo trudno o pewność co do tego,
w co wierzyć. W przeszłości ludzie wierzyli w takiego czy innego
Boga, ale gdy mowa o modlitwie, iluż z nas tak naprawdę
wie, jak osiągnąć w niej ów głęboki stan, który pozwala nam
prawdziwie zawierzyć i zaufać? W czasach powszechnej wiary
w orzeczenia nauki wielu z nas widzi rozdźwięk między światem
religii a światem nauki. W świecie religii mówimy o rzeczach,
których nie da się zweryfikować zmysłami, które są jedynie
pewnym ideałem czy przedmiotem wiary, natomiast w świecie
nauki wierzymy tylko w to, co można określić i doświadczyć
za pomocą pięciu zmysłów. Różnica pomiędzy tymi dwoma
światami często powoduje głęboki wewnętrzny konflikt.
Każdy z nas jest inny i wszyscy doświadczamy różnych,
niemierzalnych stanów umysłu. Mamy różne nadzieje i plany.
I chociaż nie można ich pomierzyć, są one jak najbardziej
rzeczywiste i stanowią o niepowtarzalności, o najgłębszej
naturze każdego z nas. Poprzez zazen możemy powrócić do owej
niepowtarzalności, możemy całkowicie stopić się z samą esencją
naszej natury. Ta umiejętność powrócenia do niczym niezmąconej,
wewnętrznej ciszy – odcięcia szumu zewnętrznego świata i powrotu
do naszego pierwotnego świata wewnętrznego – to właśnie jest

zazen. Należy podkreślić, że praktykując zazen, nie staramy się upodobnić do siebie nawzajem. Przeciwnie – zazen pozwala każdemu człowiekowi stać się osobą, którą naprawdę jest.

i jeszcze jeden fragment:
Zen jest sztuką doświadczania każdej chwili w głębokiej harmonii. Możemy mówić o „formalnej praktyce zen" i „zen nieformalnym". Formalną praktyką zen jest trening medytacyjnego siedzenia w stanie wyciszenia i obserwacji, zaś nieformalną praktyką zen – równie istotną – jest właśnie doświadczanie harmonii w każdej chwili naszego życia.
Jednak realizacja owej harmonii w każdej chwili życia nie dokonuje się tu poprzez samo tylko pobożne życzenie „chciałbym być w harmonii" itp. Jest ona (realizacja harmonii) o tyle łatwa, że wcześniej umysł praktykującego jest w tym w jakimś stopniu wyćwiczony, poprzez trening medytacji formalnej. Zachowywanie tego treningu (stanu medytacji zen) poza formalną sesją (w swoim codziennym życiu) jest zaś kolejnym istotnym elementem praktyki zen. Ta nieformalna praktyka polega na przyjmowaniu – w stanie wewnętrznej ciszy (wg terminologii zen: w stanie Pustki) – wszystkiego, co się pojawia, takim, jakim jest. Czyli osoba nie jest przywiązana do tego, co się pojawia (sytuacje, okoliczności, zmartwienia, radości) – nie stara się tego ani odpychać, ani przyciągać, ale doświadcza tego w stanie wewnętrznej czystości. Harmonia codzienna pojawia się dlatego, że w tym stanie gdy nasz umysł jest czysty, wszystko jawi nam się jako czyste. Drzewa, ludzie, ptaki – wszystko to, co spotykamy, ma w sobie głęboką pierwotną czystość, którą dostrzegamy, gdy nasz umysł nie jest pomieszany. Dlatego ten stan „bez przywiązania", czyli głęboka cisza doświadczana podczas medytacji zen, jest punktem wyjścia do odkrywania miłości i harmonii w naszym życiu.
Prawdziwa miłość nie jest oparta na przywiązaniu, ponieważ wtedy byłaby ona egoistyczna – związana z naszymi oczekiwaniami. Natomiast prawdziwa miłość bardziej zasadza się na dostrzeganiu piękna w tym, co widzimy, oraz rozumieniu i pragnieniu dobra drugiej osoby.

piękne, mądre, dobre słowa.
myślę, że podstawą budującej wiary
jest wiara w siebie, w bliskich.

CZWARTEK 13 października 2011
Jevetta Steele, *Calling you*
– jedna z najpiękniejszych wyjących piosenek.

* * *

dziś mija drugi tydzień trzeciego kursu chemioterapii.
widzę skutki uboczne chemii: żółknie
mi cera, szarzeją paliczki kończyn.
wyglądam trochę, jakby wątroba nie przerabiała
karotenu z soku marchwiowego.
jeszcze jeden tydzień żarcia japońskich
tableteczek i skończę ten kurs.
po nim nastąpi tydzień przerwy – odpoczynku
na zregenerowanie morfologii.
ciekawe, co wydarzy się potem.
nowa chemioterapia? tomografia?
ahoj, przygodo!

trwają kolejne badania guza pierwotnego
i przerzutów – weryfikuję poprawność wyników
badań uzyskanych z laboratorium z Niemiec.

* * *

spotkałam się z AniąHa i Marciochą.
spędziłyśmy kapitalny wieczór (uwielbiam
być przez kilka godzin bezdzietna – potem
powrót do domu jest TAAAKĄ radością).
dużo rozmawiałyśmy, m.in. o postawach
w leczeniu się z choroby nowotworowej.
po tym spotkaniu doszłam do wniosku, że nie umiałabym
leczyć się biernie, zdając się na zalecenia lekarza.
traktuję moją rakelcię jak wyzwanie / zadanie, a nie – problem.

nie potrafiłabym przestać szukać,
przestać dopytywać się lekarzy.

idzie rak
jak go złapię
będzie
wrak!

SOBOTA 15 października 2011
○ Hans Zimmer, *Hunger is the weapon*

– *mamo, dlaczego w innych krajach mają inne religie niż u nas?*
– *z tego samego powodu, dla którego mają też*
różne języki i jedzą specyficzne potrawy.

– *mamo, a Bóg jest tylko w kościele?*
– *nie, Bóg jest wszędzie, jeśli wierzysz.*
– *to po co ludzie chodzą do kościoła?*
– *bo lubią mieć wyodrębnione miejsce, w którym*
mogą się skupić na modlitwie.

– *tato powiedział, że do modlenia są tylko specjalne słowa.*
– *modlitwy mają specjalne słowa, ale można*
modlić się własnymi słowami.
– *można prosić o różne sprawy bez dokładnego*
znania słów tych modlitw?
– *jasne, można.*
– *mamo, a tato powiedział, że jest piekło, w którym źli*
ludzie po śmierci się smażą, to prawda? a w którym miejscu
dokładnie znajduje się to piekło? można tam zajrzeć?
– *...*

* * *

Niemężowa Mama, osoba wielkiego serca, potężnej
wiary i ogromnej wiedzy o wierze, poleciła
mi podróż do sanktuarium w Łagiewnikach.

bo w Łagiewnikach – szczątki świętej Faustyny.
Babcia B. mówi: *ytam, daleko. do Ostrówka bliżej,*
a relikwie świętej Faustyny tu są, pytaj się czy.
skonsultowałam z Teściową. Teściowa mówi,
że jednak. Łagiewniki byłyby lepsze.
no trudno, za daleko. na razie nie pojadę.
może w listopadzie się zbiorę.

doraźnie pojechaliśmy więc do Ostrówka,
na koronkę do domu świętej Faustyny.
koronkę odmawia się o 15.00 i jest to jedna z ważniejszych
modlitw, bo dzięki niej można uprosić u Boga różne
łaski (wszystko to wiem od Niemężowej Mamy).

więc.
byliśmy.
w koronce uczestniczyłam.
relikwię (fuj!) cmoknęłam (potem odkaziłam
się u Babci B. malinami na spirytusie).
Syn tylko raz ziewnął na cały głos.
i tylko dwa razy zapytał się, po co powtarzają
w kółko te same słowa.
w sumie prawie udało Mu się wytrwać
przez całą koronkę w ciszy.

PONIEDZIAŁEK 17 października 2011
◉ Harry Belafonte & Muppets, *Banana boat song*

jeśli istniałby jakiś kierunek studiów związany
z bananami, niewątpliwie byłabym bliska profesury.
odkąd zaczęłam jeść po gastrektomii, banany (prócz
sushi) stanowią absolutną bazę mojego żywienia.

w dużych sieciowych sklepach lepsze banany leżą
na spodzie kartonu, na wierzchu są te zbyt dojrzałe.
w małych sklepach banany są przeważnie przejrzałe.

w sklepiku pod domem pani sklepowa, zanim powiemy
sobie *dzień dobry*, sięga bez słowa po kiść bananów.

pyszne są słonecznie żółte banany, bardzo długie i proste,
o lśniącej, mięsistej skórce. koniecznie w temperaturze pokojowej.
dość dobre – średniej długości, o cienkiej,
intensywnie żółtej, matowej skórce.
akceptowalne są te zielonkawe, krótkie (mają 1/2 długości
tych pysznych, wzorcowych), wygięte w rogalik.
najgorsze – przejrzałe, z brązowymi plamami. robi
mi się po nich słabo. a jeśli na nieszczęście są z lodówki,
wówczas prócz słabo robi mi się niedobrze.

do pochrupania lubię suszone banany w plasterkach.
na rozgrzewkę – banany z patelni, czyli
burżujskie *bananes flambées*.
do picia – szejk z bananów, mleka sojowego,
z odrobiną cynamonu i wanilii.
trzy, cztery banany dziennie *is a must*.

jest też ponura strona częstych kontaktów z bananami.
jedwabny szal, bawełniane legginsy, wełniana spódnica –
wszystko demokratycznie ufaflunione jest bananami.
bo zahamowałam i ups! – spadł kawałek banana
na koszulę czy spodnie, a ja nie zauważyłam że.
bo rozmawiałam przez telefon i jednocześnie pisałam,
a banana przytrzymywałam czołem / brodą / kolanem.
szwy bananów pękają z cichym pssstryk! w torbie,
zmiażdżone laptopem i segregatorem z dokumentami,
a ich miąższ wdziera się w papiery, przeciska się przez
szczeliny, wkleja się w klawiaturę, zatyka porty USB.
brązowe, zasuszone skórki bananów ścielą
się grubą warstwą w samochodzie.
zastanawiam się – biorąc pod uwagę niezłą skalę ich
produkcji – czy można byłoby je jakoś zutylizować
(prócz palenia ich zamiast dżointów).

WTOREK 18 października 2011

Lisa Gerrard, *In exile*

dziś jestem zmęczona.
bardzo zmęczona.
od rana czuję, że ciężar przysiadł
mi na klacie i siedzi. gniecie. uciska.
pewnie morfologia słaba.
no ale jeszcze tylko dwa dni brania chemiotabletek i przerwa.

Niemąż uparcie powtarza: *zdrowiej!*
jesteś moim oddechem!
każę ci, żyj!

a ja jestem dziś bardzo zmęczona.
bardzo zmęczona, bardzobardzo.
tak zmęczona, że aż smutna.

CZWARTEK 20 października 2011

dziś Giancarlo miał pierwszą w życiu
klasówkę z matematyki.
siedziałam jak na szpilkach, spinając się, jak Mu poszło.
(a w myśli miałam moje sprawdziany
z matematyki, fizyki, chemii – pasmo nieustannych
porażek i żenujących kompromitacji).
– *jak poszło?* – zapytałam z drżeniem.
– *nie wiem, chyba dobrze. w sumie co za różnica, jak poszło.*
nieważna jest ocena, ważne jest, co faktycznie umiem.

w sumie racja.

PONIEDZIAŁEK 24 października 2011

E.B.T.G., *I didn't know I was looking for love*
I was alone thinking I was just fine
I wasn't looking for anyone to be mine
I thought love was just a fabrication

A train that wouldn't stop at my station
Home, alone, that was my consignment
Solitary confinement
So when we met I was skirting around you
I didn't know I was looking for love
Until I found you (...)

* * *

19.40   nie wiem jak Wy, ale ja wyglądam doskonale –
służy mi menopauza, rak oraz wycięcie żołądka.
choć fryzura licha, oko mam bystre, uśmiech szeroki,
ubranie oryginalne, biżut na przegubie i pudlopsa w pobliżu.

22.40   wróciliśmy.
tłuści, bo nakarmieni.
z wałówką.
miałam Wam napisać o czymś innym, ale.

Syna wrzuciłam do kąpieli.
i odkryłam, że jest pokryty drobnymi krostkami, których
główne skupisko jest na plecach, na wysokości pasa.
pytam się, co to, do cholery.
co to i czy to zaraźliwe.
półpasiec? plecosyf? motylanoganiewiadomoco? aaaaaaaaa...

ŚRODA 26 października 2011
John Powell, *Assassin's tango*

byłam dziś u Ulubionego Doktorka.
(z Synem i zastępem szkieletów z Ninjago).
od jutra miał się zacząć czwarty kurs TS-1.
miał. ale się nie zacznie.
badania biochemiczne zeznają, że wątroba postawiła veto.

najpierw więc zrobię tomografię – sprawdzę,
czy / jak działa leczenie.

i sprawdzę, czemu wątroba się wygłupia.
może oszalała od brania TS-1, a może rakelcia ją obgryza.

idę walnąć drinka.
wątrobie już nie zaszkodzi.
mnie – zdecydowanie pomoże.

CZWARTEK 27 października 2011
Peter Green, *Just for you*
do tego utworu wypadałoby zapalić blanta.
z powodu niepalenia i niemania idę upiec ciasteczka.

* * *

wczoraj o 22.00 wróciliśmy z wizyty u Ulubionego Doktorka.
lekcje były odrabiane do północy.
pogadaliśmy jeszcze.
powygłupialiśmy się.
poszliśmy spać.
wstaliśmy o 8.30.
i zonk, bo lekcje zaczynają się w czwartki o 8.00 rano.
ojaniemogie, żeby w nocy lekcje były?!
wróciliśmy spać.
wstaliśmy o 9.30.
pytam się: *chcesz iść?*
– *nie chcę, z tobą wolę pobyć* – odpowiada.
– *ale pouczymy się, zgoda?* – pytam, chcąc
zagłuszyć wyrzuty sumienia.
– *jasne! pani nawet mówiła, że nieprzychodzenie
do szkoły nie zwalnia nas z odrabiania lekcji.*
no i dobrze.
informuję, że tomografię załatwiłam na cito,
bo punkty Enefzetu się skończyli w tomoośrodku,
gdyż albowiem wyczerpano pulę, więc
najbliższy możliwy termin – styczeń 2012.
ojtam, ojtam.
będę się tomografić jutro przed południem.

byłam, wróciłam, jestem.
zajrzałam przez ramię panu technikowi tomografiście.
rakelcia przygarbiona.
oko ma smutne, przestraszone.
odnóżami rusza niemrawo.
twierdzi, że jeśli chodzi o rozwaloną wątrobę
i hiperbilirubinemię, to wina chemioterapii.
że ona, że jakże, że skądże, że ten wielki
naczyniak na wątrobie to nie jej sprawka.
że jej ciężko, że ją męczę, prosi o litość, że chciałaby żyć,
że nie ma warunków, bo wodobrzusze prawie się wycofało.

to tyle, co udało mi się ustalić, robiąc
kocie oko do pana technika.
(dodatkowo Giancarlo przekupił go dwoma ciasteczkami).

streszczając:
postępu choroby pan technik nie zauważył.
dostrzegł wycofanie oraz zatrzymanie raka.
3 listopada zostanie sporządzony szczegółowy opis
lekarski, z porównaniem do poprzedniej tomografii.

jeśli prawdą jest, co pan technik na szybko wypatrzył,
znaczyłoby to, że japońskie tabletki nadal na rakelcię działają.

* * *

dziś imieniny mojego Ojca.
Ojciec nienawidził obchodzenia jakichkolwiek uroczystości.
ale kochał jeść.
nie pojadę więc do Niego na cmentarz.
zeżrę za to, ile tylko dam radę.

buon onomastico, papà.

CZWARTEK 3 listopada 2011

Triquetra, *Astroblues*

dawno żadna polska piosenka mnie nie urzekła jak
ta, dziś, usłyszana w Trójce, u Piotra Barona.

* * *

poszłam odebrać wyniki.
bo dziś rozpocząć mam kolejny kurs chemii.
ale wszystko zależy od wyników.

no więc:
bilirubina

08.00	– dziś pobrana, za godzinę odbiór
09.00	– brak wyniku
11.00	– maszyna do badania krwi zastrajkowała
12.00	– przyjechał pan naprawiacz
13.00	– trwa naprawa

tomografia
zrobiona w ub. tyg., dziś odbiór wyników.

09.00	– wyników nie ma, pani doktor właśnie przyszła do pracy
10.00	– wyników nie będzie, będą za tydzień,
	bo komputer do odczytu badań zepsuł się
11.00	– mogę se wziąć płytę z nagraniem z TK i mogę se gdzieś z nią pójść
12.00	– za godzinę przyjedzie pan naprawca
13.00	– trwa naprawa

* * *

słowo na temat statystyk (ira1 o tym trafnie
napisała pod poprzednim postem).
drodzy chorzy na raka, nie wierzcie statystykom.
one są takie... statystyczne.
przecież każdy z nas jest inny.

łeb do słońca, jak mówi prezesunio Fundacji Rak'n'Roll,
wczorajsza jubilatka, Magda Prokopowicz.
trzeba walczyć! – to mówię ja.

Katie Melua & Eva Cassidy, *What a wonderful world*

dziś jestem chora na raka.

z ledwością rano wstałam, z trudem udało mi się
zaprowadzić Syna na ósmą do szkoły.
spóźniliśmy się tylko kwadrans i dwie minuty.
wróciłam – zasnęłam.
spałam do południa.
następnie dokonałam cudu logistyki i udało
mi się umyć i ubrać (do szkoły wożę Syna
w piżamie, chrzanić konwenanse).
wszystko opornie, potwornie opornie.
w tle – szarpiące, mniej lub bardziej intensywne
bóle po prawej stronie, na wysokości talii.
wizualizuję wówczas, mimowolnie, rozrastające się
komórki rakowe, które wyrywają się z wyznaczonych
przez przyrodę cugli i rozmnażają się jak szalone.

* * *

Babcia B. kupiła mi elektroniczną wagę.
w sklepie, w kurtce, butach, z torbą, ważyłam 50 kg.
od dziś nie wykręcę się już, że zapomniałam się zważyć
w szpitalu, podczas wizyty u Ulubionego Doktorka.

PONIEDZIAŁEK 7 listopada 2011
Yugopolis i Atrakcyjny Kazimierz, *Morze Śródziemne*

widać na tych zdjęciach, jak bardzo
byłam już wtedy chora?
jasne, że nie.
więc badajcie się, pilnujcie diety, wsłuchujcie się w swoje
ciała, cielska i ciałeczka, bo wiedza Skłodowskiej-
Curie, jej intelektualnych spadkobierców ni innych
naukowców nie pomoże, jak sami o siebie nie zadbacie.

tym bardziej że, jak ustaliliśmy w wielu poprzednich postach, medycynie jakoś opornie idzie leczenie z nowotworów.

i smutno mi.
znajoma psica zachorowała na raka.

WTOREK 8 listopada 2011
jutro odbieram trzy opisy tomografii (potrzeba matką wynalazku – jeśli nie ufasz jednemu doktorowi, idź do trzech).
będę – za przeproszeniem – ciągnąć zapałki, który opis jest prawdziwy.
albo zrobię sumę i wyciągnę średnią.

wracając do poprzedniego postu: jak tam, robaczki moje?
kiedy się badacie, na co, gdzie, u kogo i dlaczego dopiero teraz?
meldować się, raz-dwa.

ŚRODA 9 listopada 2011
Basia Stępniak-Wilk i Grzegorz Turnau, *Bombonierka*
(...)
Choć papierków po cukierkach
Ślad i tam i tu
Marzy mi się bombonierka
Istny cud
Żeby tak nasycić się
Ale wciąż w zapasie mieć
I rozgryzać tę zagadkę
Po ostatnią czekoladkę

* * *

tomografie na razie mają dwa opisy, w każdej zauważono co innego.
w przyszłym tygodniu będzie trzeci opis.

* * *

dzięki blogowi poznaję wspaniałych ludzi.
otrzymuję od Was wielkie wsparcie.

dziękuję za wspólne chwile, spotkania, kawy,
sushi, maile, pogaduchy. esemesy.

CZWARTEK 10 listopada 2011

z oratorium *Tu es Petrus, Niech mówią, że to nie jest miłość*

no i mamy pełnię.
i mandacik.
panowie z drogówki ulitowali się z punktami (a mieli
dać osiem), a z trzech stówek zeszli do jednej.
ograniczenie było do pięćdziesięciu.
pierwszy pomiar wykazał dziewięćdziesiąt sześć.
drugi – sześćdziesiąt dwa.
*– panie policjancie, ja się spieszę, spać mi się
chce, zmęczona jestem... bo wie pan... bo ja tyle
jechałam... bo mam raka... małe dziecko... kota...*
patrzył na mnie z niedowierzaniem.

jak to zgrabnie ujął Starszy Świagier: *pewnie tak grubo
szytego kitu jeszcze nigdy pan władza nie słyszał.*

* * *

*Stoimy pod murem. Zdjęto nam młodość jak koszulę skazańcom.
Czekamy. Zanim tłusta kula usiądzie na karku, mija dziesięć,
dwadzieścia lat. Mur jest wysoki i mocny. Za murem jest drzewo
i gwiazda. Drzewo podwędza mur
korzeniami. Gwiazda nagryza
kamień jak mysz. Za sto, dwieście lat będzie już małe okienko.*

Zbigniew Herbert, *Mur*

lubię Herberta. bardzo.
więc będzie jeszcze jeden wiersz – *Jonasz.*

I nagotował Pan rybę wielką
żeby połknęła Jonasza

Jonasz syn Ammitaja
uciekając od niebezpiecznej misji
wsiadł na okręt płynący
z Joppen do Tarszisz

potem były rzeczy wiadome
wiatr wielki burza
załoga wyrzuca Jonasza w głębokości
morze staje od burzenia swego
nadpływa przewidziana ryba
trzy dni i trzy noce
modli się Jonasz w brzuchu ryby
która wyrzuca go w końcu
na suchą ziemię

współczesny Jonasz
idzie jak kamień w wodę
jeśli trafi na wieloryba
nie ma czasu westchnąć

uratowany
postępuje chytrzej
niż biblijny kolega
drugi raz nie podejmuje się
niebezpiecznej misji
zapuszcza brodę
i z daleka od morza
z daleka od Niniwy
pod fałszywym nazwiskiem
handluje bydłem i antykami

agenci Lewiatana
dają się przekupić
nie mają zmysłu losu
są urzędnikami przypadku

w schludnym szpitalu
umiera Jonasz na raka
sam dobrze nie wiedząc
kim właściwie był

parabola
przyłożona do głowy jego
gaśnie
i balsam przypowieści
nie ima się jego ciała

SOBOTA 12 listopada 2011
Przemysław Gintrowski, Zmiennicy
(...) Dziś zasypiasz całkiem gładko,
pełne słońca dni przed tobą,
bo twój zmiennik jest w dodatku
bardzo bliską ci osobą.

Serpentyny i pobocza wyczuwamy.
Raz na ziemi, raz pod ziemią drogi kręte.
„Radio Taxi, proszę czekać..." – zaczekamy,
coś być musi, coś być musi,
do cholery, za zakrętem.

★ ★ ★

uważam, że szkoła nie jest właściwym
miejscem uczenia dziecka o wierze.
od tego rodzaju wiedzy jest dom.
posłałabym na religię, gdyby prowadzący uczył
o religiach, kształtując szacunek do innych wyznań,
bo przecież Bóg – jeśli jest – jest jeden.
posłałabym na religię, gdyby prowadzący uczył, że modlić
można się nie tylko wyuczonymi słowami, ale również
działaniem – myśleniem, śpiewem, pracą.

a skoro mam wybór, a szkoła postrzega inaczej ten
temat, zdecydowałam się nie puścić Syna na religię.

Andrzej Rybiński, *Nie liczę godzin i lat*
Wschodami gwiazd i zachodami
Odmierzam czas liści kolorami,
Odmierzam czas, nie używając dat.
Czekaniem na niespodziewane,
Straconych szans rozpamiętywaniem
Odmierzam czas, nie używając dat.

ref. *Nie liczę godzin i lat, to życie mija, nie ja*
Bliżej gwiazd, bliżej dna jestem wciąż taki sam,
Wciąż ten sam.
Nie liczę godzin i lat, to życie mija, nie ja,
Z kilku dni w morzu dat własny swój znaczę ślad, własny ślad.

Zużytych słów przesypywaniem,
Gubieniem dróg i odnajdywaniem
Odmierzam czas, nie używając dat.
Bez godzin i bez kalendarzy,
Długością dni i zmiennością zdarzeń
Odmierzam czas, nie używając dat.

* * *

chora na raka psica zmarła.
psica, Franczeska, była w rodzinie Cioci Kloci.

...

– *ale nie pobawisz się z nią już, bo umarła*
w ubiegłym tygodniu – mówię.
Syn jest mężczyzną. mężczyźni nie płaczą.
(znaczy płaczą, ale jak już są bezpiecznie
wtuleni w swoje kobiety).
– *dlaczego, dlaczego nie powiedziałaś mi tego*
wcześniej?! – drży głos Giancarla.
– *bo nie chciałam ci psuć długiego weekendu.*

cisza.
wokół nas cisza.
siedzimy naprzeciwko siebie, rozdzieleni masywnym
stołem, między nami laptop, moje papiery, Jego piórnik,
rozrzucone kredki, ołówki, podręczniki, zeszyt do kaligrafii.
patrzymy sobie w oczy.
wokół nas cisza.
znam ją.
to cisza Wielkich Emocji, Najważniejszych Zdarzeń.
to cisza towarzysząca momentom życia, po których
nic już nie będzie jak poprzednio.

Syn przygryza dolną wargę, odsuwa gwałtownie krzesło,
biegnie dookoła stołu, wpada, łkając, w moje ramiona.
– *mamo, ja tak lubiłem przychodzić do Cioci Kloci, Franka*
od razu biegła do mnie, skakała i się bawiliśmy. mamo, zrób coś.

a ja nic nie mogę.
nic.
mogę tylko pobajdurzyć o świętym spokoju.
o tym, że taki jest porządek cyklu narodzin i śmierci.
o tym, że może jest niebo, w którym na dusze sznaucerki
Franki, jamnika Agresta i Bronka, kundelki Misi,
kota przybłędy Alika i wielu innych, nienazwanych
zwierzaków czeka ciepłe posłanie, micha bez
dna i fascynująca zabawka do miętolenia.

CZWARTEK 17 listopada 2011
Selah Sue, *This world*
nie wiem, chyba już ją dawałam, ale ma genialny głos i beat.

opisy tomografii są ze sobą w sprzeczności.
czekam na jeszcze jedną konsultację opisu.
ale to nieważne.
niezaprzeczalne jest to, że rak się ciutkę skulił,
zmniejszył, a płyn w otrzewnej prawie całkowicie się

wycofał, dzięki czemu mam zachwycająco płaski brzuch.
znaczy się TS-1 działa.

dziś rano w szkole dwie zaprzyjaźnione mamy powiedziały
mi, że zrobiłam się puciata i że mam grubsze nogi.
nic bardziej obiektywnego od spostrzeżeń
bystrych oczu innej kobiety.
tu nie ma miejsca na komplementy.
sprawdziłam, czy panie prawdę mi powiedziały.
weszłam na wagę.
jestem tłusta jak prosię!
ważę już 46,5 kg!
jupi!

* * *

w jednym z opisów tomografii czytamy,
że mam dużo płynu w osierdziu.
od razu stało się jasne, skąd pochodzi moje uczucie
zmęczenia – płyn napiera na serce!
poszłam na echo serca... erca... ca... ca...
pani kardiolog (w przerwach od załamywania rąk,
że chichoczę jak szakal, bo łaskocze mnie jeżdżeniem
po żebrach głowicą USG) płynu nie dostrzegła.
i tak oto weszłam na badanie chora, a wyszłam zdrowa.
powtórzę za Babcią B.: *w medycynie jak*
w kinie – wszystko może się zdarzyć.

WTOREK 22 listopada 2011
oto mam trzeci opis tomografii.
teraz mam do wyboru między:
a) chorsza,
b) tak samo chora jak wcześniej,
c) mniej chora.
Ulubiony Doktorku, pisz skierowanie na rezonans.
trza chyba dokładniej się pobadać.

moja pani fryzjerka mówi: *pani Asiu, dziś*
rano strzygłam tak samo pana.
odpowiadam: *eeee, niemożliwe... żeby facet*
chciał taką kobiecą fryzurę nosić?

włosy rosną w pionie, są czarnego koloru.
siwy jest jeden, za prawym uchem (a było ich o wiele więcej).
ciekawe, jakie będą – czy ten kolor jest docelowy.
bardzo mnie ta zmiana bawi, a niewiadoma
z tym związana – jeszcze bardziej.

byłam ostatnio z pewnym Kotem Jerzym na sushi.
rozmawialiśmy o przedłużaniu rzęs –
że Kocica Jerzowa przedłuża, bo ma krótkie.
a ja na to, że ja też, że ja też chcę, bo moje też krótkie.
a Kot Jerzy na to, że nie, że nie potrzeba.
zajrzałam do lustra: faktycznie! całkiem nie zauważyłam,
a tu po cichu wyrosły długie rzęs firany!

reasumując – z mania raka wynikają jednak jakieś plusy dodatnie
(wyjaśniam: plus ujemny to np. trudność z przytyciem):
– mam nowy, niewiadomojaki kolor włosów; ponadto, być może,
z prostych będą falowane, a kto wie! – może nawet kręcone.
– mam piękne rzęsy, zamiast poprzedniego
żenującego owłosienia ocznego.

* * *

dziś skończyłam kolejny kurs chemii.
od jutra – tygodniowa przerwa na regenerację organizmu.

* * *

stworzyłam teoryjkę odnośnie do kosmicznego
skoku bilirubiny po poprzedniej chemioterapii.

trzeba było nie pić hektolitrów strzykającej
za uszami wody z sokiem pigwowym.
i trzeba było nie żreć łopatą konfitur z pigwy.

ŚRODA 30 listopada 2011

Andrzej Zaucha i Ewa Bem, *Wszystkie stworzenia duże i małe*
cudowny, doskonały duet.

* * *

ucho mnie boli.
i zapomniałam o andrzejkach.
trudno. jutro polejemy woskiem.
w sumie – co za różnica.

* * *

powoli szykuję prezenty pod choinkę.
wolę przygotować je wcześniej, zamiast biegać
dzień przed Wigilią z obłędem w oku.
przekopałam się dziś przez pierdylion aukcji
charytatywnych, kupiłam trochę towaru.
uznałam, że w ten sposób:
1. pomogę trochę innym,
2. będę miała prezenty,
3. nie będę musiała jechać do sklepów i błąkać się w morzu ludzi.
mieliśmy wczoraj niezłą rozmowę z Giancarlem w temacie.
– *mamo, jak to jest, że prezentów pod choinką nie ma,
gdy się ją ubiera, a potem w dzień Wigilii są? czy ty tak
szybko w Wigilię biegniesz do sklepu, że ja nawet tego nie
zauważam, i gwałtownie wkładasz prezenty pod choinkę?*

CZWARTEK 1 grudnia 2011

Ulica Krokodyli, *Pocałunek*

pojechałam dziś na kóntrol przed piątą chemią
(rano odessawszy krew do badań).

zapoznałam przed gabinetem Ulubionego Doktorka pana
Andrzeja, któremu wczoraj oddałam via Jego synowie
moje fiolki na krew z niemieckiego laboratorium.
(teraz fiolek nie potrzebuję – w przeciwieństwie
do pana Andrzeja; a jak zapotrzebuję – zamówię).
więc pogadaliśmy.
że wiedząc, z czym się walczy, należy uregulować
kwestie majątkowo-prawne.
że trzeba mieć wciągające zajęcie i wiedzieć, że w tej dziedzinie
jest się jedyną osobą, która zajmie się sprawami właściwie.
i tu pan Andrzej opowiedział.
o zbieraniu porzeczek kombajnem.
o budowie domu.
o naprawianiu popsutych sprzętów rolniczych.

zgodziliśmy się, że nie wolno z chorowania
robić tematu przewodniego życia.
jasne, choroba ogranicza, wymusza kompromisy.
ale co tam.
my mamy – jak mawia młodzież – *wyjebane* na raka.

* * *

rozpoczęłam dziś piąty kurs chemioterapii.
na razie dawka została zmniejszona
do 75 mg, bo mam słabą morfologię.
za tydzień mam sprawdzić biochemię, jeśli wyniki
morfologii poprawią się, wrócę do dawki 100 mg.

PIĄTEK 2 grudnia 2011
Jeff Buckley, *The other woman*

pufff... właśnie skończyłam mycie na kolanach
terakoty w kuchni i w łazience.
szmaty wstawiłam do prania.
(też pierzecie w pralce ściery podłogowe?)

jutro do Syna przychodzi koleżanka z klasy, Zu.
cały dzisiejszy dzień spędziliśmy na sprzątaniu i porządkowaniu.
patrząc z boku na skalę zaangażowania, szykuję
się jak na zapoznanie z synową – pomyślałam,
szorując druciakiem stalowe garnki.
bynajmiej może cóś jest na rzeczy? – rozważałam, składając
w kosteczkę ubrania z prania (w sumie po jaki ch.? przecież,
motyla noga, do garderoby Zu nie zamierza chyba zajrzeć).
to pierwsza dziewczyna (nie licząc nieletnich damess
naszych przyjaciół), która nas odwiedza.

wolałabym, żeby mi nie wypomniała za kilkanaście lat,
że gdy przyszła do nas w pierwsze odwiedziny, podłoga
lepiła się od kocich odchodów, a wannę porastał mech.

* * *

ach, jeśli chodzi o meniu – kuchnia poda jutro krem z groszku
z grzaneczkami i parmezanem, a na drugie – schaboszczaka
z indyka, gotowane ziemniaki i zieloną sałatę.
na deser wystąpi galaretka owocowa.
boszszszsz...

ŚRODA 7 grudnia 2011
Idź dokąd poszli tamci do ciemnego kresu
po złote runo nicości twoją ostatnią nagrodę

idź wyprostowany wśród tych co na kolanach
wśród odwróconych plecami i obalonych w proch

ocalałeś nie po to aby żyć
masz mało czasu trzeba dać świadectwo

bądź odważny gdy rozum zawodzi bądź odważny
w ostatecznym rachunku jedynie to się liczy

a Gniew twój bezsilny niech będzie jak morze
ilekroć usłyszysz głos poniżonych i bitych

niech nie opuszcza ciebie twoja siostra Pogarda
dla szpiclów katów tchórzy – oni wygrają
pójdą na twój pogrzeb i z ulgą rzucą grudę
a kornik napisze twój uładzony życiorys

i nie przebaczaj zaiste nie w twojej mocy
przebaczać w imieniu tych których zdradzono o świcie

strzeż się jednak dumy niepotrzebnej
oglądaj w lustrze swą błazeńską twarz
powtarzaj: zostałem powołany – czyż nie było lepszych

strzeż się oschłości serca kochaj źródło zaranne
ptaka o nieznanym imieniu dąb zimowy
światło na murze splendor nieba
one nie potrzebują twego ciepłego oddechu
są po to aby mówić: nikt cię nie pocieszy

czuwaj – kiedy światło na górach daje znak – wstań i idź
dopóki krew obraca w piersi twoją ciemną gwiazdę

powtarzaj stare zaklęcia ludzkości bajki i legendy
bo tak zdobędziesz dobro którego nie zdobędziesz
powtarzaj wielkie słowa powtarzaj je z uporem
jak ci co szli przez pustynię i ginęli w piasku

a nagrodzą cię za to tym co mają pod ręką
chłostą śmiechu zabójstwem na śmietniku

idź bo tylko tak będziesz przyjęty do grona zimnych czaszek
do grona twoich przodków: Gilgamesza Hektora Rolanda
obrońców królestwa bez kresu i miasta popiołów

Bądź wierny Idź

Zbigniew Herbert, *Przesłanie Pana Cogito*

Jak dobrze
Mogę zbierać
jagody w lesie
myślałem
nie ma lasu i jagód.

Jak dobrze
Mogę leżeć
w cieniu drzewa
myślałem drzewa
już nie dają cienia.

Jak dobrze
Jestem z tobą
tak mi serce bije
myślałem człowiek
nie ma serca.

* * *

wszystkim, którzy tak bardzo nas wspierają, dziękuję.
Wy wiecie, o co chodzi.

Tadeusz Różewicz, *Jak dobrze*

PIĄTEK 9 grudnia 2011
Jean-Jacques Goldman, *L'Absence*

słowo usprawiedliwienia z okazji dni milczenia.

moi mili,
blog jest mikronowym odbiciem rzeczywistości.
rozumiem, że się martwicie, gdy milczę przez kilka dni.
otóż wyjaśniam: cisza jest powodowana wyjazdami
do miejsc, gdzie nie ma internetu lub jest ślamazarny.

trochę to trwało, ale już wróciłam.
jestem cała, względnie zdrowa (cha, cha, chi), ale
przede wszystkim – nadal oraz mimo wszystko
pełna optymizmu i energii wobec kolejnych
wyzwań, które stawia przede mną los.

dziękuję za troskę, za pamięć.
za kilkadziesiąt maili, esemesów, telefonów.
za listy, spotkania, rozmowy, kieliszki porto, talerzyki sushi.
za café au lait z tortem czekoladowo-wiśniowym.
za kanapki szykowane drżącą ręką Stryjka.
za nadgryzione czekoladki, wetknięte
mi do ust umorusaną łapką dzieci.
przede wszystkim – za najważniejsze na świecie
cytrynowe herbaty zagryzane bananami.

NIEDZIELA 11 grudnia 2011
Maryla Rodowicz, *Pieśń miłości*
urocza Marylka, cudna Osiecka.

Syn otrzymał w prezencie maskotki – Serce i Rozum.
i tak od kilku tygodni Serce i Rozum
niepodzielnie rządzą w naszym domu.
– *nie sprzątaj, trwa tak świetna zabawa, porozrabiajmy
jeszcze!* – mówi Serce rozemocjonowanym kontraltem.
Rozum odpowiada barytonem: *ale przecież
jest późno. trzeba iść spać. przecież już długo
się bawisz, pora na sprzątanie.*

Syn zachwycony.
niemalże każdą czynność rozmontowujemy
na części pierwsze za pomocą Serca i Rozumu.

a potem pora na spanie.
z Sercem i Rozumem.

CZWARTEK 15 grudnia 2011

Kosheen, *Recovery*

jest MOOOOC.

jeszcze tydzień do końca piątego kursu chemii.
wątroba boli, ale co tam.
dzięki wysokiej bilirubinie jestem *tak ślicznie opalona.*
a potem szósty kurs.
i siódmy.
i ósmy.
i tak do skutku.

* * *

ubiegłego tygodnia list, pełen szczerego
żalu, został przekazany na mamine ręce – z gorącymi
przeprosinami dla rzeczonej – i z prośbą przekazania
dalej, Świętemu Mikołajowi (*ja wiem, że Święty
Mikołaj nie żyje, bo on żył bardzo dawno, ale
teraz żyją, są jego zastępcy, prawda?*).
Mikołaj jednak był łaskaw, prezent przyniósł.

PIĄTEK 16 grudnia 2011

Fredericks Goldman Jones, *Tu manques*

lubię dotykać życia.
mam tak, odkąd pamiętam.
zatrzymuje mnie tu i teraz.
odczuwam to, co jest, takim, jakie jest.
z tą różnicą, że kiedyś nie uginałam karku.
i teraz mam trochę więcej cierpliwości.
zgadzam się, akceptuję.
po prostu tak ma być.

przyjmuję wszystko, co otrzymuję.
i uważnie się przyglądam.
i cieszę się, że jest.

tego samego uczę Syna.
i lubię patrzeć, gdy zatrzymuje
Go codzienność w swojej niezwykłości.
szadź na łące, kot w oknie, kształt
chmury, smak kanapki.
żyjemy.
ale to fajne.

* * *

I. Miliardy są nas na tym świecie,
    który mgliście widzimy przez szkła,
    i każdego z nas w dołku gniecie,
    i każdy z nas zgagę ma.

    Nam nie wolno ogórków i grzybków,
    nas malutki zabija rydz,
    nam nie wolno niczego za szybko
    i nie wolno w ogóle nic.

ref. – chór   Ale choć nam nawala w wątrobie,
               choć nas męczą zastrzyki i kasze,
               śmiało, starcy, stańmy na głowie.
               Ziemia młodym. Lecz niebo jest nasze.

II. My podobni jesteśmy duchom
    i staramy się trzymać, lecz
    czasem we śnie odpadnie nam ucho
    albo noga lub inna rzecz.

    Czasem w mózgu zaśpiewa ptaszynka
    lub króliczek podskoczy hop-siup,
    czasem nawet zaszkodzi nam szynka
    i już koniec, i astry na grób.

ref. – chór   Ale choć nam nawala w wątrobie,
               choć nas męczą zastrzyki i kasze,

śmiało, starcy, stańmy na głowie.
Ziemia młodym. Lecz niebo jest nasze.

Konstanty Ildefons Gałczyński, *Hymn starców*

NIEDZIELA 18 grudnia 2011
Levon Minassian & Armand Amar, *Tchinares*

nie, do cholery. tak nie może być.
nie mogę dać się złemu nastrojowi.

szukam równowagi w prostych czynnościach.
kontrolowanie oddechu.
pranie, odkurzanie, mycie naczyń.
wygłupy z Synem.
miętolenie Viledy.
czytanie wierszy.
i wreszcie, najprostszy ze znanych mi sposobów
chwytania pionu: śmiech.
najlepiej taki nieskomplikowany, ludyczny.

PONIEDZIAŁEK 19 grudnia 2011
Neil Diamond, *If you know what I mean*
If you know what I mean, babe,
If you know what I mean, babe.
już mi lepiej, o wiele lepiej.
po pierwsze – wtulenie się w Niemęża czyni cuda.
Jego uczucie ma wielką moc.

po drugie – czytam *Nauki o miłości* Thich Nhất Hạnha, które
ofiarował mi Jasiu S., nasz przewodnik po krainie medytacji.
i tak mi się wszystko ładnie układa.
Trzecim składnikiem prawdziwej miłości jest „mudita",
czyli radość. Prawdziwa miłość zawsze przynosi
radość nam i osobom, które kochamy. Jeżeli nasza
miłość nie ma takiej mocy, nie jest prawdziwa.

(...) Wiele drobiazgów może nas uszczęśliwić. (...) Trwając w stanie uważności, możemy naprawdę dotknąć tych przecudnych, ożywiających rzeczy i zjawisk; tak właśnie, naturalnie, wzrasta w nas stan radości. Radość zawiera szczęście, a szczęście – radość. (...) Cieszymy się, widząc szczęście innych, ale cieszymy się także, gdy i nam jest dobrze. (...) Radość jest dla wszystkich.

(przekład Sebastiana Musielaka)

więc podzielę się z Wami moją radością i moim szczęściem.
przede wszystkim: kocham i jestem kochana.
mimo wielu wielkich kłopotów jest mi w życiu dobrze –
nawet jeśli czasami robi się smutno, bo bolące cośboli
wywołuje lęk przed nieznanym zagrożeniem.

a ponadto gdy kupowałam dziś w biletoautomacie bilet,
z maszyny wysunęło się, nie wiedzieć czemu, dziesięć złotych.
i przyśnił mi się bardzo ciepło, energetycznie W.H., mój
ulubiony były szef, z którym łączy mnie walka o zdrowie.
i dostałam całkiem bez okazji bukiet szesnastu
róż (tylko czemu szesnastu?).
i wypiłam pyszne caffè latte (na mleku sojowym –
takie rzeczy na mieście tylko w Kofihewen).
i Syn mi powiedział, że jestem najbardziej nastolatkową
mamą ze wszystkich mam dzieci z Jego klasy.
i że miał dziś świetny dzień.
i otrzymałam od Ingrid piękną kartkę bożonarodzeniową.
dziękuję bardzo! thank you very much!

WTOREK 20 grudnia 2011
Shadowlight, *Dreaming awake*

*– mamo, po co są te wszystkie lekarstwa,
przecież ty jesteś już zdrowa, prawda?
– nie, nie jestem, ale staram się.
– a kiedy będziesz zdrowa?*

– nie wiem.
– ale kiedyś wyzdrowiejesz całkiem, prawda?

* * *

co nam dziś powie Thich Nhất Hạnh?
(...) gdy ktoś naprawdę dba o siebie, dba o wszystkich. Przestaje
przysparzać cierpień światu, sam stając się źródłem radości
i świeżości. Tu i ówdzie spotyka się ludzi, którzy potrafią
naprawdę o siebie dbać, żyjąc szczęśliwie i radośnie. Ci ludzie
to nasza najmocniejsza podpora. Wszystko, co robią,
robią dla wszystkich. (...) To jest medytacja miłości.

▌ *Nauki o miłości,* s. 22

jestem zachwycona tą książką.
znajduję w niej moje myśli.
myśli, których nigdy nie umiałam tak szczegółowo
ująć, a tu zostały uporządkowane, jasno wyrażone.
staje się światło.
piękne to.

ŚRODA 21 grudnia 2011

◉ Diana Krall, *Count your blessings instead of sheep*

z Obcym, który przez dziewięć miesięcy zasiedlał
mnie, czytaliśmy wieczorami w łóżku.
Obcemu, który po wykluciu się – w wyniku którego
transformował się w *MinistraKaliszaWŚpiochach*
zwanego również *Pulpetem* lub
NajpiękniejszymChłopcemNaŚwiecieWSwojejKategoriiWiekowej –
czytałam co wieczór przed zaśnięciem.
ojp, co to był za czas!
już po niespełna dwóch latach klęłam pod
nosem jak szewc, gdy zbliżał się wieczór.
– mama, cita.
– mama, tu cita to.

– mamaaaaaaaaaaaaaaaaaaaaaaaaaaaaaaaa, oć. mama, cita.
i radosny rechot spod trzewi. bo po raz
tryliardowy Mały Miś znalazł swoją mamę.
bo po raz megabilionowy Pan Pomidor
przedrzeźniał ogrodniczkę.
aaa!!!

i tak przez kilka lat.
po *Małym Misiu* były dziesiątki dziesiątek książek.
i nagle, miesiąc temu, pstryk.
koniec.
skoń-czy-ło-się.
umie czytać.
koniec z *mamusiu, a co tu jest napisane?*
nie ma *chodź, mamo, poczytasz mi komiks.*
żegnaj, swobodne pisanie na skajpie, bezkarne mailowanie.
pa! tajemnicza korespondencjo rzucona beztrosko na stół.
żegnajcie, anonimowe miasta i ulice, kinowe repertuary,
sklepy, reklamy, promocje, sery (*to nie radamer,*
to morski. nie kupuj go, mamusiu, ja znajdę radamera).
żegnajcie, nierozpoznane nazwy miesięcy, dni.

każde słowo, każda litera muszą zostać
połknięte i przetrawione.
– *mamo, będę w łóżku czytał gazetę.*
– *mamo, tu jest napisane „absorbować". istnieje takie*
słowo „absorbować"? nie powinno być „aprobować"?
– *mamo, a to twoje lekarstwo ma japońskie*
litery, wiesz, że ja nic z nich nie rozumiem?
– *mamo, zanim zawieziesz mnie do szkoły, ja poczytam sobie.*
– *mamo, czy mogę czytać przy śniadaniu?*
– *mamo, dlaczego nie umiem czytać po angielsku?*
– *mamo, idę do ubikacji, biorę książkę.*
– *mamo, wezmę komiks do szkoły,*
poczytam sobie na przerwie.

K-Maro, *Femme like you*

oto nastał koniec trzeciego tygodnia piątego
kursu, zwany również czwartkiem.
a jak czwartek, to morfologia.

po spotkaniu się ze Świętym Mikołajem odebrałam wyniki.
Ulubiony Doktorek powiedział, że jestem zdrowa
jak rydz (oprócz ciut rozjechanej morfologii, bloku
metabolicznego w wątrobie i braku żelaza).
zaczynam więc od dziś łykać żelazo, a dla
zdrowotności wątroby dziabnę coś hepatolubnego.

poza tym boli mnie ucho i gardło.
a Babcia B. wyczytała, że 1/3 Polaków deklaruje,
że nienawidzi świąt Bożego Narodzenia.

SOBOTA 24 grudnia 2011
już jutro będzie święto Bożego Narodzenia.

a tymczasem, z okazji Wigilii, życzę Wam zdrowia i miłości.
bo nic więcej w życiu się nie liczy.

PONIEDZIAŁEK 26 grudnia 2011
13 grudnia 2009 jeden taki jakiś zaczepił
mnie na portalu randkowym.
na profilu zamieścił same durne zdjęcia.
a opis profilu miał przemądrzały.
po dwóch tygodniach zdawkowej korespondencji (wymieniliśmy
ze sobą może z pięć jednozdaniowych wiadomości) zaprosiłam
Go – na przyczepkę – do kina. i tak szłam na seans z przyjaciółką.
po kilku dniach była wieczorna herbata w wegetariańskiej knajpce.
z Giancarlem w roli głównej.
Syn, wychodząc z knajpy, chwycił nas za ręce i nie puścił.

kazał się prowadzić w środku, a Niemężowi powiedział,
że jest Jego ulubionym Wujeczkiem i że Go zaprasza
do naszego domu, bo *w domu mamy bardzo przytulnie.*

a potem...
... wspólne życie potoczyło się z rozmachem i wieloma,
wieloma niespodziewanymi zwrotami w fabule.

dziś obchodzimy drugą rocznicę
spotkania – zapoznania w kinie.

* * *

powtórzę raz jeszcze dawno temu opublikowane
na blogu słowa Pierwszego Listu do Koryntian.
i chociaż brzmią patetycznie, są jednym
z najpiękniejszych znanych mi wierszy miłosnych.

Gdybym mówił językami ludzi i aniołów,
a miłości bym nie miał,
stałbym się jak miedź brzęcząca
albo cymbał brzmiący.
Gdybym też miał dar prorokowania
i znał wszystkie tajemnice,
i posiadał wszelką wiedzę,
i wszelką [możliwą] wiarę, tak iżbym góry przenosił,
a miłości bym nie miał,
byłbym niczym.
I gdybym rozdał na jałmużnę całą majętność moją,
a ciało wystawił na spalenie,
lecz miłości bym nie miał,
nic bym nie zyskał.
Miłość cierpliwa jest,
łaskawa jest.
Miłość nie zazdrości,
nie szuka poklasku,
nie unosi się pychą;

nie dopuszcza się bezwstydu,
nie szuka swego,
nie unosi się gniewem,
nie pamięta złego;
nie cieszy się z niesprawiedliwości,
lecz współweseli się z prawdą.
Wszystko znosi,
wszystkiemu wierzy,
we wszystkim pokłada nadzieję,
wszystko przetrzyma.
Miłość nigdy nie ustaje,
[nie jest] jak proroctwa, które się skończą,
albo jak dar języków, który zniknie,
lub jak wiedza, której zabraknie.
Po części bowiem tylko poznajemy,
po części prorokujemy.
Gdy zaś przyjdzie to, co jest doskonałe,
zniknie to, co jest tylko częściowe.
Gdy byłem dzieckiem,
mówiłem jak dziecko,
czułem jak dziecko,
myślałem jak dziecko.
Kiedy zaś stałem się mężem,
wyzbyłem się tego, co dziecięce.
Teraz widzimy jakby w zwierciadle, niejasno;
wtedy zaś [zobaczymy] twarzą w twarz:
Teraz poznaję po części,
wtedy zaś poznam tak, jak i zostałem poznany.
Tak więc trwają wiara, nadzieja, miłość – te trzy:
z nich zaś największa jest miłość.

chwilo, trwaj.
jak długo się da.

PIĄTEK 30 grudnia 2011

◉ The Calling, *Wherever you will go*

byliśmy dziś w gościach u Xeny.

poznałyśmy się dzięki wspólnemu
chemioterapeucie – Ulubionemu Doktorkowi.
poznawałyśmy – dzięki pisanym przez nas obie blogom.
w sumie więc niewiele o sobie nawzajem wiemy, ale
i tak wytworzyłyśmy magiczną, niewirtualną więź.
fajnie było posiedzieć koło siebie, wtulona jedna w drugą,
patrzeć, jak nasze dzieci rozrabiają jak szalone.

no właśnie.
nasze dzieci momentalnie przypadły sobie do gustu
i ochoczo podjęły się wymyślonej ad hoc zabawy w *rzygi*.
niewtajemniczonym objaśniam:
rzygi to zabawa towarzyska, ruchowa.
stanowi skrzyżowanie berka, gry w zielone i chowanego.
grać w nią może dowolna liczba osób, pod warunkiem
że potrafią wczuć się w absurdalny klimat łapania
wyimaginowanych rzygów w powietrzu, z jednoczesnym
gromkim wrzeszczeniem: *jesteś zarzygana/-y! twoje
włosy są w rzygach! jesteś królem / królową rzygów!*

to niesamowite, jak dzieci świetnie potrafią poradzić
sobie z traumami, których były świadkami.

SOBOTA 31 grudnia 2011
nie mam siły pisać, mam potężną zniżkę,
dziś od popołudnia znowu boli mnie bolicoś.
ale że okoliczności są świąteczne, więc
życzę Wam, czego tylko zechcecie.

2010   2011   2012

○ Renan Luce, *Je suis une feuille*
piękne, piękne słowa piosenki.

* * *

Gdyby nie te guziki, byłby zwyczajny kum
z rękami jak dębczaki i z nosem jak dzwonnica,
orałby czarne pole. A teraz gwar i szum:
– Stangret! Wariat w cylindrze! – piszczy, tańczy ulica.

Gdyby nie uprząż w różach i ta przez rzęsy biel,
pomyśleć teraz można, że ot, stara kareta,
szaleństwo muzealne, a w karecie poeta –
ach, gdyby nie te róże, czapraki i ta biel!

O, gdyby nie ta gwiazda, która upadła w zmierzch,
powiedzieć mógłby człowiek, że się to przyśniło:
nagły zakręt w aleję złotą i pochyłą,
gdzie anioły kamienne posfruwały z wież.

A gdyby nie ten wianek i welon ten, i mirt,
i księżyc twojej twarzy mały, zawstydzony,
mógłbym przecie pomyśleć, żem jest narzeczony,
a tyś jest narzeczona i że to jeszcze flirt.

A może rzeczywiście wszystko się nam przyśniło:
stangret, kareta, wieczór, mój frak i twój tren,
i nasze życie twarde i słodkie jak sen.
Nie byłoby małżeństwa, gdyby nie nasza miłość.

▮ Konstanty Ildefons Gałczyński, *Ballada ślubna I*

o.
taki piękny wiersz.
dedykuję go Niemężowi z okazji pewnego dzisiejszego jubileuszu.

odebrałam dziś opis rezonansu.
rakelcia, moja skorupiata sublokatorka,
rozwija się, niestety.
prócz ostatnio zajętych obszarów zamieszkała również
w zatoce Douglasa i rozgościła się szeroko na otrzewnej.

w czwartek idę do Ulubionego Doktorka
na wizytę, ma dołożyć jakieś tabsy do łykania.
Babcia B. zorganizowała na jutro
wizytę u profesora Szczylika.
a teraz oddalam się skanować dokumentację
medyczną, albowiem słać ją będę do doktora w RPA.

jeśli możecie, wesprzyjcie moje leczenie, przesyłając
pieniądze na konto Fundacji Rak'n'Roll.
będę wdzięczna za każdą wpłatę.

ps.
bolicoś przestał boleć.
podziałały Wasze wczorajsze zaklęcia!
dziękuję.

WTOREK 3 stycznia 2012
Renan Luce, *Les voisines*

byłam dziś na konsultacji u profesora Szczylika.
sugeruje, że powinnam odstawić japoński
tegafur i rozpocząć leczenie docetaxelem.
wstępnie umówiłam się na rozpoczęcie
nowej chemii za dwa tygodnie.
trzy kursy powinny wystarczyć, żeby
ocenić, co się dzieje z przerzutami.
cykl przyjmowania – co trzy tygodnie.

ale to nie jest takie oczywiste, jak by się wydawało.
otóż.

tomografie nie dawały tylu informacji, ile dał rezonans.
a rezonans zrobiłam pierwszy raz w kwietniu, drugi – w grudniu.
w kwietniowym nie było widać choroby,
w grudniowym – widać, jak bardzo jest rozległa.
ale, ale.
leczenie zaczęłam w sierpniu, bo dopiero wtedy
lekarka opisująca tomografię dostrzegła chorobę.
nie wiem, co pokazałby rezonans zrobiony w sierpniu.
być może jednak tegafur działa; może to, co teraz
widać w rezonansie, jest stanem po podleczeniu.
może w sierpniu choroba była jeszcze bardziej rozległa.
tego nie wiem.
i się nie dowiem.

zostaję więc z dylematem: czy przerwać szósty kurs chemioterapii
TS-1, uznając, że komórki nowotworowe uodporniły się
już na lek, czy może kontynuować leczenie tabletkami,
wierząc, że nadal jednak działają (jakimś cudem przecież
cofnęło mi się spore wodobrzusze, które miałam w sierpniu,
a dwa wielkie przerzuty nie powiększyły swojej masy).

no nie wiem, kurwunia.
udam się w czwartek do Ulubionego Doktorka,
może wspólnie wymyślimy coś sensownego.

CZWARTEK 5 stycznia 2012
Sia, *I go to sleep*

byłam dziś u Ulubionego Doktorka.
zdecydowaliśmy, że na razie kontynuuję leczenie
TS-1, w dotychczasowej dawce 100 mg.
przekazałam płyty z tomografiami
i rezonansami uczonym w radiologii.
w przyszłym tygodniu powinni wypowiedzieć się.
paradoksalnie tam, gdzie jedni widzą znaczną progresję
choroby, Ulubiony Doktorek jest skłonny widzieć regresję.

zaskakujące, prawda?
ale na razie – cichosza.
poczekajmy na wypowiedź radiologów.

* * *

Syn, zachęcony ostatnią wizytą, zaordynował
ponowne spotkania z ojcem.
i tak oto jestem czasowo bezdzietna.
umówiłyśmy się więc z Marjanką do kina
na *Dziennik zakrapiany rumem.*
Marjanka stała po bilety, podczas gdy
ja wciągałam na mieście suszi.
dzwoni Marjanka.
– *ktoś idzie z nami jeszcze?*
– *nie, tylko ja i mój rak.*
– *to co, ulgowy mam wam kupić?*

SOBOTA 7 stycznia 2012
byłam rano na pierwszej lekcji medytacji
w Buddyjskiej Wspólnocie Zen „Kannon".
ma rację Niemąż – zazen oczyszcza umysł.

jeśli macie trochę cierpliwości, przeczytajcie fragment
mowy dharmy Roshiego Jakusho Kwonga.
(...) *Ji oznacza jaźń. Ju, jak w jukai, oznacza przyjmować. Jijuyu
jest „funkcją", a zanmai to samadhi lub skoncentrowanie. W skrócie
więc wyrażenie to proponuje drogę „ja spełnianego przez ja".
To wyjaśnienie jednak stanowi zaledwie początek. „Ja spełniane
jest przez ja" pociąga za sobą kończenie i rozpoczynanie,
nieustająco poprzez czas i przestrzeń. Jeżeli założę, że przez
samo skonstatowanie całkowicie to zrozumiem, moja
głowa zrobi się bardzo wielka. Jeden z bliskich przyjaciół
Kodo Sawakiego zauważył kiedyś, że „wszyscy jesteśmy
łotrami", ponieważ ciągle wymyślamy, konfabulujemy
rzeczywistość, w której naprawdę żyjemy. Innymi słowy, mamy
niewielkie pojęcie, co jijuyu zanmai faktycznie znaczy.*

Powiedzieć, że „ja spełnia ja", oznacza, że znamy kierunek, w jakim nasze życie powinno podążać, i wiemy, co jest ważne. Nic nie może nam tej świadomości odebrać. Jeżeli naprawdę wiemy, którą drogą iść, nic nami nie zachwieje. Z kolei „ja, którym jest ja", odnosi się także do tożsamości relatywnego ja z absolutnym ja oraz z jaźniami niezliczonych miriad wszystkich rzeczy. Innymi słowy, wszystko jest tym samym, wszystko jest jedną rzeczą. Roshi Uchiyama mówi o tym, jak „każdy urzeczywistnia swoje ja, którym jest tylko ja". To jest absolutnie prawdziwe. Czy znasz „ja", czy nie, ludzką naturą pomimo wszystko jest po prostu „urzeczywistnić ja w ja". Nie ma innej drogi, nieważne, co robisz. Nawet jeżeli zabijasz się, bo twoje małe ja nie czuje połączenia z absolutnym ja, i tak urzeczywistniasz „ja w ja". Czy praktykujesz, czy nie, i tak urzeczywistniasz „ja w ja". W pewnym sensie łatwiej po prostu zdecydować się na praktykę zazen – chociaż prawdą jest, że praktyka może być trudna. A jednak możesz praktykować w każdej sytuacji – od najwygodniejszej do najtrudniejszej i najstraszniejszej. Nieważne, czy przeżywasz kryzys, czy nie masz trosk, to tylko kwestia szczerej praktyki. Warunki mogą wydawać się łatwe lub trudne, ale nie powinny cię zwieść. Poprzez praktykę powinieneś być w stanie mierzyć się z sytuacją życiową, jakakolwiek by ona była. Czy masz raka, czy jesteś na prochach, czy pijesz, musisz stanąć w obliczu sytuacji, w której jesteś. To jest twoje życie. Odnajdziesz wolność tylko poprzez bieżące życiowe doświadczenie.
(...)

(przekład Ewy Kochanowskiej)

WTOREK 10 stycznia 2012
La valse d'Amélie, wersja na orkiestrę

Halina Poświatowska, smutna pani,
napisała w *Liście do przyjaciela*:
Czy wszystko pozostanie tak samo, kiedy mnie już nie będzie?
Czy książki odwykną od dotyku moich rąk, czy suknie zapomną

o zapachu mojego ciała? A ludzie? Przez chwilę będą mówić
o mnie, będą dziwić się mojej śmierci – zapomną. Nie łudźmy
się, przyjacielu, ludzie pogrzebią nas w pamięci równie szybko,
jak pogrzebią w ziemi nasze ciała. Nasz ból, nasza miłość,
wszystkie nasze pragnienia odejdą razem z nami i nie zostanie
po nich nawet puste miejsce. Na ziemi nie ma pustych miejsc.

też tak czuję.
nie ma pustych miejsc.
odejdziemy, i choć kilka osób wstrzyma
oddech, świat się nie zatrzyma.
lubię tę myśl – że po śmierci ciało zostanie spalone,
prochy rozwiane potężnym wiatrem z malowniczego
wzniesienia do mórz, rzek i oceanów.
że użyźnię sobą ziemię, że się przydam
i nie będę zaśmiecać cmentarza.
że przetrawi mnie dżdżownica.
że wyrośnie na mnie łąka.
albo chociaż, od biedy, mech. porost. grzybnia.

opcjonalnie mogłabym gruchotać kostką w słoiku,
wstawiona między książki i fotografie w biblioteczce.
wnukowie mogliby zabierać mnie w podróże.
byłabym niczym krasnal Amelii.

i choć wiem, że globus się nie zatrzyma, gdy upłynie
termin mojej ważności, chciałabym się przydać.

CZWARTEK 12 stycznia 2012
dziś, Bracia i Siostry, wielki czwartek.
spodziewam się, że dzisiejszy dzień będzie
przełomowy dla dalszego leczenia.

po primo – zaszczycę laboratorium z okazji
cotygodniowego dnia morfologii.

po drugo – złożę wizytę Ulubionemu Doktorkowi,
by ustalić, co dalej z leczeniem.
po czecio – dziś obchodzimy drugi tydzień szóstego kursu TS-1.
niestety jeszcze tydzień jedzenia tabsów.
mdli mnie na samą myśl o nich.
i śmierdzą mi gnijącym glonem, zdechłą rybą.
opatentowałam więc sposób na połykanie
ich bez wwąchiwania się.
łykam na bezdechu, z zatkanym nosem.

PIĄTEK 13 stycznia 2012
◉ Pink Floyd, *Time*
kocham płytę, z której pochodzi ten utwór.

* * *

wczorajszy dzień, zgodnie z przewidywaniami, był przełomowy.
przełomowo absurdalny.

bez wchodzenia w zbędne szczegóły: wróciłam do punktu wyjścia.
na razie, dopóki nie zostaną wyjaśnione różne
wątpliwości, będę kontynuowała leczenie TS-1.
na wszelki wypadek jednak zbieram informacje
odnośnie do innych możliwości leczenia.
bo prawdopodobnie, być może, nie wiadomo,
kto wie, okaże się, że muszę zmienić leczenie.

jest tak w chemioterapii, że gdy dotychczasowy lek nie
działa (czytaj: rak się rozwija), odstawia się go na zawsze.
uważa się bowiem, w dużym uproszczeniu mówiąc, że komórki
rakowe poznały działanie leku i uodporniły się na niego.

* * *

we wczorajszych postach padło pytanie, jak się żyje
ze świadomością choroby nowotworowej.
więc.

gdy dowiedziałam się o chorobie, wszystkie moje
myśli, dzień i noc, krążyły wokół niej.
rozważałam:
i co teraz?
kiedy umrę?
co stanie się z moimi bliskimi?
dlaczego akurat mnie to się przytrafiło?
jakie leczenie wybrać? gdzie? kto mi doradzi?
co powinnam jeść, żeby nie pogarszać stanu zdrowia?
czym się myć? czy farbować włosy?
kupić ubrania z organicznej bawełny?
zamieszkać na ekologicznym zadupowiu?
itp., itd.
z czasem wydeptałam swoje ścieżki, ustaliłam,
co zmieniam, czego się trzymam.
już nie przeżywam tych pierwszych ogromnych emocji.
przyzwyczaiłam się do nowej sytuacji,
zaakceptowałam ją, a często nawet – lubię.
być może dlatego, że opanowałam do perfekcji
przekuwanie gówien w sukces.

i myślę, że inaczej się nie da żyć.
nieważne, czy problemem jest choroba, złamany
obcas czy nieszczęśliwa miłość.
widzę sprawę tak:
leczę się. nie mam energii, by pracować jak kiedyś.
ale dzięki temu mam czas, żeby odrabiać z Synem lekcje,
serfować z Nim, bawić się, angażować Go w sprawy domowe.
zdarzają się też dni, gdy nie mam siły na nic.
wówczas Giancarlo gra na iksboksie, a ja leżę i Mu kibicuję.
albo tulimy się, głaszczemy, całujemy, wymyślamy historyjki.
ot, jesteśmy razem.
przecież wszystko to nie miałoby miejsca, gdybym
tyrała od świtu do zmierzchu w korpo.

wniosek: fajnie jest chorować!

SOBOTA 14 stycznia 2012

◉ Rojek, Nosowska, Grabowski, *Prosta rzecz*

Prosta rzecz śnić ten sen tak niewinnie jak marzyciel
Życie jak mecz, jeden mecz, który ważniejszy jest niż życie
Spójrz na niebo, poczuj siebie, zanim złapiesz oddech
Daj się ponieść tym marzeniom, które żyją w tobie
Nie zastanawiaj się więc, czasu mamy coraz
mniej, czasu mamy coraz mniej

Hej hej hej
Prosta rzecz
Hej hej hej
Prosta rzecz

Chcieć to móc, przecież wiesz, nie ma lekko – musisz biec
Chwytaj w lot każdą z szans, tu i teraz właśnie trwa
Stawiam marzeń zieleń ponad nieba błękit
Ten sen się chyba dzieje teraz, bo mam u stóp cały świat
Wygrywam jeden do zera, jeden do zera, jeden do zera

Hej hej hej
Prosta rzecz
Hej hej hej
Prosta rzecz

* * *

Ten, kto kocha swoją celę, znajdzie w niej spokój –
cytat z *Wieży* Gustawa Herlinga-Grudzińskiego
(przypomniała mi go wczoraj Zorka, dziękuję!).

wolność jest w nas, wierzę w to.

Chcieć to móc, przecież wiesz, nie ma lekko – musisz biec
Chwytaj w lot każdą z szans, tu i teraz właśnie trwa
Stawiam marzeń zieleń ponad nieba błękit
Ten sen się chyba dzieje teraz, bo mam u stóp cały świat
Wygrywam jeden do zera, jeden do zera, jeden do zera

rozmawiałam przed wizytą u Ulubionego Doktorka
z Panem Andrzejem, akurat czekał na wlew.
okazało się, że przyjęliśmy podobną strategię przetrwania
szpitalnej chemioterapii: izolowanie się.
Pan Andrzej opowiadał mi, że gdy jeździł do Centrum
Onkologii na wlewy z cisplatyny, zawsze siadał przy
oknie, by móc spoglądać na drzewa, rośliny.

i że zabierał ze sobą gazety do poczytania, by nie rozmawiać
z innymi chorymi, nie słuchać historii ich zmagań.
jak ja Go rozumiem!
tak samo robiłam, gdy jeździłam na wlewy do Wieliszewa.
czytałam, rozwiązywałam krzyżówki, oglądałam
z Niemężem filmy na laptopie, gadaliśmy.
albo zamykałam oczy i podsypiałam, a wielka łapa
Niemęża głaskała mnie po plecach do snu.

NIEDZIELA 15 stycznia 2012
Steven Sharp Nelson, *The cello song*
rok temu, gdy prawie miesiąc przeleżałam na Mazurach,
Niemąż brzdąkał mi to na gitarze, do snu.

* * *

na początku chorowania usiłowałam żyć tak
jak wcześniej – być cały czas w działaniu.
wściekałam się na siebie, gdy po zmywaniu naczyń
nie miałam już siły na odkurzanie czy zakupy.
a teraz z największą przyjemnością kładę się i ozdobnie zalegam.

trzy lata temu nie uwierzyłabym, że tak mogę.
a jednak.
odwożę Syna do szkoły, wpadam po drodze na pocztę /
do sklepu i hop! – już jestem w poziomie.
leżę.
kocica mości się u wezgłowia łóżka, ja opatulam się mięciutką
kołderką, poprawiam stos poduszek i drzemiemy, odpoczywamy.
by nie musieć przerywać tej cudownej czynności,
w zasięgu ręki mam termokubek z zieloną herbatą, kiść
bananów, tonę książek, czasopism, laptopa i komórkę.
jestem tak wyspecjalizowana w leżeniu,
że mogłabym się habilitować.
nauczyłam się nawet odrzucać myśli o zaległych zajęciach:
– czeka pranie, nieposegregowane od trzech
dni? poczeka, przecież nie ucieknie,

– w kątach kłębi się sierść kota? trudno, jak się
zbierze więcej, będzie bardziej widoczna.

i pomyśleć, że musiałam zachorować, żeby
umieć ustalać priorytety czynności.
a może z wiekiem przychodzi poluzowanie cugli?

WTOREK 17 stycznia 2012

The Piano Guys feat. Alex Boye, *Paradise* (*Peponi*)
African Style, cover Coldplay, na fortepian i wiolonczelę
(przy *ooooooo*... – wszyscy chórem drzemy japy!!!)

oto mam trzydzieści sześć lat.
uśmiecham się sama do siebie na tę myśl.

luuuuuuuuuuuuuuuuuudzie!
żyję!

a teraz czekam na trzydzieste siódme urodziny.
i potem na kolejne.
i następne.
i jeszcze, jeszcze, jeszcze.

PIĄTEK 20 stycznia 2012

Ólafur Arnalds, *Tunglia*

otrzymałam priorytetem polecony
za potwierdzeniem odbioru z placówki naukowej
szczebla podstawowego w rejonie.
pismo urzędowe, odwołujące się do kodeksów, paragrafów
oraz ustępów. rzeczowo informujące o obowiązku
tudzież o egzekucji, inwigilacji oraz dekapitacji.
westchnęłam ciężko.
cóż.
nie dość, że mam raka, to za chwilę wsadzą mnie do pudła.
(ha! jakbym miała mało kłopotów).

biorąc pod uwagę to, że mogłabym mieć trudności z trawieniem
więziennego kateringu, postanowiłam interweniować.
zadzwoniłam do sekretariatu Pani Dyrektor podpisanej.
powiedziałam.
po pierwsze – że dziecko z rocznika 2005, więc nie musi do szkoły,
mogłoby teraz w przedszkolnej zerówce szlaczki męczyć.
po drugie – że na stosownym blankiecie wysłałam w sierpniu
informację, iż będzie uczęszczał do szkoły poza rejonem.
po trzecie – że jest połowa stycznia, więc czemu dopiero
teraz weryfikują, czy dziecko chodzi do szkoły.
pani w słuchawce zachichotała radośnie.
że.
że pani Joanno, nie, nie ma czym się przejmować.
no, forma faktycznie służbowa, ale to taki wzór z internetu.
bo jakbym sprawdziła w internecie, to *tam są takie wzory pism.*
i że ona z internetu ma. ten wzór.
że wysłała dopiero teraz, *bo gdy ma wolny czas, to tak sobie wysyła.*
nie, nie trzeba odpisywać.
nie, nie będą sprawdzać, czy dziecko chodzi do szkoły.
nie, ona nie wie, czy dotarło do niej zawiadomienie,
że uczęszcza poza rejonem. musiałaby poszukać.
ale ma *tyle roboty, nie będzie sprawdzać.*
no i zadzwoniłam – więc ona *już wszystko wie.*

hmm...

* * *

morfologię mam lepszą po trzecim tygodniu szóstego
kursu niż tydzień temu – po drugim tygodniu.
nie mam żadnego logicznego wyjaśnienia, dlaczego
wyniki – choć nieznacznie – ale poprawiły się.

ustaliłam z Ulubionym Doktorkiem, że za tydzień rozpoczniemy
siódmy miesiąc leczenia smrodoglonnymi tabletkami.
potem strzelimy rezonans, sprawdzimy, jak się miewa rakelcia.
a potem się zobaczy.

żona przyjaciela Niemęża powiedziała:
jedne drzwi się zamykają, ale inne otwierają się.
to jest wspaniałe.
bo zawsze gdzieś czeka na nas jakieś dobre wyjście.
trzeba tylko chcieć je znaleźć.

SOBOTA 21 stycznia 2012

Cirque du Soleil, *Vai vedrai*

choć wydarzyło się to siedem lat temu, pamiętam tamtą
chwilę tak wyraźnie, jakby miała miejsce wczoraj.
siedem lat temu, parę minut po jedenastej,
poczułam brzemię odpowiedzialności.
i oszałamiający zachwyt. i bezsilny lęk.
i tak trwam w tym stanie.

* * *

kocham Cię, Pulpecie.
kurczaczku, robaczku, delfinku, owieczko, kotku,
maleństwo, potworze, pipulku, Krzysiu, pysiu,
misiu, patysiu, mała jaszczurko, Zdzichu niedobroto,
misieńku, ryjku, dzióbku, paskudo, słoneczko.

chłopcze, dziecino moja, kocham Cię.
kocham Cię, Syneczku.
kocham.
kocham.

tylko
miłość

PONIEDZIAŁEK 23 stycznia 2012

Janusz Gniatkowski, *Apassionata*

dziś obchodziliśmy urodziny Babci B.
mojej malutkiej, filigranowej Mamy.
wyjątkowej i dzielnej jak jednorożec.
mądrej jak czarownica.

Mamusi, która tak mocno się o nas troszczy, jak bardzo
się stara, żeby nie było po Niej widać, że się martwi.

to Ona powiedziała mi na początku chorowania,
że tylko tchórze nie walczą do końca.
więc walczę.
obiecuję, nie dam się.

CZWARTEK 26 stycznia 2012

Czesław Mozil i Gaba Kulka, *Co mi, Panie, dasz?*
kiedyś już zamieściłam tę piosenkę, ale pojawiła się jej nowa wersja.
cudo.

* * *

dziś czwartek – jak nakazuje wielomiesięczna
cotygodniowa tradycja – jest to dzień morfologii.
poszłam, zrobiłam.
wieczorem, wraz z wynikami morfologii,
nawiedziłam Ulubionego Doktorka.
ze spraw dobrych – Doktorek ma dziś urodziny, dałam więc
buzi i złożyłam życzenia (poniekąd sobie) wieeelu lat leczenia.
ze spraw średnio dobrych – nie mogę rozpocząć dziś siódmego
kursu (miesiąca) chemioterapii, bo neutrocyty spadły do 0,8.
na tę okoliczność został ułożony wiersz:
neutrocyty
wracajcie do mojej kobity.
ponieważ nie tylko poezją człowiek żyje, od dziś przez pięć dni
będę się strzykać neupogenem, żeby podstymulować szpik kostny.
w poniedziałek zrobię morfologię, powinna być już
wystarczająco dobra, by móc rozpocząć siódmy kurs TS-1.

* * *

podczas porannego pobierania krwi, korzystając z widoku
odswetrzonej ręki, przeliczyłam wiszące na przegubie dyndadełka.
– *alarm, alarm! ogłaszam alarm!* – nie
ma wełenki! – zawołało moje wewnętrzne.

– gdzie jest wełenka?
– wełenko, zgłoś się, tu baza!
– wełenko, do cholery, gdzie ty? – wołałam telepatycznie,
podczas gdy pani laborantka, nieświadoma
dramatu, ssała mi krew do probówek.
wełenka milczała.
a może nawet i nie, lecz nie było jej słychać
w szpitalnym laboratorium, gdyż leżała w korytarzu,
tuż przy drzwiach wejściowych do naszego
mieszkania, hen daleko – na drugim krańcu wsi.

bo z wełenką było tak:
czerwona wełenka została zawiązana na moim
przegubie 16 kwietnia ubiegłego roku.
wełenka, według kabały, chroni przed złym okiem.
zamieszkiwała na moim przegubie do wczoraj.
aż się sama rozwiązała, rozdarła, przetarła.

teraz, miła wełenko, spalę cię.
wraz z twoim końcem nastąpi koniec
wszystkich problemów.

PIĄTEK 27 stycznia 2012
○ Magda Umer, walc z filmu *Noce i dnie*

Syn skoczył na wyższy level.
bierze książkę do łapy, układa się na łóżku /
kanapie / dywanie / fotelu i czyta, czyta, czyta.
przedwczoraj przeczytał komiks *Gdzie jest Nemo.*
wczoraj – komiks *Król Lew.*
dziś – tomik wierszy Brzechwy dla dzieci.
– mamo, obudź mnie jutro raniutko. jak tylko
otworzysz oczy, od razu budź i mnie.
– ale po co, nie wolisz pospać?
– oj nie. wiesz, ja mam tyle książek do przeczytania.
nie chcę tracić czasu na spanie.

Leszek Możdżer gra Krzysztofa Komedy *Sleep safe and warm*

legliśmy w trójkę, przytuleni.
Niemąż robi za kanapę.
prawym ramieniem otacza mnie, lewym – Syna.
nogi Syna przerzucone przeze mnie,
macha paluszkami stópek.
i promiennie się uśmiecha.
jest zadowolony, bo ma chwilową
przerwę w rysowaniu szlaczków.
– *ale my się kochamy, prawda?* – Syn pławi się w zadowoleniu.

jestem zmęczona.
tak bardzo zmęczona.
podsypiam.
wtulam się nosem w polarową bluzę Niemęża,
chłonę Jego zapach, ciepło ciała.
słucham spokojnego bicia serca.
potężne ramię obejmuje mój szkielecik.
czuję ciężar nóżek Syna leżących na moim biodrze,
Jego słodki oddech na moim policzku, gorącą
łapkę wsuniętą w moją lodowatą dłoń.

i nie ma niczego oprócz.
i nie było.
i nie będzie.
nie będzie.

NIEDZIELA 29 stycznia 2012
Etta James, *Imagine*

– *jesteś miłością mojego życia.*
nie możesz się poddać.
nikogo nigdy tak nie kochałem, a uczucie narasta.
damy radę, maleństwo, damy radę.

tylko się nie poddawaj.
słyszałaś?

* * *

niestety.
z chorowaniem na tę chorobę jest jak ze wspinaniem
się po ruchomych schodach jadących w dół.

PIĄTEK 3 lutego 2012
Doktorek waży słowa.
czekamy.

o ile zrozumiałam, umiejscowienie przerzutów wyklucza operację
(chyba że ktoś podejmie się wypatroszenia mnie jak kurczaka).
na poniedziałek zaprosiłam więc swoją
osobę na konsultację radiologiczną.
może będę mogła się przysmażyć?
może radioterapia jakkolwiek zatrzyma chorobę?
dum spiro, spero.
trzeba działać.
próbować działać.

SOBOTA 4 lutego 2012
Angus & Julia Stone, *You're the one that I want*

wybrałam się do Babci B. na pietruszkowe
kotlety (w pieczonym pstrągu!).
zadzierzgnęłam: dwie czapki, trzy koszulki, koszulę, szal, szalik,
sweter, legginsy, spodnie, skarpety narciarskie, skarpety udziugane
na drutach, walonki i kurtkę z kapturem naciągniętym na głowę.
niestety założyłam rękawiczki z palcami,
więc potwornie zmarzły mi dłonie.
muszę pamiętać o noszeniu rękawic z jednym palcem.
cieplejsze są.

* * *

dziś światowy dzień walki z rakiem.
a w dupie z tym świętem, że tak powiem.
ja mam codziennie światowy dzień walki z rakiem.
nie ma co świętować.
błe.

PONIEDZIAŁEK 6 lutego 2012
Lulu Gainsbourg & Mélanie Thierry, *Ne dis rien*

byłam dziś na konsultacji radiologicznej.
w najbliższą środę – tomografia i decyzja konsylium
lekarskiego, co można ze mną zrobić.
– *ma pani wyjątkową wolę walki i bardzo*
nietypowy przebieg choroby.
niestety radioterapia w połączeniu z dotychczasową
chemioterapią może pani całkowicie rozpuścić jelita.
musimy się zastanowić, jak pani pomóc.

do wizyty podeszłam z beznamiętnym profesjonalizmem.
jak zwykle robiłam notatki z odpowiedzi
na pytania, które miałam zapisane w notesie.
poryczałam się w domu.
przylazł Syn, niosąc na deserowym talerzyku cztery
czekoladki Ferrero Rocher wyłuskane z papierków.
popatrzył głęboko w oczy, objął mnie za szyję.
– *nie płacz.*
nie poddajemy się, mamo.
walczymy.
ja ci pomogę. nakrzyczę na lekarzy, muszą ci pomóc.
a teraz zjedz słodycze, i przytul się mocno
do mnie, poprawi ci się humor.

powiedziałam Niemężowi, że mam uczucie.
wyślizgujących się z dłoni nitek.

o ile byłoby prościej przerzucić odpowiedzialność z siebie na innych.

WTOREK 7 lutego 2012

Frittata, *Lullaby from Rosemary's Baby*
wspaniały zespół z Krakowa.

★ ★ ★

od wczoraj śpię prawie non stop.
nie mam siły.
jestem potwornie zmęczona.

Synek, Niemąż i Babcia B. zagadują mnie
co chwila, jak mogą, ale to na nic.
wessała mnie czarna dziura.

wracam spać.
śnić o niemożliwym.
śnić o Mazurach na kajaku z Niemężem i Synem.

CZWARTEK 9 lutego 2012

upadam i się podnoszę.
niewiarygodne, ile we mnie siły.
któregoś dnia jednak położę się do łóżka i nie wstanę, przysięgam.
gra w ciuciubabkę z losem męczy.

i męczy mnie zima.
mróz, zamarzająca skrzynia biegów, auto bez ogrzewania.
i męczą mnie lekarze (*pani ma świadomość,*
że TEGO nie da się NIGDY wyleczyć?).
i urzędnicy bez sumienia i duszy.
procedury, formalności, obieg dokumentów.

życie ucieka.

★ ★ ★

– mamo, jak będę duży, zbuduję Titanica Dwa, odkryję skarb
w oceanie i za pieniądze za ten skarb kupię nam dużo klocków
Lego i dla ciebie lekarstwo na raka, takie smaczne i niebolesne.

obiecuję, słyszałaś?
tylko ty musisz walczyć, pamiętaj.

i męczą mnie wyrzuty sumienia, że Giancarlo
żyje moją chorobą, troską o mnie.
powinien mieć beztroskie dzieciństwo.
bezmyślny uśmiech, gila do pasa.

byłam wczoraj w Centrum Onkologii na tomografii
przygotowującej do radioterapii.
wykonano mi trzy tatuaże – małe kropki.
te kropki stanowią znaczniki pozycji, w której
będzie układane ciało do naświetlań.

szkoda, że nie ma standardu informowania o procedurze.
jak rozumiem, nikt jeszcze nie słyszał
w Centrum Onkologii o CRM.
i żeby była jasność: nie mam nic przeciwko
kropkom, ale do cholery, stosowniej byłoby, gdyby
informowano o tym przed zrobieniem tatuażu,
a nie – w trakcie wbijania igły z tuszem w biodro.

jeśli ktoś zastanawia się, czy zrobić sobie
tatuaż, informuję, że trochę boli.
ale tylko ciut-ciut.
pani pielęgniarka robiąca mi go była bardzo
sympatyczna i chwilę przed ukłuciem informowała:
już! wbijam się! może pani krzyczeć, pani Joasiu!
nie krzyczałam.
cel uświęca środki.

a jeśli już jesteśmy przy środkach: do wypicia
trzech kubków kontrastu przed tomografią
polecam ciumkanie landrynek miętusków.
całkowicie unicestwiają smak jodu.

SOBOTA 11 lutego 2012
sobota, imieniny kota.
(i Dzień Chorego, niby co to? święto? memoriał?
chyba stosowniej byłoby nazwać ten dzień Dniem Zdrowego).

więc sobota.
Syn zajęty sprawami dzieci.
dorośli sobą.
kocica – wspinaniem się po ścianach, gonitwą za własnym cieniem.

wracamy do wsi.
– *co robiłaś, gdy byłem na szermierce?*
– *byliśmy z Wujkiem na obiedzie. jedliśmy schabowego*
i dziwny bigos, doprawiony koncentratem pomidorowym.
– *i to wszystko?*
– *i rozmawialiśmy, żartowaliśmy. całowaliśmy się też, przytulaliśmy.*
– *czyli każde z nas spędziło czas miło. to dobrze.*
zieew, Synowi głowa sennie kiwa się na boki.
– *mamo, czy wiesz, że dla ufoludków my jesteśmy kosmitami?*
Giancarlo nie czeka na odpowiedź, kontynuuje myśl.
– *bo to jest tak, że obce formy życia*
uważają nas za obce formy życia.
po chwili pauzy filozoficznie dodaje: *wiesz,*
wszystko zależy od punktu widzenia.
– *masz rację, świetnie to ująłeś* – komplementuję tok myślenia.
już mnie nie usłyszał.
zasnął.

PONIEDZIAŁEK 13 lutego 2012
staracie się pomóc mi w zakresie
wyszukiwania leczenia dla mnie.
bardzo Wam za to dziękuję.
mam jednak prośbę: jeśli dostajecie odpowiedź
od lekarza, że z tym typem nowotworu rokowanie
jest beznadziejne, ZAKLINAM Was!
NIE PRZESYŁAJCIE MI TEJ INFORMACJI!

taka wiadomość NIE poprawia mi samopoczucia,
ani NIE nastraja walecznie.
i wiem, rozumiem, że odpowiedź przesyłacie w dobrej
wierze – pośrednio po to, by wykazać, że próbowaliście
pomóc – ale to NIE jest konstruktywne działanie.

a jeśli chodzi o rokowanie, wiem, jak jest.
i nie ma co się w tym tarzać.

WTOREK 14 lutego 2012
Raz, Dwa, Trzy, Już
uwielbiam ich lirykę.

zamawiam tę piosenkę na pogrzeb!
(tylko nauczcie się słów, żeby nie było wstydu,
że mruczycie coś niezrozumiale pod nosem).

– chciałbyś podarować kartkę walentynkową
którejś dziewczynie w klasie?
– a po co?
– może któraś ci się spodobała i chcesz jej to wyznać?
– nie, żadna mi się nie podoba prócz ciebie. tylko
ty mi się podobasz i tylko ciebie kocham, mamusiu.

ŚRODA 15 lutego 2012
Artur Andrus, *Piłem w Spale, spałem w Pile*
to też ładna piosenka na pogrzeb.
tej też się nauczcie.

„Żeby kózka nie skakała,
Toby nóżki nie złamała".
Prawda!

Ale gdyby nie skakała,
Toby smutne życie miała.
Prawda?

Bo figlować – bardzo miło,
A bez tego – toby było
Nudno...

Chociaż teraz musi płakać,
Potem będzie znowu skakać!
Trudno!

Więc gdy cię dorośli straszą,
Że tak będzie, jak z tą naszą
Kozą,

Najpierw grzecznie ich wysłuchaj,
Potem powiedz im do ucha
Prozą:

„A ja znam może dwadzieścia innych kózek,
co od rana do wieczora skakały i zdrowe są,
i wesołe, i nic im się nie stało, i dalej skaczą!
Grunt, żeby się nie bać!
Tak skakać, żeby nic się nie stało!
Bo inaczej, co by za życie było?
Prawda?".

I skacz, ile ci się podoba.
Niech dorośli zobaczą, jak się to robi!

Julian Tuwim, *Skakanka*

a gdybyś jadła workami pestki od jabłka, piła
tony przecieru pomidorowego z habanero...
a gdybyś suplementowała się witaminą D, B17...
a gdybyś stosowała terapię Gersona, dietę
Budwigowej, wisiała jedną nogą na trapezie...
a gdybyś, gdybyś, gdybyś...

pogadamy inaczej, gdy zachoruje ktoś z Was.
wymądrzać się jest łatwo, szczególnie
gdy jest się zdrowym jak rydz.
gdy się zachoruje, perspektywa diametralnie się zmienia.

pokornieje się.

CZWARTEK 16 lutego 2012
Bajm, *Co mi, Panie, dasz*
jest MOOOOC!

* * *

znacie dowcip, jak ateista przyszedł do raju?
otóż.
pytają się aniołowie świętego Piotra,
co mają powiedzieć ateiście.
– *że mnie nie ma* – odparł.

* * *

przez ostatnie dwa lata miałam okazję
wielokrotnie analizować ten temat.
informuję: Bóg istnieje.
mnie, chronicznemu niedowiarkowi, nieustannie
objawia się poprzez swoje działanie.
nie umiem inaczej wyjaśnić wielu nieprawdopodobnych
zbiegów okoliczności, łutów szczęścia, kokonu otaczającej
mnie miłości, przyjaźni, życzliwych ludzi.
a może nie potrafię ocenić, co się dzieje, bo poprzestawiało
mi się pod sufitem od kilkunastu chemioterapii?

* * *

pojechałam dziś na konsultację do przedsionka
czyśćca, Centrum Onkologii na Ursynowie.
umówiłam się na smażenie przerzutów.
zaczynam od jutra, przez czy tygodnie.

PIĄTEK 17 lutego 2012
ustalone, zdecydowane.
rozpoczynam radioterapię.

jak policzył dziś rano Giancarlo, jestem wyposażona
w piętnaście leków wspomagająco-osłaniających.
zamierzam zmusić moją morfologię do godnego zachowania się.

NIEDZIELA 19 lutego 2012
Orchestral Manoeuvres in the Dark, *Enola Gay*
ta piosenka w wykonaniu Pink Bazooka
wprawia mnie w doskonały nastrój!
wiele, wiele loffff dla piosenkarki Pink Bazooki:
jeśli rzucę Niemęża, to dla Ciebie.

* * *

chwytam chwile.
garść dialogów z dziś.
– synku, czy spakowałeś plecak na jutro?
– tak – odpowiadają plecy.
– pokaż mi, jak się spakowałeś.
– a mogę za chwilę? bo jestem zajęty. czytam książkę z biblioteki.
– wypożyczyłeś książkę?
– nie, pani bibliotekarka mi dała.
– ale byłeś w bibliotece?
– tak.
– ... czyli wypożyczyłeś.
– no nie wiem, w sumie chyba tak.

* * *

– mamo, a kim jest paszionistka? – Giancarlo wtargnął
do sypialni Babci B., gdzie drzemałam bez czucia,
albowiem jelita zostały oszołomione kwintalem
żarcia, który udało się Babci w nie wcisnąć.
– chyba faszionistka? – wymamrotałam.
– no tak.

– to taka pani, którą interesują tylko ciuchy i moda.
– aha.
– a gdzie to słowo usłyszałeś?
– w reklamie było powiedziane, że jest
w sprzedaży Barbi faszionistka.
o-ja-cie.

* * *

– mamo, jesteś winna mojej złości. przeproś
mnie – Syn strzela minę z fochem.
– mmmh? – wytrzeszczam zdumione oko.
– bo zezłościłem się na ciebie, gdy mi kazałaś sprzątnąć pokój.
opss.

* * *

na deser – dzisiejsza rozmowa z Niemężem.
uradowany woła: *kochanie, odkryłem,*
czym jest słodki owoc zwycięstwa!
– gratulacje. powiesz coś więcej? – dopytuję zaskoczona.
– to gruszka na wierzbie!
no taak.

PONIEDZIAŁEK 20 lutego 2012
Charlie Winston, *I love your smile*
zachwycił mnie obraz, muzyka i słowa.
cudne.

* * *

samotność nie ma nic wspólnego z brakiem
towarzystwa – napisał Erich Maria Remarque.
kiedy gościłam panią Hannę Bogoryja-Zakrzewską
i przygotowywałyśmy się do reportażu, pani Hanna zapytała,
czy porozmawiamy w nim o samotności w chorowaniu.
odmówiłam.
bo samotni jesteśmy zawsze, bez względu na stan zdrowia.

choroba samotność uświadamia. uwypukla, wyostrza.
bo, w przeciwieństwie do obowiązków domowych
czy zawodowych, nie sposób przerzucić
na innych chorowania, leczenia, rekonwalescencji.
nie przeniesie się na innych własnych ograniczeń ciała i emocji.
nie zagłuszy się choroby muzyką, alkoholem czy seksem.

ŚRODA 22 lutego 2012

João Gilberto, *'S wonderful*

prócz zmęczenia doszła lekka dezorientacja układu pokarmowego –
muszę opracować mapę knajp z miłymi ubikacjami.
trochę też – jak żabę w niewybrednym
dowcipie – jebie mnie coś w stawie.
biodrowym.

poza tym – jest super.
z zachwytem skaczę między rozmiękłymi psimi
kupami, kałużami i zlodowaciałym śniegiem.
czuć już, że nadchodzi wiosna.
rano ptaki cudnie śpiewały, a w nocy koty się marcowały.

* * *

Syn oddał mi swoją skarbonkę z pieniędzmi.
od dziś mogę nią dowolnie dysponować.
uzyskałam pozwolenie na zakup klocków Lego, jedzenia
dla kocicy Viledzicy oraz na zakup leków dla siebie.

* * *

uczestniczyłam dziś z Magdą Prokopowicz w robieniu
reklam do kampanii 1% dla Fundacji Rak'n'Roll.
ciekawa jestem, jakie będą Wasze wrażenia, gdy
ujrzycie nas na billboardach czy w spotach.
ha!

PIĄTEK 24 lutego 2012

Tony Bennett & Lady Gaga, *The lady is a tramp*

– *mamo, dotknij, jaki mam gruby brzuszek.*
sprawdź, jak dużo zjadłem u Babci B.
dotykam.
– *a ja mogę dotknąć twojego?* – pyta Syn.
– *możesz.*

– oo, ładna chudzinka jesteś.
spacja. oddech. namysł.
puenta: *wiesz, wyglądasz, jakby ci oprócz*
żołądka piersi obcięli, taka płaska jesteś.

a pani brafiterka dopasowała mi biustonosz 65 C.
chyba powinnam go zacząć nosić, fachowo
nagarniając skórę z pleców do miseczek stanika.
hm.

SOBOTA 25 lutego 2012
Daniel Landa, *Jó, ulice!*

byliśmy w zoo.
dawno tyle nie spacerowałam.
zmęczyłam się.
świeżym powietrzem.
chodzeniem.
bezradnością zwierząt.
swoją.

Giancarlo, wracając do auta, przemówił tymi słowy:
nie mogę uwierzyć w swoje szczęście, że byliśmy razem w zoo.
mamo, to była cudowna wycieczka.

ech, Synu...

PONIEDZIAŁEK 27 lutego 2012
Pablopavo i Ludziki, *Stój, głuptasie*

starszy pan po tracheotomii świszczy złowrogo niczym lord Vader.
– a był ktoś dziś u ciebie, tato? – pyta spłoszona
szczupła blondynka o niebieskich oczach, żałosnych
niczym rozdeptane niezapominajki.
obserwuję ją kątem oka, jej mowę ciała, skupienie, oddanie.
przysiadła na brzegu krzesełka, wpatruje się w niego z przejęciem.

splata i rozplata nerwowo palce.
tato siedzi nieruchomo, szczelnie zawinięty w kokon
szlafroka, intensywnie wpatruje się w basen z żółwiami.
i świszczy.
– *a lekarz coś mówił?* – blondynka podejmuje kolejną próbę.
świszczenie nasila się.
– *dobrze, już dobrze, pójdziemy po naświetlaniu
na górę, popiszemy, nie denerwuj się.*

pan na łóżku też czeka na naświetlanie.
popatruje na panią, leciutko się uśmiecha.
a ona stoi przy nim, głaszcze go po policzku,
trzyma jego dłoń, otula mu stopy kołderką.

koło rejestracji usiadła pani naburmuszona.
dziś również jest naburmuszona.
ma brzydką perukę i złe spojrzenie.
opowiada drugiej pani w peruce, że *co tydzień
od tych naświetlań tracę czterdzieści pięć
de-ka-gra-mów, czy pani to rozumie?* – dramatycznym
crescendo podkreśla po-wagę sytuacji.

pan bez lewego oka i kości policzkowej
ogląda ze mną karmienie rybek.
pan karmiący chętnie udziela nam informacji,
jak która ryba / ślimak / krewetka się nazywają.

gruby pan na wózku, z wenflonem w pulchnej, przezroczystej
dłoni i o uśmiechu szelmy, manewruje wózkiem nieporadnie.
przy basenie żółwi jest niewielki cokół,
jedno koło niefortunnie skręciło.
– *pomogę* – proponuję.
– *co mam zrobić?* – pytam.
– *na rybki bym popatrzył, ale coś nie daję rady.*
w życiu nie pchałam wózka, a proszę – to takie łatwe.
popycham wózek grubego pana bliżej akwarium.

i tak tu sobie czekamy.
każdy z innego świata, połączeni wspólnym problemem.

ŚRODA 29 lutego 2012
Daniel Landa, *Protestsong*

jako powszechnie znana specjalistka ds. ulepszeń dziś
zaproponowałam paniom z Zakładu Radioterapii, że w salach
naświetlań do sufitu powinien zostać przytwierdzony
telewizor, by leżąc, móc oglądać jakieś miłe bzdury.

inne usprawnienie związane z radioterapią –
które wdrożyłam – dotyczy picia.
otóż jak pamiętacie, przed naświetlaniem muszę wypić pół litera,
by wypełniony pęcherz odepchnął z pola naświetlania jelita.
robię tak: zajeżdżam do Babci B., która w blokach
startowych czeka z wiadrem rosołu / pomidorowej.
piję na akord, oblizuję wąsy i wsiadam do bolida.
trasa do Centrum Onkologii zajmuje mi około czterdziestu minut.
w tym czasie przyroda dokonuje cudu i zamienia zupę w mocz.
upływa czterdzieści minut podróży i loguję się do bazy,
gotowa do smażenia, z pełnym zbiornikiem.
przyznacie, że sprytnie to obmyśliłam.

aczkolwiek nie do końca.
nie przewidziałam, że np. wczoraj zepsują się dwa
aparaty do naświetlań i trzeba będzie wyczekać w kolejce
półtorej godziny z moczem podchodzącym do oczu.
– *pani może się wysika?* – zaproponował pan-technik-od-aparatu.
– *m-m. wytrzymam* – jęknęłam przez zaciśnięte usta.

* * *

Niemąż powtórzył po raz miliardowy, że jest największym
szczęściarzem na świecie i czuje się wygrany, bo ma mnie.
w sumie nic nowego, ale za każdym razem gdy to słyszę,
zastanawiam się, czy mówi do mnie i czy nie oszalał.

a On mi wtedy odpowiada: *tak, oszalałem. na twoim punkcie.*
ech.
oby.

bo rozglądam się dookoła, a tu same chłopy
z kryzysem wieku średniego.
jeden – w wypaśnej terenówce, drugi (w domu
żona i czwórka dzieci) – zakochany nieprzytomnie
w lafiryndzie, trzeci łazi po burdelach, czwartemu
odwaliło, że musi być sam, by rozwijać swoje pasje.
ojapierdole, co tu się stało?
czy ludzie dobierają się przypadkowo w pary?
czy może gdy napotykają przeszkodę, wolą
się cofnąć, niż ją razem przeskoczyć?

CZWARTEK 1 marca 2012
Daniel Landa, Lucie Vondráčková, *Touha*

Giancarlo interesuje się aktualnie fauną oceaniczną.
kiedyś – zapytana o to, skąd d o k ł a d n i e biorą
się dzieci – wyjaśniłam Synowi, że gdy ludzie
bardzo się kochają, mogą począć dziecko.
że dzieci są owocem miłości, połączenia
dwóch „nasion" – żeńskiego i męskiego.
napytałam sama sobie biedy.
– mamo, jak rekiny kochają się? jak pan rekin pokazuje
rekinicy, że ją kocha i że chce mieć z nią rekiniątka?
– mamo, czy krewetki tak jak ludzie, muszą
się kochać, żeby mieć dzieci?
– a żółwie?
– a jak plankton wyznaje sobie miłość?
ech.

* * *

byłam dziś na cotygodniowym badaniu kontrolnym
u mojej pani doktor, radioterapeutki.

jak zwykle powiedziałam, że nic mi nie
jest i że czuję się rewelacyjnie.
i tego będę się kurczowo trzymać.

Front 242, *No more no more*

Ulubiony Doktor osiągnął wczoraj zen z panią doktor od radioterapii.
wracam od dziś do brania japońskich tabletek.
jeśli macie zabłąkane 2 zł w portfelu, wrzućcie je do mojej
świnki skarbonki w Fundacji Rak'n'Roll.

a przy okazji trzymajcie chujaski, bo nikt nie jest
w stanie przewidzieć, jakie będą skutki uboczne
połączenia naświetlań z chemioterapią.

ahoj, przygodo!

* * *

z okazji rozpoczęcia tabletek zrobiłam dziś morfologię.
na kontuarze laboratorium pręży się kalendarz z kyciamy.
aforyzm na marzec brzmi: *ludzie dzielą się na tych, którzy
kochają koty, i na tych, którzy są głęboko nieszczęśliwi.*
no cóż.
ja na ten przykład mam dni (właściwie: noce), gdy jestem
głęboko nieszczęśliwa z powodu posiadania kota.
szczególnie między drugą a trzecią nad ranem, gdy Vileda
harcuje po meblach i parapetach, drapie dywany-rolety-ściany-
krzesła-fotele-okna, rzuca i atakuje zabawki, depcze po śpiących,
omiata nasze twarze ogonem oraz stuka nas łapą po głowach.
i żeby chociaż robiła to wszystko w milczeniu.
ale nie, ona nie.
ona wydziera się tym swoim dramatycznym
maaaaaaaa! maaaaaaaa!!!
nie wierzcie więc słowu pisanemu.
kalendarze kłamią.

SOBOTA 3 marca 2012
jeśli oceniać po pozorach, zdrowieję.
ponieważ.
Syn i Niemąż ostatnio szurali, że Ich ustawiam.
Niemąż wygłosił nawet sentencję okolicznościową:
precz, szatanie, ja żyję z diablicą.
miałam też zasadniczą rozmowę ze Starszym
Szwagrem na tematy życiowe, gdzie wygłosiłam
tezę co do jedynego słusznego modus operandi.
by mieć lepszy posłuch, uciekłam się do szantażu
emocjonalnego i powiedziałam Szwagrowi, że jak nie zrobi,
co Mu powiedziałam, umrę za miesiąc – co będzie Jego winą.
po tej rozmowie Niemąż skomunikował się ze Starszym
Szwagrem i Mu powiedział: *nie wkurwiaj jej, zrób, co każe.*
fajnie jest mieć raka, można terroryzować nim rodzinę.
moc jest ze mną!

dziś przemyślenie Chustki na miarę Coelho:
sztuka życia sprowadza się do życia tym, co *tu i teraz.*
i do zaakceptowania, że to, co *tu i teraz,*
jest najlepsze, co mogło nas spotkać.
trudne to do ogarnięcia – szczególnie w nieszczęściu –
ale jestem pewna, że tak właśnie jest.

więc jestem szczęśliwa.

NIEDZIELA 4 marca 2012
Guillaume Grand, *Toi et moi*

melduję się, jestem.
co gorsza, wiosennie zakochana jak nastoletni przygłup.

zajrzałam w oczy Niemęża i – cholera – znowu wpadłam po uszy.
chodzę z durnym uśmiechem, z głową w różowej
chmurze z pluszowych serduszek.
tralali-tralala!

* * *

jedziemy z Synem samochodem.

gramy w pomidora.

– *czy chcesz do Makdonalda?* – zadaję podstępne pytania.

– *pomidor.* – Syn odpowiada z kamienną twarzą.

– *a może poczęstujesz się mandarynką?*

– *pomidor.*

– *a podać ci książkę?*

– *pomidor.*

raptem strzeliła mi głupota do głowy.

– *barania dupa?* – powiedziałam.

Syn nie wytrzymał.

kilkanaście kilometrów podróży było z głowy.

rozchichotał się do łez.

a potem nagabywał: *zagrajmy znowu w pomidora, ale tak żebyś mnie znowu zaśmieszyła do płaczu!*

PONIEDZIAŁEK 5 marca 2012

Laura Pausini & Eros Ramazzotti, *Volare*

kocham!

gdy wychodzę ze smażenia rakelci, przyjeżdża
turboodkurzaczem pan sprzątający.

wywija ósemki między rzędami krzeseł.

energicznie zagłusza plumknięcia o wodę żółwich cielsk.

przywraca równowagę krainie łysych łbów,

ziemistych cer i szurających stóp.

– *porzrzrzrządek!* – warczy turboodkrzacz – *robię porządek!*

lubię patrzeć, gdy sprząta.

dziś kolejna myśl Chustki na miarę Coelho: istotą życia są drobiazgi.

na przykład – sprzątanie.

* * *

od Mamy Wróbla dostałam boskie skarpety.
bardzo grube, wielokolorowe, wełniane, pod kolana.
wyglądam w nich jak kobold.

* * *

właśnie, słowo o wyglądaniu.
pewien dziennikarz powiedział mi: *sylwetkę ma pani*
szczupłą, ale wygląda pani bardzo zgrabnie, z twarzy
też wcale nie wygląda pani na chorą.
miałam ochotę zapytać: *a powinnam? czy są standardy*
wyglądania choro? czy bardziej by mi wtedy pan współczuł?
czy źle wyglądając, byłabym bardziej wiarygodna?
sąsiadka za to, widząc mnie w szerokich gaciach dresowych Niemęża,
zajęczała: *kochaniutka, widać, że gorzej z tobą, chudzina się zrobiłaś*
okropna, a widziałam też, że chodzisz tak powolutku, nóżka za nóżką.
druga zaś powiedziała: *oo, widzę, że poprawia*
się zdrówko, taka pani uśmiechnięta.

niektórzy wiele zyskaliby na uroku, gdyby milczeli.

CZWARTEK 8 marca 2012
Yngwie Malmsteen, *Cavallino Rampante*

goździk, rajstopy odebrane?

żenuje mnie to święto.
życzenia premiera na stronie jego gabinetu zamiast
faktycznych zmian społeczno-politycznych.

święto kobiet, czyli kogo?
na pewno nie moje.

a może ustanówmy święto mężczyzn?
będziemy im wręczały tulipanki i kalesony.

* * *

Giancarlo, w związku ze swoją niby-dysgrafią, był dziś
na kolejnym badaniu u pani szkolnej psycholog.
jak powiedział – pisał, liczył i zgadywał.
– *ale co zgadywałeś? –* doprecyzowuję.
– *pani zadawała mi zgadywanki, na przykład ile nóg ma mucha.*
– *i co powiedziałeś? –* pytam.
– *że ma sześć.*
– *i o co jeszcze pani pytała?*
– *z czego robi się cukier. powiedziałem, że z mąki.*
no pięknie.
już widzę tę diagnozę: *dziecko ma kłopoty z pisaniem,*
ponieważ wypiera fakt istnienia buraków cukrowych.

* * *

Syn zaparł się, że musi mi towarzyszyć w onkopielgrzymkach.
staram się, w miarę możliwości, nie zabierać Go ze sobą, bo stężenie
cierpienia na metr kwadratowy jest w takich miejscach przejmujące.
ale są też plusy dodatnie jeżdżenia po placówkach
medycznych z przychówkiem.
dziś, w Centrum Onkologii, na Oddziale Radioterapii,
Syn zeżarł paniom od akceleratora delicje.
później, podczas wizyty w przychodni u Ulubionego Doktorka,
na Oddziale Chemioterapii, wyżebrał trzy kulki Ferrero Rocher.
no i proszę – kolacji w domu już nie chciał.

PIĄTEK 9 marca 2012
Jaromir Nohavica, *Kiedy kitę odwalę*
moja ukochana piosenka o umieraniu.

(...)
Więc jeśli miałbym wybrać – w łóżku czy też w klubie –
niech mnie trafi w trakcie tego, co tak lubię.

To będzie w pytę,
cudnie, fajnie i w pytę,
gdy definitywnie odwalę kitę.

Jedną mam wątpliwość – zabrać żywca czy red bulla,
żeby tam na górze nie wyjść na jakiegoś ciula.
Ja w każdym razie biorę piersiówkę starej starki,
bo starka nie zaszkodzi, gdy się nie przebiera miarki.

To będzie w pytę,
cudnie, fajnie i w pytę,
gdy definitywnie odwalę kitę.

Wiem, że Cię nie ma, Boże, ale w końcu gdybyś był tak,
daj mnie tam, gdzie dawno siedzi stary Lojza Miltag.
Z Lojzą razem w budzie u Orłowej, potem zaś na dole,
fedrując w mozole, tu też daj nam wspólną dolę.

To będzie w pytę,
cudnie, fajnie i w pytę,
gdy definitywnie odwalę kitę.
(...)

* * *

dziś mija siedemset dni od znalezienia we mnie choroby.
siedemset naszych wspólnych dni, Czytaczu.
siedemset dni dzielenia się z Tobą okruchami mojej codzienności.

siedemset dni walki z nowotworem.
w strachu, bólu, nadziei.

siedemset dni porządkowania myśli
w oczekiwaniu na nieuchronne.
siedemset dni uważnego życia.
i świadomego odchodzenia.

siedemset dni demitologizowania brzemienia śmiertelnej choroby.
siedemset dni w miłości, szczęściu, radości.
siedemset zwyczajnych dni.

➜ 2012 marzec

siedemset dni razem.
razem z Wami.
razem z rakiem.
ważne, że wspólnie.

dziękuję.

SOBOTA 10 marca 2012
zeszłam do sklepu po ptasie truchełko na obiad.
deszcz zmoczył mi kurtkę, policzki i okulary.
wysunęłam język.
smakował wiosną.
uwielbiam deszcz.
niech więc pada.

chciałabym zamieszkać w domu z ogrodem zimowym.
z fotela, wśród zielska, patrzyłabym na moknący ogród,
na kropelki deszczu łączące się w smużki, które tworzą
jeziorka, rwące potoki, strumienie i powodzie.
darmowy spektakl żywiołu.
w przerwach od gapienia się czytałabym książki, popijając
z kubka gorącą korzenną herbatę z konfiturami wiśniowymi.
albo pomarańczowo-imbirowymi.
albo malinowymi.
morelowymi.
mirabelkowymi?
pigwowymi?

nie-e.
miałabym zabezpieczone między doniczkami
kilka słoików i wyjadałabym z każdego.
aż by mi strzykało za uszami.

⋆ ⋆ ⋆

Syn bawi się z kolegą z klasy.
płyną statkiem po oceanie trampolinie.

kapitan właśnie zarządził przerwę śniadaniową:
załoga teraz schodzi na ląd jeść śniadanko,
rozumiesz? – tłumaczy jeden drugiemu.

robię obiad.
dawno nie gotowałam.
lubię to robić, ale bardzo męczy mnie stanie.
najchętniej leżałabym i spała, jednak jak nie ulec prośbie: *mamusiu,*
zrób obiadek, tęsknię za jedzonkiem robionym przez ciebie.
kocica otulona puchatym ogonoszalem leży w komorze
zlewozmywaka, czujnie obserwując każdy ruch
noża dzielącego indyczą pierś na kotlety.
Niemąż czyta książkę o krija jodze.
czas płynie.

weekend nastał.
kolejne pranie trzeba rozwiesić.

* * *

myślę, że Syna smakiem z dzieciństwa będzie sos do spaghetti –
z mielonego mięsa, pomidorów, bazylii, oliwek.
może też risotto z krewetkami, ryż z jabłkami i cynamonem.
sobotnia jajecznica na bekonie.
krem z brokułów, z grzankami z bułki i żółtym serem.
pomidorowa z kluskami.
i oczywiście – panierowane kotleciki z indyka, smażone
na oliwie z oliwek (*mamusiu, jak ty to cudownie*
robisz, że kotleciki pachną zielonymi oliwkami?).

Niemąż wspomina z dzieciństwa maminy
jabłecznik i sernik na zimno.
ja – obiady u Babci Marysi: Jej kotlety mielone, sałatę
ze śmietaną doprawioną cukrem i cytryną, rosół
z domowym makaronem, sernik z kratką na wierzchu.
i grubo krojony świeży chleb z mięciutkim masłem,
posypany grubymi kryształkami cukru.

z domu rodzinnego hołubię wspomnienie smaku
i aromatu ciast, pieczyw, pasztecików do barszczu.
ale też kaczki z jabłkami i majerankiem, kurczaka
z nadzieniem pietruszkowym, smalcu, bigosu, zupy
ogórkowej, placków ziemniaczanych, baby ziemniaczanej.
z przedszkola z rozrzewnieniem wspominam kompot
rabarbarowy nalewany aluminiową chochelką z wiadra
o obtłuczonej emalii, i zupę ziemniaczaną. była pyszna:
woda, ziemniaki, ze dwie skwarki i odrobina majeranku.
ach, i leniwe, polane zrumienioną na złoto tłuściutką
bułeczką, podawane z surówką z tartej marchwi.

PONIEDZIAŁEK 12 marca 2012
Paul Simon, *The Afterlife*

byłam w Centrum Onkologii, mam wypis.
siedemnaście frakcji radioterapii zakończone.
za dziesięć dni, gdy zejdzie (o ile zejdzie) opuchlizna
popromienna, idę na wizytę kontrolną.
będę wówczas kwalifikowana do brachyterapii,
zwanej wdzięcznie curieterapią.

tymczasem łykam nieustannie śmierdzące
glonem japońskie tabletki.
morfologia kompletnie rozjechała się i kwiczy, ale cóż.
jest choroba, jest leczenie – są i różno-rak-ie dolegliwości.
dupa w troki, pierś do przodu, trzeba walczyć.
żadnego narzekania.

stoik Marek Aureliusz dixit:
nasze życie jest takim, jakim uczyniły je nasze myśli.
oraz: *nie chlubą jest uciec przed śmiercią, lecz*
uśmiechnąć się, gdy i ona się do ciebie uśmiecha.

* * *

w tym semestrze właściwie codziennie Syn
rozpoczyna lekcje o ósmej w nocy.
z ledwością budzimy się o siódmej trzydzieści.
działamy jak wyrwane z barłogu niedźwiedzie.
żeby zaoszczędzić sobie nawzajem czasu
i emocji, pomagam w ubieraniu.
podkoszulka, koszulka, polar. bokserki, skarpety, spodnie.
ubrany sunie po ścianie z nieprzytomnym
spojrzeniem do ubikacji.
dziś – spodnie ze sztruksu.
szeleszczą – jak to sztruks ma w zwyczaju.
– *mamo, specjalnie założyłaś mi takie głośne*
spodnie, żebym się szybciej obudził?

* * *

odbieram Go ze szkoły.
idziemy do szatni.
trwa przerwa.
harmider, ruch, duszny zapach stołówki i tysiąca kapci.
przyłapuję się na tym, że podaję dłoń Synowi, ale dyskretnie.
nie wiem, czy to już nie obciach iść ze starą za rękę.
nie, nie wstydzi się.
podaje i mocno mnie trzyma.
idziemy.
dwuosobowa procesja drobnego gestu miłości.

WTOREK 13 marca 2012
Tango with Lions, *In a bar*

Marek Aureliusz powiada: *jeśli życzliwość jest*
szczera i nieobłudna, to jest niezwyciężona.

cenię jasne sytuacje.
proste emocje.
szczerość.

takie są – z wyboru – moje znajomości.
innych nie mam, bo zrozumiałam, że nie warto.
niektóre ucięłam, inne – same uschły.
parę osób nie udźwignęło znajomości w obliczu choroby.

nie mam (już) czasu na kontredansy, podchody, pantomimę.
daję wszystko, biorę wszystko.
daję – ale to nie oznacza dzielenia się szczegółami życia.
szanuję swoją i innych intymność.
biorę – ale nie przywłaszczam.
biorę drugiego człowieka z tym, czym zechce się podzielić.

są zależności – nie ma symetrii.
nie ma symetrii? – nie ma relacji.
wracając do Marka Aureliusza: jestem pewna,
że tylko bezinteresowna życzliwość może być
zaczynem trwałych, zdrowych relacji.

ŚRODA 14 marca 2012
zgłębiamy z Synem różnorodne wiosenne tematy.
– *mamo, a wiesz, że kobiety wolą kochać umięśnionych
facetów?* – rzuca Giancarlo podczas kolacji.
– *serio? a skąd masz tę wiedzę?*
– *yyyyy... z życia, tak słyszałem* – Syn spogląda
na mnie badawczo. nie widzi żadnych emocji, więc
na wszelki wypadek dodaje: *tak, wiem, że te tematy
to jeszcze nie dla mnie, bardziej dla nastolatków.*
milczę. łypię okiem. czekam, co będzie dalej.
– *czy cieszysz się, że dzielę się z tobą moją wiedzą
o życiu?* – dopytuje się, żując siódmą grzankę z serem.
– *oczywiście, niezmiernie* – resztkami sił zachowuję powagę.

– *mamo, co zrobiłaś z tą wczorajszą
niedojedzoną kanapką ze szkoły?*
– *wyrzuciłam do śmieci.*
– *och, mamo, ja bym ją jutro zjadł, przecież słyszałaś*

chyba, że nie wolno marnować jedzenia.
– ale ona była WCZORAJSZA.
– uważam, że powinnaś zbierać odpadki organiczne, będziemy
je zawozili do Babci B. na kompost, dla dżdżownic.
pieprzone ekologiczne wychowywanie.
tak, jeszcze tego mi brakuje.
gnijącego żarcia i wylęgarni much.

* * *

skutki uboczne radioterapii w pełnej krasie (jakże
to adekwatne słowo w odniesieniu do poparzeń).
przyfrunęły od Ingrid cudowne amerykańskie smarowidła,
więc w krótkich przerwach od analizowania w samotności
nierozwiązywalnego sudoku maziam się tam i siam oraz ówdzie.

zima musi przecież kiedyś minąć.

CZWARTEK 15 marca 2012
Selah Sue feat. Ronny Mosuse, *Ain't No Sunshine*

dziś słabam bardzo.
kolanka gną mi się do przodu.
garb mam większy niż zazwyczaj, lico
blade, wzrok tępy, sierść matową.

czarownice moje, dajcie moc.

* * *

pani świetliczanka powiedziała wczoraj, że Giancarlo jest
jednym z niewielu dzieci, które cieszą się na widok mamy.
przełknęłam gulę wzruszenia.
i próżnej dumy.

* * *

moje Anielice z Fundacji zamówiły kolejną porcję tabletek.
dziękuję Wam za wpłaty.

bez Was byłoby mi bardzo ciężko poradzić
sobie z tak ogromnym wydatkiem.

PIĄTEK 16 marca 2012

Andrzej Sikorowski i Maja Sikorowska,
Piosenka na koniec świata

czary-mary i jest lepiej.
dziś mam więcej siły.
triathlonu raczej nie wygram, ale wstałam.

działają Wasze modlitwy, przesył mocy i e-czymanie za łapę.
dziękuję!

* * *

Niemąż dał mi fajną książkę.
Eckhart Tolle, *Potęga teraźniejszości*.
zacytuję Wam fragment z rozdziału
Docieranie do potęgi teraźniejszości.

*Gdy zagrożone jest (...) życie, skok świadomości z czasu
w obecność może się zdarzyć całkowicie spontanicznie.
Osobowość, która miała dotąd przeszłość i przyszłość,
ustępuje na chwilę miejsca intensywnej, świadomej
obecności – zupełnie nieruchomej, a jednocześnie
bardzo uważnej. Odtąd wszelkimi posunięciami, jakich
wymaga sytuacja, dyryguje ta właśnie świadomość.
(...)
Ucz się odwracać uwagę od przeszłości i przyszłości,
ilekroć nie są ci do niczego potrzebne. W życiu codziennym
staraj się jak najwięcej przebywać poza wymiarem
czasu. Jeśli trudno ci jest wstąpić wprost w teraźniejszość,
na początek zacznij obserwować upartą skłonność umysłu
do tego, żeby z niej uciekać. Zauważysz, że widziana
w wyobraźni przyszłość zazwyczaj jest lepsza albo gorsza
od Teraźniejszości. Jeśli jest lepsza, napawa cię nadzieją*

lub wprawia w stan miłego oczekiwania. Jeśli jest gorsza,
budzi niepokoj. Obie są złudzeniem. Dzięki samoobserwacji
w twoim życiu siłą rzeczy pojawi się więcej obecności.
(...)
Bądź przytomny, bądź obecny jako obserwator umysłu –
swoich myśli i emocji, a także reakcji na rozmaite sytuacje.

(przekład Michała Kłobukowskiego)

WTOREK 20 marca 2012
○ Maurice André gra *Adagio* Tomasa Albinoniego

bolicoś boli.
nie lubię.

przyszła astronomiczna wiosna.
cóż, skoro przyszła – niech będzie.

w sumie chyba życie właśnie do tego się sprowadza.
należy adaptować się z godnością do sytuacji.

więc chowam się w pościeli.
naciągam na głowę kołdrę i mnie nie ma.

tymczasem Vileda przygotowuje okolicznościową przemowę.
skupiona formułuje myśli, waży słowa, składa zdania w akapity.
mierzy pauzy.
przelicza przecinki i kropki.
otwiera pysk.
będzie gadać.
powie, co sądzi.
i chuj, znowu tylko rozpaczliwe *maaaaaaaaaa! maaaa!*

nic straszniejszego od bezradności.
mam tak samo.

postanowiłam, że dziś w CO, podczas
kontroli po radioterapii, będzie dobrze.
w tym celu zrobiłam oko.
albowiem gdy ma się oko, nie można płakać.
skoro nie można płakać, to nie można
mieć powodów do płakania.
a nie mogłam mieć powodów do płaczu, ponieważ
postanowiłam, że dziś na kontroli będzie dobrze.

więc.
byłam na kontroli.
oko nie rozmazało się.
radioterapia jakiś skutek odniosła, bo częściowo
naciek nowotworowy wycofał się.

* * *

zostałam zakwalifikowana do brachyterapii.
od kwietnia zaczynam.
co tydzień będziemy z rakelcią kładły się
na zabieg, na dwa dni, w Centrum Onkologii.
zabieg odbywa się w całkowitym
uśpieniu, więc pewnie pojawi się kłopot
z codzienną transmisją na blogu.
spodziewam się, że będę nieprzytomna.
pani doktor powiedziała, że nie wie, ile
tygodni będzie trwało leczenie.
minimum – pięć.

ale fajnie!
będę spać, spać, spać i bredzić dyrdymały
pod wpływem narkozy.

raczej nie będę rentierką, więc postanowiłam zostać rencistką.
komisja lekarska potrzebuje kompletnej dokumentacji
medycznej, w oryginale, ze stemplami.
byłam więc dziś w trzech szpitalach,
w których leczę / leczyłam rakelcię.

a teraz jestem nieprzytomna ze zmęczenia.
i nie jestem w stanie nic jeść.
kilkugodzinny pobyt w miejscach, gdzie miałam robione
wlewy dożylne, sprawił, że wróciły nudności.
od dziesięciu godzin walczę z odruchem wymiotnym.
niesamowita jest pamięć ciała.

NIEDZIELA 25 marca 2012
⊙ Jovanotti, *Tutto l'amore che ho*

z okazji wiosny kopię w garderobie.
nie wiem, po co mi tyle ubrań o dwa numery za dużych.
ile trzeba zjeść mięsnych jeży, żeby utyć z 34 do 38?
tonę?

ale, zaiste, nie jest źle – na zupach Babci B. ważę już 49 kg.

★ ★ ★

kilka dni temu na fejsie pewna organizacja zamieściła
post pani, która wizualizacją wystymulowała sobie
leukocyty i zredukowała masę guza nowotoworowego.
ludzie!
czy zgłupieliście od raka?
jak można – jako organizacja, która chyba chce
być odpowiedzialna za kształtowanie zachowań –
publikować takie treści bez słowa wyjaśnienia?

jest dla mnie sprawą jasną, że w walce z chorobą
trzeba mieć pozytywne nastawienie, determinację.
rozumiem również, że stosowaniem placebo
osiąga się dobre wyniki w leczeniu.
ale nie pojmuję, dlaczego organizacja zajmująca się chorymi
na raka zamieszcza na swoim profilu taki post i nie opatruje
go własnym – choćby lapidarnym – komentarzem.

* * *

dostaję od Was wiele maili.
piszecie między innymi o tych wybranych
i tych odrzuconych ścieżkach leczenia,
metodach wspierania leczenia.
entuzjazmujecie się dietami, które pomogły.
albo psioczycie, że diety sprawiły, że chory wychudł.
opisujecie, że pomogły modlitwy.
oraz że modlitwy nie pomogły.
dzielicie się triumfem wyleczenia,
by za miesiąc napisać, że ozdrowieniec umarł.
piszecie o beznadziejnie chorych, którzy po pół roku
umierania aktualnie biegają za pędzącą na rowerku wnusią.

czytam Was i czytam, czytam, czytam.
i nasuwa mi się taki wniosek: co ma być, będzie.
bo co komu pisane, bęc.

PONIEDZIAŁEK 26 marca 2012
Nina Zilli, *L'amore verrà*

dostałam dziś list – wyznanie uczuć od Syna.
UWIELBIAMĆIE
JESTEŚMOJĄMIŁOŚĆIO

piękne, prawda?

* * *

dziś w szkole Syn błysnął elokwencją.
powiedział nauczycielce od angielskiego, że jeśli
ma dziecko, to powinna kupić mu iksboksa.
pani (lat około 25–27) odpowiedziała, że jeszcze nie ma dzieci.
– *a może ma pani wnuka?* – dopytał mój rozgarnięty potomek.
– *też nie mam* – odparła pani.
i zapytała: *a czy ja jestem tak stara, że powinnam mieć wnuka?*
– *tak, jest pani stara, ale jeszcze z pięć lat pani pożyje.*

spieszmy kochać ludzi, tak szybko odchodzą...

* * *

mam pytanie do moich miłych Czytaczy.
napiszcie mi, jak się człowiek czuje w trakcie
/ w wyniku / po brachyterapii.
z definicji zamierzam czuć się wspaniale,
ale wolałabym wiedzieć, na co się szykować.
słyszałam różne makabrycznie krwisto-bolesne
opowieści, ale chciałabym poznać Wasze zdanie.
dam radę sama się ogarnąć czy poczebuję czeciej
ręki do podania basenu tudzież łyżeczki wody? hm?

(przypominam, że jestem hardkorem i w czeciej dobie
po usunięciu żołądka wypisałam się ze szpitala na żądanie,
czym wywołałam przerażenie Niemęża i rozpacz Babci B.).

ŚRODA 28 marca 2012
Urszula Dudziak, *Papaya*

szamoczę się z dokumentacją do renty.
zadzwonili ze szpitala, że są do odebrania papiery.
za ksero dokumentów trzeba zapłacić.
przelewem nie można.
rozumiem.
więc płacę.
osobiście.

ale żeby zapłacić, trzeba przejść do budynku
oddalonego o lata świetlne.
następnie – wspiąć się po schodach.
bo tam jest kasa.
nie, nie mam nic przeciwko przechadzkom.
tym bardziej że pogoda piękna.
bardzo lubię spacerować.
pod warunkiem że mam na to siłę.

to trochę taka naturalna eliminacja.
jak w Centrum Onkologii na Ursynowie.
niektóre drzwi otwierają się tak ciężko, że muszę uwiesić
się całym ciałem na klamce, żeby pokonać ich opór.
w sumie słusznie.
nie masz siły otworzyć drzwi – odpadasz z gry.
nie przechodzisz na następny level.

* * *

jedziemy z jednego szpitala do kolejnego
– *mamo, czy ty polubiłaś swoją chorobę?* – pyta Syn,
machając w samochodzie bosymi kopytkami (*mogę
zdjąć butki i skarpetki? bo taka dziś gorąca wiosna*).
jak skomentował Niemąż, pytanie bardzo zen
– *tak, chyba w sumie tak* – odpowiadam.
– *ale na początku było strasznie, pamiętasz?*
bałem się, że szybko umrzesz.
– *bo lekarze tak powiedzieli, więc tak Ci powtórzyłam,*
żebyś wiedział, co się ze mną dzieje.
– *a lubisz się leczyć z raka?* – Giancarlo dopytuje.
– *nie lubię, ale bardzo chcę.*
– *a dasz radę pojechać jeszcze do sklepu,*
pooglądać razem klocki Lego?

SOBOTA 31 marca 2012
No Clear Mind, *Dream is destiny*
taki łikend.

żeby zająć myśli, kompulsywnie sprzątam.
bo co jeszcze można zrobić?
drzwiczki piekarnika wyszorowane, naczynia zmyte, białe
bluzki moczą się przed praniem w wybielaczu, testament
spisany, kuweta czysta (no, jeszcze przed chwilą była), kwiaty
podlane, suche liście wyskubane, ubrania poukładane.
a, śmieci trzeba wyrzucić.

* * *

gościmy ulubionego przedszkolnego zioma.
– *ten zestaw Lego dał mi mój ojczym, wiesz?*
– *kto?* – ziom wytrzeszcza oko, nie zrozumiawszy.
– *no, ojczym. to taki mój tato, tylko że On nie pali, nie pije.*
– *no co ty, w ogóle nie pije?* – uściśla gość, kompletnie zaskoczony.
– *wcale nie pije. a moja Mama to nawet wody nie*
pije, bo ją brzydzi i od niej wymiotuje.
– *a twoja kicia pije mleko?* – próbuje ogarnąć temat funfel.
– *nie, bo kotom nie wolno dawać mleka.*
– *rany, to wy wszyscy wcale nie pijecie?* – kolega jest zdumiony.
– *ja piję, ale tylko różne soczki. kokakolę rzadko*
piję, bo jest niezdrowa – Syn objaśnia.
– *ale wy dziwni jesteście.*

* * *

– *będziesz widział się z Julką?* – pyta Syn, wyraźnie spięty.
– *jasne, w poniedziałek, w przedszkolu.*
– *powiedz jej koniecznie, że myślę o niej*
i że jeszcze kiedyś się spotkamy.

NIEDZIELA 1 kwietnia 2012
Hiatus, *Save yourself*

śpisz.
a ja patrzę na Ciebie, na Twoją pogodną
buzię, lekko rozchylone usta.
włosy rozrzucone na poduszce.

jakbyś przysnął na łące, bo pościel w kwiatki.
kładę głowę koło Twojej i szepczę Ci do ucha to, co wiem.
że Cię kocham.
bardzo mocno.
że dziękuję Ci, że jesteś.
i dziękuję za to, kim jesteś: mądrym, prawym,
łagodnym i uczciwym chłopcem.
dziękuję za nasze rozmowy.
za to, że dzielisz się światem widzianym Twoimi oczami.

a potem truję już po matczynemu.
– *pamiętaj, synku, nigdy nie bądź oportunistą.*
bo tego nie zniesę, bo wyjdę z katakumb.
i będę cię straszyć, jak sowa robić huu-
huuu! zza drzewa, winkla, lustra.

więc zapamiętaj.
wierz w ideały i walcz o nie.
bądź dobry i sprawiedliwy.
zawsze szukaj prawdy.
kochaj całym sercem.
tylko wtedy będziesz żyć.

pytaj, błądź, stawaj w poprzek, płyń pod prąd, znajduj.
sam wyznaczaj drogę.
nigdy nie uginaj karku.
masy nie pokonasz, ale kropla drąży skałę.
celebruj swoje życie.

to mówiłam ja.
twoja matka.
walcząca o każdy dzień.

reszta – w liście.
przeczytasz, gdy nadejdzie mój czas.

Krystyna Janda, *Jeśli ty nie istniałbyś*

Jeśli ty nie istniałbyś,
To po co istnieć miałabym?
Patrząc jak co dzień żal, szary żal
Do mych myśli składa rym?
Jeśli byś nie istniał ty,
Czy myśli me rzeźbiłyby
Miłość z wiatru i mgły, a ma dłoń
Dotyk tych cudownych dni
Czy pamiętałaby?
Jeśli ty nie istniałbyś,
Dla kogo smutki szłyby w cień?
Czy dla tych, których twarz, uśmiech, szept
Zapominam z dnia na dzień?
Jeśli byś nie istniał ty
Lub gdybyś krążył Bóg wie gdzie,
Gnałabym śladem twym niby liść,
By wytańczyć słowa te:
Ach, dojrzyj, ogrzej mnie...
Jeśli ty nie istniałbyś,
To po co ja istniałabym?
Przy kim mogłabym śmiać się do łez
I zapłakać zmierzchem złym?
Jeśli byś nie istniał ty
Czy mogłoby pytanie to:
Po co żyć? Po co żyć?, zmienić się
W proste słowa: kocham cię
Na dobre i na złe?

w trybie natychmiastowym żądam
wywiezienia mnie na Mazury.
chcę leżeć otulona kocykiem, schowana pod parasolem
w łódce, patrzeć, jak Niemąż z Synem moczą się w jeziorze,
chlapią się wodą i podglądają ławice maleńkich rybek.
i chcę na kajak! proszę mnie natychmiast przepłynąć Krutynią.

niech będzie tak jak zawsze.
pogoda niech dopisuje, Niemąż niech
wiosłuje, Giancarlo niech Mu pomaga.

i do lasu proszę mnie zaprowadzić, na poziomki, na grzyby.
możemy nawet się zgubić – tak jak ostatnio.

i proszę rozpalić ognisko koło stawu
i upiec kiełbaski i ziemniaczki.

i chcę do Rynu, do Biedry. tam w koszach,
w środkowych alejkach, są fascynujące bylecosie.
i do RAST-a w Mrągowie też chcę. umoszczę się jak zwykle
w koszu na zakupy, a moi Panowie niech mnie wożą.
taka wola moja.

* * *

witaj, szpitalu.
ja tu tylko na chwilkę.
jasne?

CZWARTEK 5 kwietnia 2012
syn skrzywił się, że reklama 1% jest słaba: *nikt, mamo, nie
uwierzy, że jesteście chore, bo ładnie wyglądasz, głośno
się śmiejesz i tamta druga pani też ładna i roześmiana.*

chciałabym zakrzyknąć: *nieprawda, o mój synu, albowiem twoje
myślenie – słodka dziecino – na poziomie siedmiolatka jest.*
lecz głos mnię grzęźnie w gardle, bo znam dorosłych,
którzy tego rodzaju *cliché* głoszą z miną specjalistów
onkologów, znawców świata, win i kobiet.

rozbawiły mnie komentarze na fanpejdżach twarzoksiążki,
utrzymane w stylistyce *niesmaczna / chamska reklama, bo gdyby
te panny wiedziały, czym jest cierpienie z powodu choroby
nowotworowej, to tak z uśmiechem nie mówiłyby o chorowaniu.*

tirli-tirli.
ciurli-ciurli.
tralalala.

* * *

złapałam dziwną fazę po brachyterapii.
od przedwczoraj jakbym w ciąży była, czyco.
(anestezjolog był piękny jak marzenie, ech).
mdli mnie. do urzygu mdli mnie.
dajcie śledzia!
czekolady!
kiszonego ogóra!
miodu!

NIEDZIELA 8 kwietnia 2012
Andrzej Zaucha, *Bądź moim natchnieniem*

Radosnych, rodzinnych Świąt!!!
życzą
Chustka
Niemąż
Giancarlo
i Vileda.

ŚRODA 11 kwietnia 2012
Pink Floyd, *High hopes*

dziś w programie IV Polskiego Radia, po godzinie 14.00,
opowiem kilka słów o kampanii 1% dla Fundacji Rak'n'Roll.
stay tuned!

* * *

odebrałam wynik rezonansu.
rakelci nie jest ani więcej, ani mniej.
za to mniej niż bardzo mało jest płynu w otrzewnej.
gdzieś wyparował.

jedziemy w trójkę samochodem.
– *ooo... leci jeden samolot!* – mówi Giancarlo.
– *a drugi gdzie jest?* – zagajam bez sensu.
– *a drugi spadł!*

– *wiecie, gdybym miał popełnić samobójstwo, tobym się uśpił.*
– *a jak?* – dopytuję.
– *normalnie, takim pierścionkiem.* przekręciłbym go na palcu i już.

– *Wujku, Wujku!*
– *słucham?* – pyta Niemąż.
– *patrz, jaka wielka jemioła na drzewie,*
pocałujcie się, a potem mnie pocałujcie.

– *mam z Wami moje najszczęśliwsze życie, jak*
w zakończeniu filmu, wiecie? – mówi z pełną buzią
tylna kanapa, chrupiąc fastfudowe kurczaczki.

chwilo, trwaj.

PIĄTEK 13 kwietnia 2012
Tom Jones, *Delilah*

– *to niespotykane, że nie krępują się państwo okazywać*
sobie czułości – powiedział pan-z-naprzeciwka dziś
wieczorem, podczas bardzo eleganckiej kolacji.
i nie wiem, co o tym sądzić.
czy to obciach zaglądać sobie w oczy i tonąć?
bo mnie to nie przeszkadza.

SOBOTA 14 kwietnia 2012
Anna Maria Jopek, *Tylko tak miało być*

Miłość to znaczy popatrzeć na siebie,
Tak jak się patrzy na obce nam rzeczy,
Bo jesteś tylko jedną z rzeczy wielu.
A kto tak patrzy, choć sam o tym nie wie,
Ze zmartwień różnych swoje serce leczy,
Ptak mu i drzewo mówią: przyjacielu.

Wtedy i siebie, i rzeczy chce użyć,
żeby stanęły w wypełnienia łunie.
To nic, że czasem nie wie, czemu służyć:
Nie ten najlepiej służy, kto rozumie.

Czesław Miłosz, *Miłość*

śpię.

śpię, trzymając Syna za Jego ciepłą dłoń, oddychając
Jego lukrowym oddechem, a Jego cieniutkie,
mięciutkie nitki włosów o zapachu malinowego
szamponu łaskoczą mnie po policzku.
śpię z ramieniem Niemęża pod głową, oplątana
Jego dłońmi, wtulona w Jego udo.
śpię, a Vileda z fachową miną zawodowej
masażystki ugniata moje chudości.
śpię w łóżku, na fotelu, na kanapie, krześle, w samochodzie.
śpię w domu, w gościach, wszędzie.
dziś zasnęłam w herbaciarni.

konwersujemy, pijemy herbaty, napój owsiany, jemy ciasta.
i raptem jamuszęspać.
głowa opada na tors Niemęża, ślina leje się
po Jego polarze, suwak odgniata na policzku
różowy ślad, a jamuszęspać.

jamuszęspać zdominowało moje życie, stąd
opóźnienia w pisaniu postów.
bardzo Was przepraszam, ale jamuszęspać.

* * *

w ramach porannego jamuszęspać, gdy panowie
odprowadzali się do szkoły, drzemałam w pościeli.
wtem słyszę:
– *kochanie, wstań na śniadanie, kupiłem bułeczki,*
przebierz się – woła z kuchni Niemąż.
– *za co?* – pytam nieprzytomnie.
– *może dziś za kobietę?*

Bronnie Ware pracowała w hospicjum.
spisała najczęściej powtarzające się wypowiedzi
chorych, podsumowujące życie.
1. *Żałuję, że nie miałem odwagi na życie takim życiem, jakie uważałem
za słuszne, a prowadziłem takie, jakiego ode mnie oczekiwano.*
2. *Żałuję, że tak ciężko pracowałem.*
3. *Żałuję, że nie miałem odwagi, by okazywać uczucia.*
4. *Żałuję, że nie pozostawałem w kontakcie z przyjaciółmi.*
5. *Żałuję, że nie pozwoliłem sobie być szczęśliwszy.*

już wiem, dlaczego tak dużo śpię.
mam ciśnienie 84 na 52.

* * *

rano jedziemy do szkoły.
lodowate słońce odbija się w kałużach, bez bez
przekonania nadmuchuje pąki liści.
deszcz próbuje zazielenić przemarzniętą trawę,
a fioletowonosi pijacy kiwają się na rogach ulic.
– *patrzcie, rodzice* – odzywa się Giancarlo – *widać, że przyszła
wiosna: okoliczni państwo przebudzili się ze snu zimowego,
wyszli na ulice. już nie robią w domu skarpety na drutach.*

w Centrum Onkologii słucham opowieści.

wczoraj byłam na sali sama.
dziś dołożono do mnie dziewczynę.

od stycznia wie o chorobie.
drzemałam powalona ciśnieniem, a ona monologowała.
o tym, że lekarz podczas USG powiedział: *ma pani*
jakiegoś guza, nie wiem jakiego, ale niedługo pani umrze.
o tym, co pomyślała, gdy grunt osunął jej się spod nóg.
o tym, że w wyniku radioterapii schudła dziesięć kilo
i że *teraz najważniejsze jest przytyć i zdrowo jeść.*
o tym, że boi się wkłucia igły, ale *każde proszki*
może łykać, byle tylko uniknąć wkłuć.
i o tym, że aptekarka poleciła jej *taką dobrą maść*
do wcierania we włosy, żeby nie wypadły od leczenia.
o tym, że z lęku przed brachyterapią przeleżała
całą niedzielę pod kocykiem przed telewizorem:
chociaż czasem było co oglądać, a czasem nie było
nic ciekawego, i o tym, że nie miała chęci pójść
na osiemnastkę do znajomej z naprzeciwka.
o tym, że gdy znajomi zapraszają ją *na wyjście*
na tymbarka, ona odpisuje, że nie ma na razie ochoty.
o tym, że gdy bliscy pytają, jak się czuje, ona odpowiada,
że *wszystko dobrze,* ale *w środku ma taki smutek,*
bo chciałaby, żeby już wszystko było jak kiedyś.

ech.
serce mi się kraje, gdy myślę, ile jeszcze przed nią drogi.
a na tej drodze same zakręty, rozwidlenia
i przewaga ulic jednokierunkowych.

NIEDZIELA **22 kwietnia 2012**

James Morrison, *Sex on Fire,* cover Kings of Leon

tyle lat szukaliśmy się, aż się znaleźliśmy.
mariaż doskonały.
pasujemy do siebie, we wszystkim.
nawet gdy rozmawiamy, to intensywnie.
tematy się nie kończą, argumenty latają jak
frisbi, iskry się sypią, ziemia drży.

więc jedziemy autem i dyskutujemy z Niemężem.
Syn pyta: *a wy rozmawiacie czy się kłócicie, bo ja nie wiem.*
odpowiadamy chórem: *dyskutujemy!*
Giancarlo na to: *ale obiecajcie mi, że jak będziecie się
kłócili, to mi powiecie, bo chętnie posłucham.*
– *a dlaczego?* – podpytuję.
– *nigdy nie słyszałem, żebyście się kłócili,
a nie chciałbym tego przegapić.*

PIĄTEK 27 kwietnia 2012
Lifehouse, *Everything*

z przyjemnością informuję, że Hanna Bogoryja-Zakrzewska
otrzymała dziś nagrodę uczestników Warsztatów Radiowych
podczas Ogólnopolskiego Konkursu Artystycznych Form
Radiowych Grand PiK 2012 za reportaż *Trzeba walczyć.*

* * *

nie znoszę pobytów w Centrum Onkologii.
chłonę smutek i cierpienie innych, nawet jeśli
staram się omijać ich wzrokiem i myślami.
wczoraj nad zupą słuchałam monologu
towarzyszki brachyterapeutycznej niedoli.
– *w sobotę znajomi wyciągnęli mnie na dyskotekę,*
mówią mi: „rozerwiesz się, potańczysz, myśli oderwiesz
od zmartwień". u nas dyskoteki trwają do czwartej rano.
do drugiej wytrzymałam, kolę jedną wypiłam, ani ona
smaczna, ani niesmaczna była. wiesz, patrzę, jak tańczą,
oni są zdrowi, co mi tam po tańczeniu. zmęczona jestem,
poleżałabym. do domu bym chciała, położyć się, na tańce nie
mam siły ani ochoty. ja chora, oni zdrowi, co mi po tej dyskotece.
słucham i milczę.
tydzień temu przetaczali jej krew, bo ma taaaką anemię.
dziecinka. dwanaście lat młodsza ode mnie
– *jedz zupę, jedz, chudzinko* – mówię.
– *kiedy ja już pełna jestem* – odpowiada mi,

gmerając bez przekonania łyżką w talerzu.
– *jedz. każę ci. mam praktykę w karmieniu,*
bo Synka mam. więc jedz, bez wymówek.
trzcinka. bladzioszek. przestraszona chorobą,
zabiegami, bezsiłą, niepewnością.
– *jedz!* – powtarzam – *ja żołądka nie mam, a zjadłam,*
więc ty też musisz – argumentuję bezsensownie.

i wracam do domu i nie umiem nie płakać.
Babcia B. mówi: *nie płacz, córcia. świata nie zbawisz.*

* * *

Powiedział kiedyś ktoś, czytając moje wiersze:
Ach, jak bardzo zazdroszczę pani przebywania w takim świecie!

Więc nad ogonkami po mięso i nad kurczęciem bladym
polatam, ach, polatam.

Nad szpitalem i dziennikiem telewizyjnym
polatam, ach, polatam.

Nad zwyrodnialstwem i gruboskórnością
polatam, ach, polatam.

Nad przyjaciółmi w więzieniu i nad głodówką w kościele
polatam, ach polatam.

Nad kłamstwem zadawanym prosto w oczy
polatam, ach, polatam.

Nad własnym swoim życiem na kulawym skrzydle
polatam, ach, polatam.

Julia Hartwig, *Na wyżynach*

* * *

smuci mnie ludzka zawiść przebijająca
przez niektóre komentarze.
zdumiewa mnie, szanowne trolle,
że zazdrościcie mi zbierania pieniędzy.
że komentujecie złośliwie mój wygląd – przecież
jestem chora, wyniszczona chorowaniem,
cierpiąca – nie piszę o tym, to tautologia.

bolą komentarze, w których staracie się być okrutni.
boli mnie wasza nieporadność, infantylność,
prymitywny tok myślenia.
boli brak znaków interpunkcyjnych, polskiej
czcionki, chaos szyku zdania.
ech.
nie dość, że mam beznadziejną chorobę, to i trolle żałosne.
przykro mi.

* * *

Zrób sobie trochę więcej miejsca, ludzkie zwierzę.
Nawet pies rozpycha się na kolanach pana, żeby poprawić
sobie legowisko, a kiedy trzeba mu przestrzeni, biegnie
naprzód, nie zwracając uwagi na przywoływania.
Jeśli nie udało ci się otrzymać wolności w podarunku,
żądaj jej tak samo odważnie jak mięsa i chleba.
Zrób sobie trochę więcej miejsca, dumo i godności człowiecza.

Julia Hartwig, *Mówiąc nie tylko do siebie*

PONIEDZIAŁEK 30 kwietnia 2012
Śnił mi się sen o trudnej do przekroczenia granicy,
a przekroczyłem ich sporo, na przekór strażnikom
państw i imperiów.

Ten sen nie miał sensu, bo właściwie był o tym,
że wszystko dobrze, dopóki do przekroczenia granicy
nie jesteśmy zmuszeni.

Po tej stronie zielony puszysty dywan,
a to są wierzchołki drzew tropikalnego lasu,
szybujemy nad nimi my, ptaki.

Po tamtej stronie żadnej rzeczy, którą moglibyśmy
zobaczyć, dotknąć, usłyszeć, posmakować.

Wybieramy się tam, ociągając się, niby emigranci
nie oczekujący szczęścia w dalekich krajach wygnania.

■| Czesław Miłosz, *Granica*

* * *

śniłam wczoraj o wojnie.
wierzyłam, że się uda.
walczyłam, strzelałam.
a potem widziałam wojska wroga –
jak zabierają *mój* teren.

taka prosta metafora.
banał.

CZWARTEK 10 maja 2012
– a poza tym zachowujecie się niewłaściwie – powiedział
Syn tonem mentora, przewróciwszy karcąco
oczami. *– w waszej sprzeczce o jajecznicę Wujek*
miał większą rację, a ty niepotrzebnie się upierałaś
przy swoim. mam nadzieję, że go przeprosiłaś?
– yyy... – burknęłam pod nosem zakłopotana.
Giancarlo spojrzał mi w oczy głębiej.
– a poza tym nie tylko to jest u was niestosowne – kontynuował.
zamarłam w oczekiwaniu na kolejną reprymendę.
– widziałem was u was w pościeli, jak
robicie seks – wyszeptał do ucha.
i dodał kwaśnym tonem *– jestem z tego powodu o-bu-*
rzo-ny. nie powinniście tak się zachowywać, to skandal.

– a jak wyglądał nasz seks? – zapytałam (wszelako
jak na razie jeszcze świadomie uczestniczę we własnym
życiu, również erotycznym, więc wiem, jakie są skutki
uboczne radioterapii i brachyterapii miednicy mniejszej).
Syn odparł zdegustowany: *leżeliście w łóżeczku
i Wujek ciebie całował.*

a fuj, ohyda!

PIĄTEK 11 maja 2012
gorąco.

wystawiliśmy z Synem, w cieniu kasztanów
i mirabelek, michę z wodą dla bezdomnych psów.
a potem pojechaliśmy puszczać latawca.
na koniec wieczoru odwiedziliśmy fontannę na rynku.
fontanna tryska pionowo strumieniami wieloma, robiąc
głośne chlap, chlap, gdy rozbija się o granitowe płyty.
Giancarlo biegał pomiędzy strumieniami,
zatykając dyszę raz jedną, raz drugą stopą.
w końcu postanowił działać szerzej i zaczął
stawać na dwóch otworach.
i wtedy oczywiście podstępnie chlusnęła na Niego
pod ciśnieniem woda z innych dziesięciu strumieni.
do domu wrócił więc kompletnie przemoczony.
*– nawet nie wiecie, jak ja się cieszę, że mam takich zwariowanych
rodziców, którzy pozwalają mi całe ubranie zmoczyć!* – wysapał
strudzony, walcząc przy zdejmowaniu mokrych skarpetek.

PONIEDZIAŁEK 14 maja 2012
*Zieleń liści klonów i kasztanów oglądana pod słońce jest
przezroczysta, staw wydaje się przy niej prawie czarny.
Przez ciemną kleistą powierzchnię wody widać poruszające
się cienie wielkich karpi o czerwonosrebrnych łuskach.
To jest ich promenada. Tu wiodą spokojne życie.
Nieznane im są niebezpieczne wyprawy płynących stadami*

łososi, nie domyślają się czystych wód górskich ani skoków
uradowanego pstrąga. Park jest jedyną znajomą im okolicą,
ich prowincją i rajem. Nie tęsknią za niczym innym.
Lepiej jednak być ostrożnym w osądzaniu cudzego szczęścia.

Julia Hartwig

WTOREK 15 maja 2012
dom cicho szemrze o sobie.
wsłuchuję się.
w tykanie kuchennego zegara.
w komputer Niemęża.
w tłumione chichoty Giancarla nad komiksem.
w swój oddech.
wdech – wydech. spokój – smutek.

jestem zmęczona.
bardzo zmęczona.

nie ma
mnie.
wyszłam
z siebie

＊ ＊ ＊

wdech – wydech.
wdech – wydech.
miłość.
Strach.

ŚRODA 16 maja 2012
za oknem chłodno, pada deszcz.
łąka miękkiej poszwy otula, ogrzewa i uspokaja.
wtulam głowę w poduszkę, zamykam oczy
i podróżuję w czasie i przestrzeni.
w piaskownicy układam kotlety z piasku na liściach
leszczyn i przypatruję się wędrówkom mrówek.
w Łebie, między przyczepą kempingową a przystawką,
odkrywam norkę polnych myszek.
w Mediolanie bawimy się z A. lalkami Barbie
i planujemy nasze dorosłe życie.

pstryk! jestem na studiach: za Ustrzykami, na szlaku,
godzinę po zmroku, boję się niedźwiedzia. mokra trawa
sięga po pas, na jabłonkach niewyraźnie czerwienią się
jabłuszka, zaś ruiny domków zarosły pokrzywami. a potem
gubimy szlak i wtedy boję się już wszystkiego.
w Cisnej wyglądam w lipcowy poranek z namiotu. w gęstej
mgle, przez bezkresne pole, wędruje dwóch kompletnie
pijanych miejscowych. niosą drzwi wejściowe.
w Augustowie jem lody na rynku. raz mając lat
osiemnaście, drugi raz – trzydzieści sześć. od pływania
po Krutyni kajakiem mam opalone ramiona i nos.
i kocham. każdym razem kocham do szaleństwa.
trwa włoska zima. nudzę się w biurze na Corso
Settembrini. na nogach mam dwunastocentymetrowe szpilki.
rzeźbię *report* i piję espresso, które roznosi po biurze tutejszy
„pan kanapka". przyglądam się z zadowoleniem swoim
pantofelkom. w Stegnie nie mam zasięgu na plaży,
a z Bielska wciąż dzwonią w sprawie dokumentacji.
w Rzymie leżę godzinę w hotelowej wannie.
z okna *bagno* mam widok na patio z glicyniami,
palmami i drzewami pomarańczowymi.
w Rzeszowie chce mi się spać. zapalam
papierosa, piję kolę i idę do kina.
w Siedlcach jestem w pracy. śmieję się do rozpuku
z księdza, który próbując mnie poderwać, przytrzaskuje
sobie palce drzwiami wystawowego samochodu.
w Zakopanem trwa kolorowa jesień. w strugach
deszczu pcham czerwoną spacerówkę nad
Morskie Oko. gdy wrócimy na kwaterę, pojadę
z Synkiem do Krakowa po nowy wózek.
w Lublinie jest gorące lato. oglądam śliczne studentki.
w Ełku pada śnieg, wszędzie biało, nawet jezdnia jest biała.
obwodnicy jeszcze nie ma, dopiero mają ją wybudować.
mijam salony dealerów, jadę dalej, do wędzarni ryb.
w Łodzi trwa brudna i ponura wiosna. wysłuchuję
uprzejmie bzdur o zarządzaniu i tęsknię do Synka.

w Mrągowie, w szmateksie, kupuję bluzę z kotkiem
i jeszcze drugą, z Różową Panterą.
i tak dalej.
i tak dalej.
i tak dalej.

jakie to fajne, móc przewijać taśmę i oglądać poprzednie życia.

SOBOTA 19 maja 2012
Syn wizytował dziś ulubioną koleżankę z czasów przedszkola.
udał się do Niej z bukietem konwalii, który fachowo
wręczył, wydobywając go zza pleców.
oceniam po rumieńcach na twarzach, brudnych dłoniach
oraz po stopniu upieprzenia ubrań, że bawili się doskonale.
– *mamo, co czujesz do mnie, gdy właśnie się dowiedziałaś,*
że kocham ze wzajemnością? jesteś zła, zdziwiona, zadowolona?

* * *

konwersujemy przy kolacji.
– *gdy dorosnę, chcę być taki jak mój ojczym.*
(tu robimy z Niemężem po sobie wymownego zeza).
Syn, po przełknięciu kanapki, kontynuuje myśl: *bo chcę*
się opiekować moją żoną, rozśmieszać ją, szykować
jedzenie dla niej i dbać o nią, gdy zachoruje.

obyś nie musiał.

* * *

leżymy wtuleni, objęci, przed snem.
głaszczemy się i szepczemy na różne tematy.
– *czy to prawda, że jak będę dorosły, zapomnę o tobie?*
– *nie, nie zapomnisz. dzieci nie zapominają swoich mam.*
– *a kiedyś powiedziałaś, że z czasem*
pamięć o każdym z nas zgaśnie.
– *pamięć zgaśnie, ale dopiero gdy umrą ci, którzy nas znali.*
– *to dobrze, że nie zapomnę. bo nie chciałbym.*

WTOREK 22 maja 2012
dziś nastąpiła historyczna chwila w naszym życiu.
po sześciu latach ziemniaków, klusek, kaszy i innych
takich sauté, podczas obiadu u Babci B. okazało się, że ryż
polany sosem z pieczonego kurczaka jest jadalny.
co więcej, jest smaczny.
a dokładniej – *czy mogę poprosić o polanie
jeszcze, bo ten sosik jest pyszny.*

kto zna to wzruszenie, dłoń do góry.

i tak cichutko sobie pomyślałam, że może jeszcze
zdążę nauczyć Go jeść i smakować tatara, bigos,
szpinak z czosnkiem, flaki i inne dorosłe potrawy.

ŚRODA 23 maja 2012
mam wrażenie, jakbym miała się rozsypać, więc
na wszelki wypadek unikam podnoszenia się z kanapy.
leżę więc czcigodnie z Viledą u mego boku i przyjmuję
składany mi przez Niemęża i Syna hołd tudzież
również jedzenie, napoje, zastrzyki, fiki-miki, całusy,
śmiechy i uśmiechy oraz raporty o zewnętrzu.
zakładam, że za stan rozwarstwienia odpowiedzialna
jest chemioterapia, radioterapia i brachyterapia.
wytrzymię to jakoś, muszę.

Niemąż wymyślił, że będzie mnie dokarmiał odżywkami
dla sportowców, albowiem niestety chudnę.
tłumaczę Mu, że na lato czeba schudnąć, by dobrze
wyglądać w kostiumie kąpielowym.
a On mi na to, że nawet jak przytyję dwadzieścia
kilogramów, nadal będę miała niedowagę.
aaa... co za elementarny brak zrozumienia
tendencji modowych...

* * *

po kilkunastu miesiącach przerwy odpaliliśmy
dziś diwidi, by obejrzeć *Avatar*.
świat przedstawiony zachwycił Syna, czego dowód wprost
stanowi – niezarejestrowane przez Jego mózg – wchłonięcie
podczas filmu siedmiu kanapek i połowy papryki.
(co do zasady jestem przeciwniczką jedzenia podczas
oglądania, ale tak rzadko oglądamy w domu filmy,
że postanowiłam odstąpić od pryncypiów).

fascynacja życiem Na'vi daje mi szansę zbudowania płaszczyzny
porozumienia, bo przy *Gwiezdnych wojnach* – mimo usilnych
starań – wymiękam. za dużo tam bohaterów, planet, broni.

PIĄTEK 25 maja 2012
wypchnęliśmy po południu Syna do Voldemorta,
zapewniając Go, że będzie się dobrze bawił, a jeśli
nie – może zawsze zadzwonić po nas; po czym
pojechaliśmy na spacer po dużym mieście.
Wróblowy Miły opowiadał cuda o knajpie
senegalskiej na Saskiej Kępie, więc zacumowaliśmy
tam na małe co nieco przed obiadem w domu.
zjedliśmy zupę krem z batatów.
podawana jest z odrobiną śmietany, kawałkiem limonki
i kawałkiem cienkiego placka, chyba pszennego.
pycha.
bataty, jak się okazuje, smakują i mają kolor jak
skrzyżowanie dyni, ziemniaka i marchewki.
do tej pory sądziłam, że są bardziej słodkie i mają bledszy kolor.
a może są różne odmiany batatów?
Niemąż zawiózł mnie też do serca stolicy, gdzie w MG
Eat wypiłam ciut caffè latte na mleku sojowym
i zjadłam kawałek kawałka obłędnie smacznej
jabłkowej tarty z chrupiącą bezą na wierzchu.

i przyglądałam się ludziom.
niesamowite, ilu ich jest i jak szybko się przemieszczają.

to był bardzo, bardzo męczący dzień.
i bardzo pozytywny – bo zjadłam nowe
potrawy, dałam radę trochę spacerować, nie
musieliśmy szukać w trybie natychmiastowym
samochodu / ławki / ubikacji / apteki / lekarza.

tak oto zmienia się punkt widzenia.
cóż, każdy odnosi sukces na miarę własnych możliwości.

SOBOTA 26 maja 2012
Vileda jednak umie miauczeć.
dała dziś niezły popis możliwości wokalnych u weta.
w ramach rekompensowania strat emocjonalnych
ofiarowaliśmy jej wędkę z myszką i fruwajkami.
zabawką na razie nie interesuje się, ale po kilku
godzinach ukrywania się w kartonie wyszła z niego
i zapolowała na ćmę, którą ułożyła nam na pościeli.
jak rozumiem, jesteśmy teraz kwita: wędka
za ćmę, a wizyta u weta poszła w niepamięć.

* * *

mamy taką grę z Niemężem, że do łykania chemii odciąga
mnie od niepotrzebnego skupiania się na tabletkach.
celem jest szybkie połknięcie, bo nadmiernym
myśleniem wywołuję odruch wymiotny.
staję więc przed Nim dwa razy dziennie z tabletkami
w jednej dłoni, kubkiem herbaty w drugiej i mówię np.:
opowiedz mi, jak to było, gdy musiałeś walczyć z UFO.
na co On mi np. odpowiada: *było trudno, musiałem przebić się
przez firewall, zewsząd atakowały mnie rozwścieczone selery* itd.
i tak zamiast myśleć o smrodzie tabletek,
słucham bzdur, śmieję się i tym samym
skracamy czas tabletkowego misterium.
hasło z dziś: *opowiedz mi, jak to było,
gdy w Wietnamie zobaczyłeś Japonkę.*
odpowiedź: *pomyliło ci się. to była Wietnamka w japonkach.*

WTOREK 29 maja 2012

podsumujmy sytuację.

dziś mamy szósty dzień jedenastego kursu chemioterapii.

na klatce piersiowej uwiła sobie gniazdo zmora i depcze mnie
w najmniej oczekiwanych chwilach. czuję jej ciężar właściwie
cały czas, ale szczególnie lubi dokuczać w trakcie posiłków.
wiążę ten ucisk z pogarszającą się – z powodu
chemioterapii – morfologią.

ważę 45,5 kg, schudłam w przeciągu półtora miesiąca dwa kilo.
powodów schudnięcia jest kilka: radioterapia, brachyterapia
z bonusami w postaci lewatyw i dwóch dni niejedzenia (przed
zabiegiem i po nim) oraz niekończąca się chemioterapia.

* * *

ostra faza popromienna trwa dwanaście
tygodni od zakończenia naświetlań.
po niej następuje przewlekła faza popromienna,
która trwa co najmniej rok.
specyfiką naświetlań jest to, że w trakcie ich
trwania nie odczuwa się skutków ubocznych.
przychodzą one z czasem i trwają miesiącami, latami.

mam wrażenie, że mam wszystkie możliwe skutki
uboczne, z zaburzeniami pamięci na czele.

* * *

dziś w porze wieczornego spaceru rozpadało się.

podobno ma padać przez kilka najbliższych dni.
oby.
może mi się upiecze i nie będę zmuszana do spacerów?

tylko niedobrze, że mam kalosze i sztormiak.
Niemąż może nie chcieć uwzględnić moich
obaw przed rozpuszczeniem się.

u Syna zrozumienia nie znajdę, bo On uwielbia
z nami spacerować – bez względu na pogodę.
aj, aj, aj.

w komentarzach do poprzedniego wpisu ktoś
napisał, że moje leczenie jest kancerogenne.
to prawda.

leczenie chemioterapią czy radioterapią ma tę właściwość,
że owszem – zabija nowotwór (o ile trafi się z leczeniem), ale
również powoduje nieodwracalne zmiany w organizmie, które
mogą potencjalnie być przyczyną rozwoju kolejnego nowotworu.
takie jest ryzyko.
ale prócz ryzyka są szanse – że zatrzyma chorobę.

rzecz jasna są też inne możliwości – np. leczenia alternatywnego.
jeśli ktoś wierzy w zbawienną moc ziarna
gorczycy w ranie pod kolanem, super.
jeśli ktoś wierzy w kurację wodą utlenioną, dietę
z *Antyraka*, akupunkturę, amigdalinę, pestki
moreli czy zastrzyki z witamin B – świetnie.
tę drogę każdy chory musi przejść sam, samodzielnie
dokonać wyboru metody leczenia – zgodnie ze swoimi
przekonaniami, wiedzą, wyobrażeniami.
ja wybrałam, tak jak wybrałam.
nie zamierzam pisać o alternatywnych metodach leczenia,
bo ani nie znam się na nich dobrze, ani w nie wierzę. jeśli
już, mogę wypowiedzieć się o wspomaganiu leczenia –
o suplementacji, diecie, badaniach dodatkowych.
a jeśli komuś pomógł bioenergoterapeuta spod Pszczyny, gratulacje.
mnie pomaga głaskanie przez Syna i zupa pomidorowa Babci B.

byłam dziś z moją świtą w Centrum Onkologii na badaniu
kontrolnym po teleradioterapii i brachyterapii.

po półtorej godzinie czytania gazet, rysowania
w telefonie oraz zgadywania, ile to jest dziewiętnaście
odjąć siedemnaście, nastąpiło badanie.
następna kontrola we wrześniu.

a tymczasem mam wykonać badanie obrazowe, żeby
sprawdzić, czy nie ma przerzutów w jakimś nowym miejscu.
bo w tym, w którym były, wydaje się, że już ich nie ma.

* * *

jestem powściągliwa z radowaniem się.
już raz – w styczniu 2011, po badaniu PET – cieszyłam
się nieprzytomnie, że jestem zdrowa.
ta choroba uczy pokory.
i tego, że choćby się chciało najmocniej
na świecie, nie można nad nią zapanować.
można starać się być jeden ruch do przodu, ale będą
to tylko nieporadne próby kontrolowania sytuacji.

obezwładniający strach przed zostawieniem
najbliższych będzie mi towarzyszył już zawsze.

ŚRODA 6 czerwca 2012
pewnej listopadowej nocy ubiegłego roku
wracałam samochodem z daleka.
lało okropnie, Syn – otulony kocykiem, z przytulanką
w łapie – spał w foteliku z rozdziapionym
buziakiem, a ja słuchałam radia Merkury.
i usłyszałam piosenkę, która mnie zniewoliła.

Claudja Barry, *Love for the sake of love*

* * *

Na wieży furgotał blaszany kogucik
na drugiej – zegar nucił.
Mur fal i chmur popękał

w złote okienka:
gwiazdy, lampy.

Lublin nad łąką przysiadł.
Sam był –
i cisza.

Dokoła
pagórków koła,
dymiąca czarnoziemu połać.

Mgły nad sadami czarnemi.
Znad łąki mgły.
Zamknęły się oczy ziemi
powiekami z mgły.

Józef Czechowicz, *Poemat o mieście Lublinie*

PIĄTEK 8 czerwca 2012
Waligórzanki, żeńska fauna
jak łoskot beczek nagie.
Gnieżdżą się w stratowanych łożach,
śpią z otwartymi do piania ustami.
Źrenice ich uciekły w głąb
i penetrują do wnętrza gruczołów,
z których się drożdże sączą w krew.

Córy baroku. Tyje ciasto w dzieży,
parują łaźnie, rumienią się wina,
cwałują niebem prosięta obłoków,
rżą trąby na fizyczny alarm.

O rozdynione, o nadmierne
i podwojone odrzuceniem szaty,
i potrojone gwałtownością pozy
tłuste dania miłosne!

Ich chude siostry wstały wcześniej,
zanim się rozwidniło na obrazie.
I nikt nie widział, jak gęsiego szły
po nie zamalowanej stronie płótna.

Wygnanki stylu. Żebra przeliczone,
ptasia natura stóp i dłoni.
Na sterczących łopatkach próbują ulecieć.

Trzynasty wiek dałby im złote tło.
Dwudziesty – dałby ekran srebrny.
Ten siedemnasty nic dla płaskich nie ma.

Albowiem nawet niebo jest wypukłe,
wypukli aniołowie i wypukły bóg –
Febus wąsaty, który na spoconym
rumaku wjeżdża do wrzącej alkowy.

Wisława Szymborska, *Kobiety Rubensa*

* * *

przytyłam.
ważę już 47 kg.
plan do końca roku – przytyć do 50 kg.

SOBOTA 9 czerwca 2012
dziś „okrągła" data.
od 26 miesięcy jestem chora.

NIEDZIELA 10 czerwca 2012
a czasem jest tak, że jest mi bardzo, bardzo smutno.
bez przyczyny.

depresji nie mam, bo jem, śpię, działam.
nie płaczę, nie mam niedobrych myśli.
tylko jest mi

smuuuuuuuuuuuuuuuuuuuuuuuuuuuuuuuu
uuuuuuuuuuuuuuuuuuuuuuuuuutno...

* * *

zauważyłam, że regularnie pod koniec trzeciego tygodnia
kursu TS-1 dopada mnie właśnie taki smuteczek.
czy ktoś, kto brał / bierze xelodę, zauważył u siebie coś podobnego?
czy to możliwe wyjaśnienie, że 5-FU ma takie działanie?

PONIEDZIAŁEK 11 czerwca 2012
Vileda, czyli Kudłata Kota, jest chora.
a było to tak:
w czwartek sądziliśmy, że ma ciekawsze sprawy
do załatwiania niż kontakty z nami.
w piątek uznaliśmy, że ma focha i dlatego leży przy kuchennym
oknie, za donicami, mimetyzując się z lastrikowym parapetem.
w sobotę obmyśliliśmy, że chyba jest chora, bo mimo awansów,
łakoci, merdania wędką i szeleszczenia folijką unika nas.
w niedzielę nabraliśmy pewności, że jest chora.
dziś – w poniedziałek – byliśmy u weta.

przy wkładaniu do transportera słówkiem nie zaprotestowała.
jęknęła żałośnie u weta, gdy ją wziął na ręce.
potem drugi raz się poskarżyła, gdy wbił
jej w karczek igłę od kroplówki.

nawodniliśmy ją.
a jutro rano, na czczo, wracamy do weta, robić jej badanie krwi.
węzły chłonne ma bardzo powiększone.
ja wiem, to tylko kot.
kotów są tysiące.
i co z tego.

WTOREK 12 czerwca 2012
więc jest tak:
ma podwyższony poziom leukocytów.

z wońtrupką i nerkami wszystko OK.
być może ma jakąś infekcję, a być może wysiadła jej psyche.

najpierw poleczymy ją na wirusa tudzież pasożyta.
jeśli to nie pomoże, będziemy leczyli ją psychotropami.

zapytałam, czy może jej pomóc towarzystwo innego kota.
albo wychodzenie na spacery.
że może potrzebuje więcej bodźców, bo może się nudzi.
że może z nudów dostała kota.
– *najpierw poleczymy ją pod kątem infekcji. później*
popracujemy behawioralnie – powiedział pan wet.
no dopsz.

postanowiłam jednak trochę jej pomóc na własną rękę.
na mnie, na Syna, na Niemęża ten sposób
działa, więc przez przeniesienie – powinnam
dać radę tą metodą pomóc Viluni.
upiekłam jej maleńki kawalątek łososia.
czeka na nią w miseczce.
zobaczymy rano, czy zniknie.

a na razie kota schowała się u Syna w pokoju
i spoziera na nas – z dużą rezerwą – zza zasłon.

* * *

jestem tak potwornie zmęczona, że gdyby nie
obecność Niemęża, dom przestałby funkcjonować.
śpię z krótkimi przerwami na jedzenie.
gdy jeździłam do Wieliszewa na wlewy dożylne,
podziwiałam ludzi, którzy byli w szpitalu sami.
wiem, że nie każdy ma taki luksus, żeby mieć
przy sobie bliskiego, który otuli kocykiem,
zaparzy herbatę, zrobi zakupy.
czasami tak się życie ułoży – niezależnie
od nas – że jest się samemu.

i z perspektywy łóżka, gdy widzę na horyzoncie Niemęża
rozmrażającego lodówkę, myślę, że trzeba niesamowitej
siły, by samotnie radzić sobie z codziennością w chorobie.

reszta niech będzie milczeniem.

ŚRODA 13 czerwca 2012

Vileda zdecydowanie w lepszej formie. nawet
zechciała trochę z nami pogadać, pobawić się.
za to ja – w beznadziejnej.
samowolnie skończyłam branie glonosmrodnych tabletek dzisiaj,
czyli dzień przed planowanym zakończeniem kursu.
nie daję już rady. od tygodnia mam odruch wymiotny
jak stąd na Kamczatkę, jest mi melodramatycznie
smutno i tragicznie żałośnie.
nawet upieczenie na kolację tarty z brokułami,
pomidorami, żółtym serem i szynką nie pomogło.
mimo mlaskań i pochwał moich panów nadal mam ochotę
popełnić spektakularne samobójstwo nożem do strugania warzyw.

idę nażreć się czekolady.

WTOREK 19 czerwca 2012

gdy po chemii odrosły mi włosy, postanowiłam,
że nic z nimi nie będę robiła.
potem zdecydowałam się wrócić do platynowej blondynki.
albo ostrzyc się na zapałkę, bo bardzo lubiłam
siebie w milimetrowym jeżu.
w związku z powyższym kupiłam w hurtowni
fryzjerskiej tubę płomiennej rudości.

* * *

Niemąż zatargał mnie dziś na siłownię.
pod Jego czujnym okiem przeszłam
na stepperze i na bieżni dwa km!
poćwiczyłam też trochę nogi i pośladki, trochę ręce, trochę plecy.

brzucha oczywiście nie ruszamy – bo pocięty po operacjach.
no i jeszcze nie wiemy, co i gdzie w nim mieszka.

zdecydowałam się chodzić na siłownię, bo uznałam, że jeśli
mam odrobinę więcej siły, powinnam popracować nad masą.
główne powody to takie, że nie wiem, co przede
mną – czy będę mogła / musiała operować się, czy będę
musiała zmienić chemioterapię na rzygogenną.
każda z tych opcji spowoduje utratę kolejnych kilogramów –
lepiej więc spróbować trochę się wzmocnić i utuczyć.

poza tym irytuje mnie, gdy moja Pani Zosia, Najdelikatniejsza
Pielęgniarka na Świecie, nerwowo szuka mięśnia
pośladkowego, by móc wbić igłę z witaminą B12.

CZWARTEK 21 czerwca 2012
dziś nie byłam na siłce.
ale na spacerze zrobiliśmy 2 km.

bardzo, bardzo lubię spacerować z moimi chłopakami.
już zapomniałam, jakie to cudowne uczucie móc chodzić.
tyle wspaniałych rzeczy może się zdarzyć podczas spaceru,
tyle można obejrzeć, o tylu sprawach pogadać...
cudowne uczucie!

pomyślałam dziś nieśmiało, że skoro daję radę chodzić (miałam z tym
znaczne trudności, bo przed radioterapią bardzo bolały mnie chore
miejsca), może udałoby się nam pojechać w Bieszczady albo w Tatry?
marzę o jesiennym spacerze po górach.

SOBOTA 23 czerwca 2012
hej, Meg...

żegnam Magdę.

do zobaczenia, Paniusiu.

PONIEDZIAŁEK 25 czerwca 2012
w nocy z soboty na niedzielę przyśniła mi się Magda.

czekałam w poczekalni jakiegoś szpitala na badanie.
nie byłam pewna, czy chcę się zbadać.
spojrzałam na osobę siedzącą obok mnie, to była Ona.
powiedziała: *pamiętaj, masz się badać i nie bać się.*
wstałam, żeby wejść do gabinetu.
odwróciłam się w Jej stronę.
Magda popatrzyła na mnie uważnie i powiedziała:
u mnie wszystko dobrze, nie martw się.

PIĄTEK 29 czerwca 2012
jestem z nas dumna.
Syn zdał do następnej klasy, a ja dożyłam
do pierwszego zakończenia roku.

chwilo, trwaj.

WTOREK 17 lipca 2012

dziś zostałam odarta ze złudzeń: panowie jeżdżą
na grzyby tylko ze względu na mnie.
albowiem.
na początku dzisiejszej wycieczki po leśne runo
nie zbierali grzybów, bo wcinali kanapki.
potem – nie zbierali, bo zapijali kanapki.
następnie nie zbierali, bo:
– pan większy konwersował przez komórkę
(przeklęty niech będzie pięciokreskowy zasięg
w środku lasu) i był nosicielem oprowiantowania,
– pan mniejszy zatopił się w e-książce, której odsłuchiwanie
przerywał wysokimi piskami z powodów pajęczynowych.
w końcu większemu skończyła się lista kontaktów
do obdzwonienia, a mniejszemu – bateria w ajpodzie.
i wtedy zostałam ugodzona w serce.
możemy już wracać?
nie ma tu nic do roboty.
mamo, nudno tu, nie zabrałem książki do czytania, została w aucie.
długo jeszcze będziesz zbierała te grzyby?
musisz zbierać WSZYSTKIE, które znajdujesz?
blada jesteś, dobrze się czujesz?
deszcz kropi, nie widzisz?
czy ty wiesz, która jest godzina? ile można tak chodzić?
nie powinnaś odpocząć?
chyba pora na lek przeciwbólowy?
komary cię nie jedzą?
nie jesteś zmęczona?
może sprawdzisz, czy rosną grzyby przy samochodzie?
czy wiesz, że w sklepie koło nas tacka kurek jest po sześć zeta?

ŚRODA 18 lipca 2012

zrobiłam dziś rezonans magnetyczny jamy
brzusznej i miednicy mniejszej.
mam już opis badania.
i nie wiem, co o tym myśleć.

sytuacja jest bez zmian – nie ma ani
postępu choroby, ani wycofania.
jest tak samo, jak było rok temu.

można uznać za sukces, że udało się opanować rakelcię.
bo ani nie pogalopowała po innych częściach ciała,
ani nie rozpanoszyła się bardziej tam, gdzie jest.
z drugiej jednak strony, skoro nic się nie zmieniło,
po co było się męczyć chemioterapiami, naświetlaniami.
może bez leczenia na jedno by wyszło?

PONIEDZIAŁEK 23 lipca 2012
zimno mi.
nie założę tych skarpet, są za ciepłe.
nie dawaj mi koca, wolę polar.
przykryjesz mnie? marznę.
spociłam się. podasz drugą koszulkę? tej nie dawaj, za gruba.

zrobisz herbatę?
chce mi się jeść. zjadłabym kajzerkę z oliwą.
obrzydliwa ta bułka.
chcę sera.
ten ser śmierdzi, nie ruszę go.
dlaczego obrałeś pomidora ze skórki?
nie zjem tartego jabłka.
wstrętny ciepły jogurt; wyczuwam w nim proszek odżywki.
nie chcę lodów, wolę sorbet.
kupisz mi pączka z powidłami różanymi?
zrobisz caffè latte z cynamonem?
za słodka ta kasza manna.

boli mnie.
nie wzięłam kropelek, bo pomyślałam,
że może nie będzie boleć.
kropelki z wodą cytrynową śmierdzą.
nie chcę zapijać kropelek kompotem, wolę herbatę.

ale gorąca herbata, parzy.
ostudzona herbata jest ohydna.

pomasuj, może przestanie boleć.
nie masuj, po co.
a pomasujesz trochę wyżej?
a możesz masować niżej?
rób mi tak. albo nie, przestań już, już nie rób.
łaskoczesz. nie łaskocz.

nic mi nie jest! sama pojadę do lekarza, źle się czuję.
pojedziesz ze mną do sklepu? bo nie daję rady
pchać wózka z zakupami.
nie nieś zakupów, sama wniosę zakupy.
nie opiekuj się mną, nie jestem dzieckiem.
nie wiem, gdzie są klucze od domu. zapomniałam, gdzie je położyłam.
chyba zgubiłam telefon, widziałeś go gdzieś?
nie spakowałam kropelek, zabrałeś je może?
nie mam portfela, nie wiem, gdzie jest.

zatkałam się jedzeniem, postukasz w plecy?
już nie stukaj, teraz boli od stukania.
a możesz nie przestawać stukać?
w sumie wolałabym, żebyś nie stukał, tylko uciskał.
mocniej uciśnij! a możesz trochę lżej, możesz tak nie ściskać?
jak masz robić tak delikatnie, to może tylko głaszcz.

wezmę gorący prysznic. nie, wcale od niego nie słabnę.
pomożesz mi wyjść z wanny? w głowie mi się kręci.
wytrzesz mnie i zaniesiesz do łóżka? jakoś słabo mi.
siku mi się chce, zostań w łazience.
będę robiła siku, wyjdziesz z łazienki?
teraz jest dziś popołudnie, czy jutro rano?
dlaczego ja tyle spałam?
już nie mogę spać, wstałabym, ale nie daję rady.
opowiedz mi coś przed snem.

przytul. pogłaszcz. schowaj.
zrób coś ze mną. nie chcę płakać. porozśmieszaj mnie.
a mogę siedzieć ci na kolanach, gdy pracujesz?
nie pracuj, chodź na spacer do lasu.
itp., itd...

patrzę i podziwiam.
i zastanawiam się.

ile jeszcze zniesie.
ile wytrzyma.

WTOREK 24 lipca 2012
Giancarla fascynują nastolatki – tajemniczy zbiór obejmujący
bliżej niesprecyzowane byty, które mogą. więcej i bardziej.
wolno im wagarować, palić papierosy, pić piwo, głośno mówić
kurwa i – co najstraszniejsze i niepojęte – nie słuchać rodziców.

tym razem do odpowiedzi został wezwany Niemąż.
– jak sądzisz, a jakim ja będę nastolatkiem? czy
to prawda, że gdy już będę nastolatkiem, nie
będę się was słuchał? – Syn drąży temat.
Syn słucha Niemęża w skupieniu, a we mnie narasta
dławiąca wściekłość, że nie dożyję tego czasu.
a tak bym chciała.
głupieć z Nim na motyle w brzuchu z zakochania.
czytać de Mello, *Buszującego w zbożu,*
Pieśń nad Pieśniami, Stachurę.
ochrzaniać za bałagan w pokoju.
pić razem wino.
słuchać Jego muzyki.
odbierać z imprez w środku nocy.
kupić Mu pierwszą maszynkę do golenia.
podrzucić do portfela prezerwatywy.

★ ★ ★

a tymczasem Giancarlo jest już drugoklasistą.
przez ostatni rok zdobył albo doszlifował szereg umiejętności.
sam chodzi do sklepu pod domem po sprawunki (dzierżąc
własnoręcznie przygotowaną listę zakupów).
nadal lubi pomagać nam w pracach domowych: nastawiać
pralkę, rozwieszać i zbierać pranie, odkurzać, zamiatać.
ponadto: samodzielnie usmaży kotlety (robiąc przy tym
nieludzki syfilis w całej kuchni), obierze marchewkę
czy cukinię nożem szczelinowym, umyje owoce
na durszlaku, zmiksuje blenderem tamto i owamto,
sam przygotuje sałatkę z pomidorów i ogórków,
zrobi kanapkę z nutellą albo żółtym serem.

hej, przyszła Połówko Syna, staram się!

ŚRODA 25 lipca 2012
*– mamo, a czy ludzie, tak jak zwierzęta, gdy się
kochają żeby mieć dziecko, muszą być nago?*
– muszą nie mieć na sobie majtek.
– och, to całe szczęście.
– dlaczego?
– powiem szczerze: gołe piersi są obrzydliwe.

* * *

przeglądamy album o historii sztuki europejskiej
*– mamo, dlaczego tak wiele jest obrazów z nagimi
ludźmi? nie ładniej byłoby malować ubranych?*

* * *

*– nie wyjdę z tobą na dwór, jeśli będziesz w tej
bluzce. za duży masz dekolt, za dużo widać.*
– ale ja prawie nie mam biustu, więc nic nie widać, przestań.
*– ale jak się schylisz, to widać. zasłoń się chustką,
bo nigdzie z tobą nie wyjdę.*

no proszę.
już wiem, do czego przyda się chustka.

CZWARTEK 26 lipca 2012
dawniej uważałam, że spanie w dzień
to karygodne marnotrawstwo czasu.
im dłużej choruję, tym bardziej lubię spać.
teraz, w wyniku skutków ubocznych leków
przeciwbólowych, śpię przez większą część doby.

spanie jest takie emocjonujące!
uwielbiam przytulać się przez sen do moich chłopaków.
i śni mi się tyle ciekawych historii!
ponadto nigdy nie wiem, kiedy się obudzę –
czy za godzinę, czy za dziesięć.
gdy budzę się, nadal mam zamknięte oczy. po dźwiękach
i zapachach próbuję rozpoznać porę dnia, odgadnąć godzinę.
słyszę skok z jęknięciem – znaczy się jest noc. samozwańcza
masażystka Vileda przyszła mnie potuptać.
jeśli raptem Niemąż przerywa plumkanie w klawiaturę
i wybiega z pokoju, szepcząc: *proszę chwilkę*
poczekać – jest dzień, właśnie zadzwonił klient.
koło jedenastej rano budzi mnie trzaśnięcie
drzwiami – Syn wrócił z wyprawy po kajzerki.
po chwili poczuję zapach gotowanego mleka, a potem
dostanę do łóżka caffè latte o zapachu cynamonu.
jeśli w tle gra ulubione radio internetowe, a na poduszce
obok Syn gra na iksboksie albo słucha audioksiążki
i głaszcze mnie po plecach, to znaczy, że jest popołudnie.
jeśli obudzą mnie złorzeczenia i zniecierpliwione okrzyki
Syna – jest wieczór. Vileda dostała kociokwiku i biega
po całym domu, ze szczególnym uwzględnieniem pokoju
Giancarla, gdzie rozwala konstrukcje z klocków Lego.
koło dziewiątej wieczorem usłyszę przejmujące narzekanie
z kuchni *maaaa... maaaa...* i pocieszanie *już, już, poczekaj*
chwilkę... to kocica opowiada Niemężowi szykującemu
nam kolację o swoim bardzo, bardzo głodnym brzuszku.

ciekawe, co dziś się wydarzy.

wstałam właśnie z katafalku napisać kilka słów na blogasiu.

wczoraj w nocy – po raz drugi w przeciągu tygodnia –
napadła mnie i całkowicie unieruchomiła rwa kulszowa.
przez całą noc Niemąż próbował czynić cuda, aplikując
mi różne leki przeciwbólowe oraz starając się rozmasować
mięśnie i ułożyć mnie do snu. ja zaś na zmianę: fukałam
na Niego, płakałam oraz wymiotowałam z bólu.
w końcu zdrzemnęłam się zamulona środkami
przeciwbólowymi.
rano zaprowadziliśmy rwę do doktorów i zrobiliśmy jej zdjęcia.

* * *

do tej pory – jak pamiętacie – zastrzyki z witaminy
robiła Wspaniała Pielęgniarka Pani Zosia.
od dziś zdecydowałam o zmianie: Głównym
Zastrzykowym mianowałam Niemęża.
otóż dziś Niemąż zaaplikował rwie kulszowej
solidny zastrzyk z witaminy B12.
nie dość, że zastrzyk nic nie bolał, to w trakcie robienia
go Niemąż łaskotał i smyrał mnie, jednocześnie zachwycając się
wybitną urodą i niekwestionowanym wdziękiem moich pleców.

* * *

a jak chorować, to z rozmachem.
prócz wizyt w przychodniach i szpitalach
nie ruszyłam się z łóżka.
pan duży sam przygotował obiad, a pan
mały sam nakrył do stołu.
a ja jadłam w pościeli!
i podczas jedzenia oglądaliśmy film!
było super.
i nic mnie nie bolało!

i tylko raz się porzygałam. ale za to prosto do talerza.

NIEDZIELA 29 lipca 2012
noc, dzień.
dzień, noc.

nie jest łatwo.
nie
jest
łatwo.

* * *

– super masujesz.
– bo ja jestem supermasowym masonem.
– wiesz, twoje dłonie przynoszą mi ulgę.
– wiem, ja mam takie ręce. bilety w moich rękach mają tak samo.
– a może zamiast podawać leki przez całą dobę i co chwila
masować, skoczyłbyś mi na stopę całym ciężarem ciała?
wówczas z miejsca rozwiążemy kwestię bólu jelit i mięśni.

* * *

chciałabym, żeby w pewną wietrzną noc
przywiała się z pomocą Marry Poppins.
och, oczywiście zaraz potem napiszę o tym na blogu!
albo – jeśli nie ma możliwości na Marry Poppins – ustalmy
już dziś, że w przyszłym wcieleniu urodzimy się jesiotrami.
będziemy pływali w rzece.
i nic ponadto.

PONIEDZIAŁEK 30 lipca 2012
jestem.
ledwo ciepła, ale jestem.

ŚRODA 1 sierpnia 2012
dziś rocznica Powstania.

dwie blogoczytaczki, shadow i Panistarsza, zadziałały
w zmowie i wepchnęły mnie dziś na wizytę w Centrum

Onkologii do poradni przeciwbólowej.
moje miłe Panie, jesteście wspaniałe.
dziękuję Wam za pomoc.

shadow – bardzo podziękuj, proszę, Twojej Mamie.
shadowowa Mamo, dziękuję raz jeszcze!
jest tak: mam leki na różowe recepty i swojego
własnego przeciwbólowego doktora.

teraz muszę zebrać myśli i zastanowić się, co dalej.

poczebuję ogarnąć kilka spraw.
1. nie do końca zgadzam się z zaleceniami doktora
Antybóla. zamiast leków przeciwbólowych wolałabym
rozkurczowe – po poniedziałkowej nocy w szpitalu wiem,
że ból ustępuje po pyralginie, więc po co mi morfina?
2. muszę zapanować nad wymiotami i przewodem
pokarmowym krwawiącym z powodu ibuprofenu.
3. muszę znaleźć sposób żywienia się, przy uwzględnieniu
diety bezresztkowej i zapierającego działania tramadolu.
4. muszę się podkarmić. przez upał, dolegliwości bólowe
i wiele kłopotów z rurą od jedzenia znowu schudłam.
przede wszystkim jutro zrobię morfologię – wtedy dowiem
się, jak bardzo jestem; wówczas zaplanuję następne kroki.
pewnie będę musiała położyć się do szpitala na dokarmianie.

PIĄTEK 3 sierpnia 2012
z lubością patrzę na Nich.
jak jedzą, piją.
jak są.
pogodni, energiczni, troskliwi, silni.
wsysam Ich życia.

* * *

rozgrzany zabawą Syn przybiega do łóżka.
– *mamuniu, słyszałem. ty płaczesz?*

kładzie się koło mnie, chwyta łapką moją dłoń i szepcze: *mamuniu, kocham cię, kocham cię bardzo, nie płacz, wszystko będzie dobrze.*
a potem, jeśli jestem w stanie słuchać, snuje wymyślone historie.
przytulam się do Niego, wącham i gładzę Go, słucham
bicia serca, przyglądam się mimice, gestom.
wyczuwam tuż pod powierzchnią jędrnej, lekko spoconej
skóry krążące pytania, zdumienia, olśnienia.
Jego ciało tętni życiem, radością, ciekawością.

* * *

jest bardzo byle jak.
postawiłam sobie granicę – tydzień.
muszę się odłapać do piątku.

NIEDZIELA 5 sierpnia 2012
Niemąż – pod pozorem konieczności kupienia sobie
koszuli – wyprowadził mnie po południu na dwór.
dostałam piękną pomarańczową chustę
z chwościkami i piaskowe sindbadki.

* * *

przeczytałam dziś Synowi na dobranoc
pierwszy rozdział *Pippi Pończoszanki.*
książka o dziewczynce, której zmarła mama i zaginął na morzu
tato, nie jest, zdaje się, stosowną lekturą w tym czasie.

* * *

po czterech dniach brania oksykodonu stwierdzam,
że dawka 10 mg nie działa na mój ból – muszę
poprawiać tabletkami z morfiną.

irytuje mnie senność, którą wywołują te leki.
no nic, podobno to minie.

a tymczasem wracam spać.

WTOREK 7 sierpnia 2012
zwiększyłam dawkę oksykodonu do 20 mg na dobę.

* * *

dopytałam się w Centrum Onkologii,
czy istniałaby możliwość dosmażenia się.
nic z tego.
dalsze smażenie nie jest możliwe, bo dziurę bym w sobie wypaliła.

ŚRODA 8 sierpnia 2012
zrobiłam rezonans kręgosłupa.
nie ma przerzutów.

CZWARTEK 9 sierpnia 2012
20 mg oksykodonu na dobę to jednak za mało, żeby
nie czuć bólu – cały czas muszę doraźnie co kilka
godzin niwelować ból tabletką pod język.
całodobowa senność, czyli główny skutek
uboczny morfiny, prawie już ustąpiła.
nad poprawą samopoczucia układu pokarmowego pracuje
Niemąż – karmiąc przepiórczymi jajami po wiedeńsku
oraz pojąc płynnym glutem z siemienia lnianego.
inne słabo działające układy wymagają konsultacji z ludźmi w białych
fartuchach, czym zajmę się w następnym odcinku, czyli jutro.

podsumowując:
postanowiłam tydzień temu, że w tydzień się ogarnę i wstanę.
dziś postanowiłam, że uda się słowa dotrzymać.

PIĄTEK 10 sierpnia 2012
brak kontroli nad własnym ciałem doprowadza mnie do rozpaczy.
walka z jedzeniem, trawieniem, defekacją, mikcją – wkurwia do łez.
ból, bezradność, cierpienie upokarzają i niszczą.
dzięki bezgranicznej determinacji Niemęża w opiece nade
mną, dzięki poradom mojej Mamy udało się – oto podnoszę
się z nieplanowanej podróży do krańców wytrzymałości.

udało się.
udało się.

* * *

zwiększyłam dawkę oksykodonu do 30 mg.
a Ulubiony Doktorek dał dziś skierowanie na PET.

bitwa trwa.

SOBOTA 11 sierpnia 2012
od:
Joanna
do:
Radek
sala nr 6, V piętro

cześć, Radku :)

przyjaciel poprosił, żebym napisała do Ciebie list na blogu.
nie znamy się, więc list będzie bardzo ogólny.
mam nadzieję, że się nie pogniewasz – będę się do Ciebie
zwracała bezpośrednio, mimo że dzieli nas pokolenie –
masz siedemnaście lat, a ja – trzydzieści sześć.

zaczynamy!

słyszałam, że walczysz. super!
czy wiesz, że każda chwila spędzona w szpitalu
przybliża Cię do wyjścia z niego?
chodzi mi o to, że im więcej czasu spędzasz
na leczeniu, tym bliższe jest zaleczenie.
fajne, prawda?

a czy zastanawiałeś się nad tym, dlaczego zachorowałeś?
wiele razy szukałam odpowiedzi na pytanie,
dlaczego akurat ja jestem chora.

doszłam do wniosku, że nie istnieje na to pytanie
właściwa odpowiedź. tak miało być. i już.
ale kto wie... może właśnie Ty zostaniesz
polskim Oscarem Pistoriusem?

niewiele osób wie o tym, że choroba otwiera
ciekawe możliwości życiowe.
a dokładnie: choroba zmienia te możliwości.
jeśli bylibyśmy zdrowi, nasze życie byłoby
pewnie tak zwyczajne jak innych zdrowych.
ale nie jesteśmy i nie będziemy, więc nie
ma nad czym się zastanawiać.
czyli: jesteśmy chorzy, więc musimy ułożyć sobie
zwyczajne, normalne życie... z chorobą.
to takie wyzwanie, szczyt do zdobycia.

à propos: kilka dni temu otrzymałam
esemesa od serdecznej znajomej.
napisała, że jest właśnie wysoko w Tatrach na szlaku
i właśnie poznała wysportowanego, przystojnego
i atrakcyjnego mężczyznę. pan – mimo braku nogi –
promieniał radością i energią, był zabawny i czarujący.

Radku,
chciałam Ci napisać, że życie z chorobą
jest inne od życia bez choroby.
ale to nie znaczy, że jest gorsze albo złe!
przede wszystkim życie z chorobą jest
inne – głównie bardziej skomplikowane.
ale popatrz na niektórych zdrowych: bez choroby
mają nieźle skomplikowane życie, zauważyłeś to?

a jeśli będziesz miał czas i ochotę, przeczytaj
artykuł o pani, która ma córkę z zespołem
Downa, ale postanowiła, że córka będzie wiodła
zwyczajne życie; tak normalne jak tylko się da.

a teraz: dobranoc.
mam nadzieję, że nie zanudziłam Cię moim listem.
dopiszę jeszcze coś oczywistego: podziwiam
Cię bardzo, Twoją waleczność i siłę.
walcz dalej.
trzymaj się.
czekam na dalsze wieści od Ciebie.

pozdrawiam bardzo serdecznie,
Joanna

NIEDZIELA 12 sierpnia 2012
Niemąż wyprowadził mnie dziś
na dwugodzinny spacer na grzyby.
pełzłam opakowana szczelnie w bluzy i kurtki, kaptur
na głowie, noga w getrach, powolutku, nawadniając
kubkotermosem moją suchą chudość.
z ogromnym trudem, ale dałam radę.
było wspaniale!
zebraliśmy garść kurek, znaleźliśmy potężny kopiec
mrówek, lisią norę, a przy niej – duużo ptasich piór. ponadto
widzieliśmy: dużego granatowego żuka (*mamo, on wygląda
jak żółwik!*) oraz zielono-brązową żabkę (*nie idźcie tędy, ona
tu gdzieś skoczyła, żebyście jej nie podeptali, ja was proszę*).

trzydzieści mg oksykodonu na dobę, no-spa co sześć
godzin, morfina w razie potrzeby „na ząb" (a właściwie –
pod język) oraz kilka innych leków regulujących
i wspomagających działanie naświetlonych części
ciała czynią cuda – jestem w stanie funkcjonować.

– *mamo, jak ja lubię, gdy się śmiejesz!*

PONIEDZIAŁEK 13 sierpnia 2012
co jakiś czas głędzę Wam o badaniu się, czyli o dbaniu o siebie.
dziś będzie znowu ten dzień.

miłe Czytaczki, mili Czytacze,
jeśli coś Was niepokoi, boli, dokucza – nie czekajcie, aż dolegliwości
miną same – idźcie do specjalisty, ponieważ odwlekanie
wizyty u lekarza nie rozwiąże samoistnie problemu.
ponadto przypominam o istnieniu badań kontrolnych, czyli:
kontaktujemy się ze służbą zdrowia nie tylko wtedy, gdy już coś
nas boli. działamy również prewencyjnie oraz zwiadowczo.
dodam, że dbanie o zdrowie nie jest fanaberią
ani nie świadczy o hipochondrii.

a teraz pytania pomocnicze do spowiedzi.
kiedy byłyście na cytologii? a na mammografii? czy
pamiętacie, aby sprawdzać sobie piersi? wiecie, jak to robić?
co ze zleconymi gastroskopiami, kolonoskopiami?
dyskretnie zgubiliście skierowania?
kiedy ostatni raz robiliście badanie krwi?
a badaliście, ile macie „złego" cholesterolu?
kiedy badaliście mocz?
jak się miewa prostata?
byliście z „podejrzanymi" pieprzykami u dermatologa?
zęby połatane?
kiedy byliście u okulisty? nosicie przepisane okulary?
przestrzegacie, choć trochę, diety?

ŚRODA 15 sierpnia 2012
zwiększyłam oksykodon do 80 mg
na dobę, bolicoś już prawie-prawie nie boli.
może nie trzeba będzie dokładać doraźnie sevredolu?

* * *

więc u nas w sumie wszystko dobrze.
trwamy wtuleni w siebie.
głowa przy głowie, dłoń w dłoni.
niezwykle krucha równowaga, ale jest.

a co u Was słychać dobrego?

staram się kontrolować, co jem.
czytam więc uważnie informacje o zawartości, pochodzeniu,
dacie produkcji; szukam terminu przydatności
do spożycia, podstępnie robię dziurki w folii i na nos
sprawdzam świeżość surowego mięsa, przebieram owoce
i warzywa – unikając tych konfekcjonowanych, nie kupuję
jedzenia lajt, unikam półproduktów, wybieram jaja „o",
staram się kupować polskie artykuły itede, itepe.

w dziale wędliniarsko-mięsnym spędzam godziny
na sylabizowaniu rozmazanych etykiet, ponieważ żyję
nadzieją, że któregoś dnia, ku mojemu zdumieniu, wśród
osiemdziesięcio- czy dziewięćdziesięcioprocentowych
kiełbas, szynek i pasztetów znajdę stuprocentową wędlinę.
jak na razie nie znalazłam, ale kto wie, może kiedyś...

niedawno kupowałam mielone indycze mięso do spaghetti.
odruchowo przeczytałam etykietę.
i tu – zdumienie!
mielone mięso nie zawiera w stu procentach mięsa!!!
rzutem na taśmę sprawdziłam naklejki na mielonym
wieprzowym, wieprzowo-wołowym i wołowym.
polecam tę lekturę i Wam.

* * *

i na koniec – słowo komentarza od Niemęża podsumowujące
moje dotychczasowe zmagania z rzeczywistością.

i kilka zdań ode mnie.
w trakcie naświetlań i bezpośrednio
po naświetlaniach miałam bolesne i uciążliwe kłopoty
z jelitami i pęcherzem; stopniowo jednak dolegliwości
malały. myślałam, że powoli całkowicie ustąpią.
nie spodziewałam się, że raptem może być o wiele,
wiele, wiele gorzej niż kiedykolwiek wcześniej.

nie spodziewałam się, że tyle czasu po zakończonych
naświetlaniach może pojawić się aż tak
rozwścieczona choroba popromienna.

chciałam Wam jednocześnie powiedzieć,
że z każdym dniem jest ciut lepiej.
co prawda nadal przesypiam większą część dnia, bo jeszcze
nie wyregulowałam się z lekami przeciwbólowymi,
ale dziś na przykład ani razu mnie nie zemdliło.
bardzo Wam dziękuję za słowa wsparcia, za modlitwy,
serdeczność, którą mnie obdarzacie.
gdy czuję się źle, niewiele piszę, ale wiedzcie,
że wiem, pamiętam, że jesteście i o mnie myślicie.
o mnie i o innych takich zdechlakach jak ja.
dziękuję.

PIĄTEK 17 sierpnia 2012
ostatnia noc przechodzi do historii.

debilnie bohatersko wytrzymałam do rana.
po dziewiątej zadzwoniłam do Ulubionego
Doktorka, wydał instrukcje działania.
Niemąż zawiózł mnie do szpitala.

a teraz leżę w swoim łóżeczku, łuskam pestki
słonecznika, piję sok aloesowy.
bo oczywiście jest już lepiej.
a jutro będzie jeszcze lepiej!
a może nawet bardzo dobrze?

SOBOTA 18 sierpnia 2012
obejrzał, zasępił się.
– *bolało montowanie?*
– *nie* – odpowiedziałam zgodnie z prawdą.
głównie pamiętam nierzeczywistą ulgę.
– *nie?* – spojrzał z niedowierzaniem.

– *nie* – powtórzyłam. i dodałam: – *jak wkładają*
rurkę, znieczulają aerozolem i maścią.
– *to dobrze, bo martwiłem się, że bolało, że mogłaś cierpieć.*
cisza.
słychać terkot szarych komórek.
– *gdzie dokładnie kończy się rurka?*
– *w cipce jest otworek do sikania, czyli*
taki, który prowadzi do pęcherza.
– *a, czyli chłopak miałby tę rurkę w siusiaku?*
– *tak.*
zamyślił się.
– *w sumie fajnie, od teraz nie musisz już spieszyć się do toalety.*

* * *

wciąż wracam myślami do wczorajszych
rozmów z Niemężem, Babcią B.
właściwie – do Ich monologów
przerywanych moim chlipaniem.

moje podsumowanie jest następujące: może
idzie ku lepszemu, może idzie ku gorszemu – nie
ma nad czym się zastanawiać – nie mam na nic
bezpośredniego przełożenia, będzie, co ma być.
najważniejsze: jestem niesamowitą szczęściarą.
mam superrodzinę, bliskich.
jest mi wspaniale.
mam moc.

PONIEDZIAŁEK 20 sierpnia 2012
czoło i pierś do przodu.
nie ma co się kulić po kątach.
tak więc, bracia i siostry, przyjmujmy życie
z dobrodziejstwem inwentarza.

Babcia B. nauczyła mnie, jak przymontować
do uda rułkę torebki, by się nogami nie zaplątywać

w okablowanie, a co ważniejsze – by się nie martwić,
że zapomniawszy o, torebka boleśnie zagubi się gdzie bądź.

nawet Niemąż nie jest nieczuły na kwestie galanteryjno-
stylizacyjne – w regularnych odstępach czasu
słyszę pomruki pt. *i po co było tyle czekać, tyle się
nacierpiałaś bez sensu, ale ty jesteś uparta.*

Syn nazwał torebkę – buhahaha – Azorkiem.
*– mamo, mamo, a czy zauważyłaś, że Azorek jakiś
taki – buahahaha – przywiązany do ciebie?*

zaś Vileda pilnuje nocami torebki.
na każde moje pościelowe drgnienie, dźwiga
czujnie łepetynę i wbija wzrok w osprzęt.
czekam tylko, kiedy ją podkusi, by drapnąć
w torebusię pazurem.

ŚRODA 22 sierpnia 2012
*Idę zagubioną polną drogą
Przez tumany kurzu błyszczy trakt
Cicha noc
Ustronie słucha Boga
Gwiazdy gwiazdom drżeniem dają znak*

*W niebie uroczyście jest i cudnie
Ziemia śpi w całunie sinych zórz
Czemu jest mi ciężko tak i trudno*

*Czekam na coś?
Żal mi dawnych burz?*

*Już od życia nic nie oczekuję
Nie żal mi przeszłości aż do cna
Pragnę tylko ciszą i spokojem
Okryć się i schować się we snach*

Ale nie w tych chłodnych snach mogiły
Lecz by mnie omotał taki czar
Żeby w piersi schronić życia siły
Żeby w piersi tlił się życia żar

Żeby słuch mój pieścił nieprzerwanie
Nucąc o miłości słodki śpiew
Żeby wiecznie patrzył z góry na mnie
Pochylony szpaler starych drzew

Michał Lermontow, *Wychodzę samotnie na drogę*

był czwartek, jest czwartek.
udało się dotrwać.

czwartek – jak pamiętacie – ma swój harmonogram: rano
morfologia, po południu – wizyta u Ulubionego Doktorka.
dziś też tak było.

podsumowując: czekam na badanie PET, by decydować co dalej –
z torebką, może z szukaniem gdzieś na świecie jakichś metod leczenia.
a na razie muszę spróbować przytyć, bo już mnie tylko 45 kg.
z taką wagą nie nadaję się ani do chemioterapii,
ani – tym bardziej – do jakiejkolwiek operacji.

* * *

przyszła rano paczka z podręcznikami szkolnymi.
Syn spędził pół dnia na wertowaniu ich w skupieniu.
od miesiąca codzienne pyta się nas,
kiedy w r e s z c i e zacznie się szkoła.
zażyczył sobie nawet spaceru koło budynku
szkoły: *chociaż z zewnątrz sobie popatrzę.*
pamiętam, że też tęskniłam do szkoły.
teraz On zajął moje miejsce w continuum *wakacje i szkoła.*

* * *

dziś w ogrodzie Babci B. podglądaliśmy dzięcioła.
wbija w starą gruszę orzechy laskowe. gdy już je dobrze zamocuje
w korze, zaczyna stukać w skorupkę, by dostać się do orzecha.
wokół gruszy leży mnóstwo łupin z niedużą, równą dziurką.
lato, jesień, zima.

gdy byłam dziewczynką, Babcia B. pokazywała mi,
jak dzięcioły wstukują w grusze orzechy laskowe.
sprawdzałam wtedy, jak blisko mogę podejść do drzewa,
żeby dokładnie przyjrzeć się dzięciołowi.
dziś Giancarlo zrobił to samo.

SOBOTA 25 sierpnia 2012
byliśmy na *Meridzie Walecznej.*
a następnie
popsułam
się.

NIEDZIELA 26 sierpnia 2012
tydzień temu Syn zainteresował się drążkiem gimnastycznym,
który Niemąż zamontował w drzwiach pokoju Syna.
po pierwszych *nie uda mi się...* oraz *nigdy nie dam
rady, to za trudne* – dziś Syn zademonstrował nam, jak
podciąga się rękami na linie, jednocześnie nogami
wspinając się po framudze drzwi do drążka, by następnie
chwycić się go, zawiesić się na nim, chwilę pobujać
i zeskoczyć, by po chwili piąć się od nowa.

łóżko jest tak ustawione w stosunku do drzwi, że mogę
z pościeli obserwować wyczyny ekwilibrystyczne Syna.
leżę więc i paczę. albo drzemię i słucham oprawy dźwiękowej
kolejnych etapów wspinaczki – najpierw sapania
i stękania, potem triumfalnego chichotu zamieniającego
się w radosny śmiech podczas głośnego skoku.
i tak przez dwie godziny pod rząd.

* * *

pobieżnie streszczając, bez wchodzenia w detale
dotyczące nieustannych hospitalizacji: najpierw bolał
bolicoś, więc po wielu eksperymentach ze środkami
przeciwbólowymi dostał w łeb morfiną; potem pojawiły
się kłopoty z jelitami, następnie – założono cewnik.
teraz postępuje wodonercze i wróciły z nasileniem kłopoty
z jelitami (*kłopoty* to wyjątkowo kanciaty eufemizm),
od wczoraj dodatkowo puchną nogi w kostkach.
martwię się.
tak bardzo nie chciałabym iść do szpitala.
boję się, czy wrócę.

a jaka jest prognoza?
otóż zależy, gdzie ucho się przyłoży,
tam co innego można usłyszeć.
Pani Doktor M. twierdzi, że na 99%
to choroba popromienna.
Ulubiony Doktorek – że raczej niekoniecznie, że powinnam
rozważyć rozpoczęcie jakiejś nowej chemii.
czyli: w teorii jest pół na pół.
wiadoma sprawa – nie ma o czym gdybać,
dopóki nie ma wyników PET-a.

nie lubię intuicji.

PONIEDZIAŁEK 27 sierpnia 2012
dziękuję, że mnie wspieracie.
dziękuję za maile, esemesy.

WTOREK 28 sierpnia 2012
wbrew grawitacji i logice byłam dziś na grzybach.
słońce świeciło jesiennie, trochę zmarzłam.
co krok wpadaliśmy w pajęczyny, mnóstwo pajęczyn.
chyba pająki gorliwie szykują zapasy na zimę.
zebrałam kilka dużych kurek i jednego podgrzybka.

było cudownie.
następnie wytrzymałam jeszcze podróż do Babci B. –
celem przekazania zbiorów do zamarynowania,
a przede wszystkim – by zjeść wspólną kolację.
wróciliśmy do domu.
przebraliśmy się w ciepłe piżamy i wleźliśmy
do naszego wielkiego łóżka na stadne przytulanie.
a wtedy w pokoju Syna runął karnisz, z hukiem wyrwał
w ścianie dwie malownicze dziury i grubo posypał
tynkiem stałą wystawę konstrukcji lego, które Giancarlo
od wielu miesięcy z pieczą kustosza muzeum narodowego
ustawiał rzędami oraz warstwami na parapecie.

CZWARTEK 30 sierpnia 2012

odbiałczam się.
muszę więc spać z poduchą pod nogami,
bo mi puchną, psia-ich-mać.

co to jest za ekwilibrystyka, żeby ułożyć się do snu z torebką
wiszącą poza łóżkiem, by nie ciągnął się, był drożny i nie uwierał
kabelek; ze spuchniętymi w kostkach nogami na poduchach,
by odpoczywały; z głową wysoko oraz kręgosłupem prosto,
by przepona nie naciskała na jelita, żeby się nie porzygać.
jednocześnie pozycja musi być na tyle strategiczna,
aby móc w nocy błyskawicznie zareagować
na jednoznaczne komunikaty górnego i/lub
dolnego odcinka przewodu pokarmowego.

a skoro już się pożaliłam, idę się mościć.
dobranoc.

PIĄTEK 31 sierpnia 2012

trochę jestem.
ale tylko trochę.
wiem – lepsze trochę niż nic.

ale.

* * *

nigdy w życiu nie spędzałam tyle czasu w domu co teraz.
w sumie nawet nie przypuszczałam, że bycie
w domu jest aż tak przyjemne.
może polubiłam bycie w domu, bo nie mam innego wyjścia?
a może nie?
bo jakby tak się lepiej zastanowić, moją
alternatywą byłby pobyt w szpitalu.
ale nie, nie dlatego lubię być w domu.
w każdym razie – nie tylko dlatego.
ergo lubię być w domu i już.

tyle tu ciekawych rzeczy się dzieje!
mogę na sto sposobów ułożyć sobie poduszki pod głową i zasnąć.
mogę poczytać gazetę.
mogę wstać i podlać rośliny. a przy okazji – wyjrzeć przez okno.
mogę rozwiesić pranie.
głaskać kota.
zachwycić się bukietem słoneczników.

jestem.
jestem szczęśliwa.

SOBOTA 1 września 2012
donoszę, że kolejną noc spało mi się wybornie.
w przerwach snu piłam, jadłam, łykałam tabletki
i brzegiem świadomości rejestrowałam ruchy domu.

rano, może koło dziesiątej, chwilę nie spałam.
leżałam i słuchałam wstającego domu.
po wspólnie robionym i jedzonym przez mężczyzn śniadaniu
(*włącz gaz tak, jak cię uczyłem, o tak, w tę stronę... a teraz
rozłóż nam talerze i sztućce* oraz *Wujku, przestań, nie
żartuj ze mnie, ja nie dam rady zjeść ośmiu parówek*),
miałam jeszcze krótki moment czuwania, podczas
którego Syn sporządził listę moich zachcianek.
że panowie pojechali na zakupy – już nie słyszałam.
gdy się obudziłam po piętnastej, ujrzałam rozstawione wokół
łóżka: winogrona, pokrojony w kosteczkę ser bursztyn, trzy
rodzaje napojów (w tym jeden ciepły, w kubkotermosie),
banana, czekoladę wiśniową, słonecznika oraz siemię lniane.
pojadłam, popiłam, wypełzłam z pościeli na inspekcję.
Syn czytał książkę. powiadomił, że *Wujek prosił
przekazać, że pojechał do szpitala odwiedzić kolegę.*
wzięłam lekarstwa i wróciłam do pościeli, przyszedł Syn.
wyskubywałam nam słonecznika i rozmawialiśmy.
opowiedział m.in., że przeczytał właśnie wszystkie *Kamyczki*
i choć są to książki dla maluchów, On lubi je czytać, bo *dużo*

w nich uczuciowości i przypominają się Mu czasy bardzo
wczesnego dzieciństwa, gdy czytałaś mi te książeczki na głos.
potem omówiliśmy temat skonstruowania butów, dzięki którym
można byłoby latać, oraz pochyliliśmy się nad kilkoma innymi
zagadnieniami: jaki ładunek wybuchowy byłby optymalny
do zniszczenia obsydianu; w jaki sposób mózg człowieka tworzy
wspomnienia; czy dziecko może chcieć zostać złodziejem
i zrealizować ten plan w dorosłości; dlaczego koty lubią pić
wodę z kibelka, a nasza Vileda – nie; jakie kierunki studiów
polecam Giancarlowi prócz informatyki, robotyki i biologii;
czy tylko kobiety są prostytutkami i czy tylko mężczyźni
sutenerami; czy naukowcy szukają lekarstwa na raka dla
mnie; od kogo kurier przekazuje dla mnie codziennie takie
piękne bukiety kwiatów; czy wiem, że ślicznie mi w okularach
z zielonymi oprawkami, szczególnie jeśli noszę do nich apaszkę
w kolorowe pasy i czarny gigantyczny sweter dzianinowy;
jakiej dokładnie wielkości jest jądro Ziemi i co jest w środku
jądra; skąd Babcia B. wie, jak przyrządzić smakujące Mu kotlety,
i dlaczego zawsze Babcia ma dla Niego przygotowane różne
łakocie; czy jakby spadła kropla wody na Azorka, odczułabym
ból, oraz co będzie na obiad, ponieważ *jestem nieludzko głodny.*
w tak zwanym międzyczasiu nastąpił się Niemąż, więc drugi
raz wypełzłam z pościeli – tym razem, by czynić honory
pani domu zupą, którą ugotowała dla nas Babcia B.
Babcia B., wiedząc, że ostatnimi czasy mam
smak nieprzywidywalny, robi zupę bazę, którą
przearanżowuję w funkcji bieżącego widzimisia.
dziś – z czego jestem bardzo, bardzo, bardzo dumna – na bazie
ziemniaczanki „zrobiłam" i zjadłam zupę cytrynowo-chrzanową.
jaki jest powód do dumy?
po pierwsze: wytrzymałam pobyt w kuchni, te kilka
chwil podgrzewania i doprawiania zupy.
po drugie: pierwszy raz od wielu tygodni starczyło mi sił,
by zjeść w pozycji siedzącej, wspólnie z chłopakami przy stole,
bez wiercenia się, wstawania, duszenia się, wymiotowania.
po trzecie: zjadłam talerz zupy i się przyjął.

jestem wielka!

po zupie oczywiście wróciłam na grzędę, ale po trzeciej drzemce,
zachęcona niebywałym sukcesem towarzysko-wytrzymałościowym,
zaproponowałam wyjazd do sieciowego sklepu sportowego.
i pojechaliśmy! tralalala!
dotarliśmy tuż przed zamknięciem.

w akompaniamencie jęków i chichotów: *mamo, ale
po co mi polar, nie będę przymierzał, przecież ja mam fajne
ubrania, nie chcę więcej*, szukałam czegoś z metką „à 8 ans".
Syn jeździł BMX po pustoszejącym sklepie (*kupicie mi ten
rower? patrz, jak zasuwaaaaam...*), a mój ideał ucieleśniony,
spersonifikowany metr z Sèvres, oczywiście pamiętał, że kiedyś
czaiłam się koło bluzy dla mnie, więc – jak się domyślacie –
nie tylko Syn wyszedł ze sklepu z nowym ubraniem.
w drodze powrotnej zasnęłam w aucie, zmógł
mnie sevredol i zmęczenie.
Giancarlo zażyczył sobie niezdrowej kolacji, więc
przejechaliśmy przez makdrajwa.
tylko dzięki czujności Niemęża odjechaliśmy spod
okienka z „kurczaczkami" – pani zapomniała o nich
(*a pan zajrzy, czy wszystko inne zapakowałam*).
w domu okazało się, że faktycznie powinien był sprawdzić.
zapakowano nam pół kanapki (cha, cha, cha!!! nie
miała spodniej części bułki!!!), a zamiast ciastka
z jabłkiem dostaliśmy z owocami leśnymi.
ale mnie to rozśmieszyło!
tak oto wyglądała moja sobota w pierwszym dniu września.
jak zgodnie stwierdziliśmy, to był wspaniały dzień.
a teraz pora na zliczenie, ile zmieściłam tej doby
w torebce, oraz czas na kolejną porcję tabletek.

NIEDZIELA 2 września 2012
są takie znajomości, które rodzą się
przypadkowo, ale trwają z zamysłu.
znajomość z Aliną jest jedną z nich.
poznała nas Magda Prokopowicz.

pewnego dnia, gdy czekałam na smażenie w Centrum
Onkologii, podeszła do mnie Alina. rozpoznała mnie, bo czytała
bloga. a bloga znała, bo Magda opowiedziała Jej o mnie.
chwilę porozmawiałyśmy, ale musiałam wchodzić
na naświetlanie. Alina zechciała poczekać na mnie.
po zabiegu przycupnęłyśmy na parę godzin
na korytarzu, rozmawiając jak serdeczne znajome.

od tamtego czasu tak wiele się wydarzyło, a my jesteśmy blisko,
niemal codziennie kontaktujemy się ze sobą, dzieląc się drobiazgami.
dziś spotkałyśmy się w naszej ulubionej restauracji – w Różanej.
miałyśmy stolik na dworze, fontanna szemrała, słońce
grzało, jedzenie jak zwykle było wyśmienite.
po dwóch godzinach rozmowy było jasne,
że potrzebujemy jeszcze kilku chwil razem.
ale potem nadal było nam mało, więc po opuszczeniu restauracji,
wsparta ramieniem Niemęża, pokuśtykałam z Aliną na spacer.
w sumie spędziłyśmy dziś razem ponad sześć godzin, tematy
pojawiały się jeden za drugim, a spotkanie musiałyśmy
zakończyć tylko dlatego, że ja, odzwyczajona od wielogodzinnej
aktywności, zaczęłam usypiać w pół zdania.
było wspaniale.

owocem tego spotkania będzie rozmowa ze mną, która
ukaże się za chwilę w jednym z tygodników.
mam nadzieję, że zechcecie ją przeczytać i podzielicie się
Waszymi przemyśleniami na temat moich przemyśleń.

PONIEDZIAŁEK 3 września 2012
udało się!
byliśmy na rozpoczęciu roku szkolnego.

* * *

rok temu pisałam:
„zdumiewające: dożyłam.
minął rok.

raka właściwego już nie ma – są za to dorodne przerzuty.
włosów też nie ma, ale jest za to piękna beatakozidRak.
przedszkolak zamienił się w ucznia.
Niemąż – w nie Niemęża.
wspomnienie po psie – w kota.
ciekawe, jaki będzie 1 września za rok.
ciekawe, co i jak się zmieni.
czekam"

więc jakie mamy zmiany?
niewiele ich, na szczęście.
przerzuty są: może tylko te sprzed roku, wysmażone. a może
są też nowe? czekam na PET-a, poznam odpowiedź.
stan cywilny oraz liczbowy domowników i zwierząt – bez zmian.
tryby maszyny edukacyjnej na dobre wessały Syna.
mimo moich lęków i wątpliwości okazało się, że przejście
z pięciolatków do pierwszej klasy, z pominięciem
zerówki, w żadnym stopniu Go nie upośledziło.
włosy odrosły. wagi nie przybyło, za to doszła torebusia.

nie pozostaje mi napisać nic innego niż
CZEKAM NA WRZESIEŃ 2013.
oby się udało…

ŚRODA 5 września 2012
zrobiłam PET.
wynik za tydzień.

gdy czekałam na badanie, przyszedł pan profesor Stanowski.
mile zdziwiłam się, że mnie kojarzy (*o, dziecko, ja cię
pamiętam, jak tam ci bez żołądka?*), chwilę więc
porozmawialiśmy, przytulił mnie, ucałował.

bardzo, bardzo lubię Profesora.
marzyłabym o takim ojcu czy dziadku.
Ksena, którą też on operował, wiem, że żywi

do niego uczucia podobne do moich.
Pan Profesor jest taki, że gdybym miała jeszcze
jeden żołądek, nie zawahałabym się dać ponownie
zoperować. i jeszcze raz, i jeszcze. i jeszcze.

PIĄTEK 7 września 2012
w komentarzach trolli regularnie pojawiają się
impertynencje o zabarwieniu seksualno-erotycznym.
zastanawiam się, z jakimi ograniczeniami w tej
dziedzinie trzeba się zmagać, by takich argumentów
używać, gdy próbuje się dokuczyć.
a może nie o problemy seksualne tu chodzi? może ogólnie
chodzi o seks jako taki; erotyka, seks czyli tabu.

patrzę na mojego Syna i proszę dobre duchy,
by On miał lepiej poukładane w głowie.
co prawda odkąd się urodził, pracuję nad Nim, by traktował
seksualność naturalnie, ale kto wie? może natrafi
na spaczonych mentalnych trolli, którzy naopowiadają
Mu głupot, że od onanizowania wysycha rdzeń kręgowy,
że z prostytutką to nie gwałt, a za pierwszym razem
nie trzeba się zabezpieczać, bo ciąża nie grozi...
bo, proszę państwa, rozważmy: przecież taki troll, zanim
zakupił komputer z dostępem do internetu, by następnie wejść
na mojego bloga pisać o tym, że ja i Czytacze jesteśmy (pisownia
oryginalna) *niedopchnięci i zdradzeni o świcie*, pisać o sobie
trollicowatej samej, iż *Nie cierpię na brak chuja. A na dwa baty
jakoś mnie nie kręci. Mąż wystarcza mi w zupełności*, był kiedyś
dzieckiem, nastolatkiem, z którym ktoś jakoś rozmawiał –
w tym – na TE tematy, zaś echo ówczesnych rozmów-
nierozmów stanowią dzisiejsze wypowiedzi trolla na blogu...
ałaa...

a może nie? może nikt z nim nie rozmawiał? i to na żaden temat?
ha! czy wiecie, że przeciętna polska rodzina rozmawia
ze sobą codziennie mniej niż dziesięć minut?

czy wiecie, że jeśli my – Chustka, Niemąż i Giancarlo –
rozmawiamy ze sobą codziennie po trzy godziny, to znaczy,
że statystycznie przypada na nas około dwudziestu
domów, w których nie rozmawia się wcale?!

więc rozmawiamy, rozmawiamy.
uwielbiamy rozmawiać.
i tak samo jak rozmawiamy o ostatnim odcinku
Galileo obejrzanym u Babci B., o lepieniu suszi wg
receptury Giancarla, o *Gwiezdnych wojnach* i o tym,
że Vanessa była na wakacjach w Turcji, tak samo
rozmawiamy o Bogu, umieraniu, seksie.
każdy temat jest dobry.
jest pytanie – jest odpowiedź.
przez te kilka lat macierzyństwa zbadałam, że dziecko
nie zada pytania ponad swoje potrzeby.
i nie jest zainteresowane odpowiedzią ponad to, co je interesuje.
wystarczy więc tylko wsłuchać się w pytanie,
by poradzić sobie z odpowiedzią.
druga sprawa – dla dziecka nie ma tematu
tabu, a ciekawość nie zna barier.
brak uprzedzeń poważnie zobowiązuje. z jednej strony stwarza
nieograniczone możliwości, ale jednocześnie obciąża moralnie:
uczestniczenie w tworzeniu podwalin poglądów to nie byle co.
tak więc rozmawiam, rozmawiam, rozmawiam.
lepię bazę pod Jego horyzont.

ale jestem ciekawa, kim się staje!

każdego dnia Go odkrywam, każdego dnia mnie zdumiewa.
i zachłannie marzę o tym, by było nam
dane spędzić razem jeszcze z rok.
a potem następny.
i jeszcze chociaż z pięć.
albo dwadzieścia pięć.

PONIEDZIAŁEK 10 września 2012
popsuły się całkiem parametry morfologii.
dostałam skierowanie na przetoczenie krwi.
jeśli zechcielibyście pomóc, oddając
mi Waszą krew, będę szczęśliwa.

karteczki proszę słać do Szpitala w Wołominie,
pod numer faksu (22)7633180
z dopiskiem – *Joanna Sałyga*.
dziękuję.

CZWARTEK 13 września 2012
uzupełniam wpisy wstecznie – w niedzielę.

czwartkowym popołudniem, po przewiezieniu karetką ze szpitala
powiatowego do specjalistycznego, stałam się właścicielką kolejnych
dwóch torebek, w tym pierwszej – zamontowanej prawie na żywo.
czy to była próba oszczędności na podanej ilości
znieczulenia, czy na czasie zabiegu – nie wiem.
nie omieszkałam wysyczeć panu doktorowi,
że drugiej nerki nie nakłuwamy, dopóki pan doktor
nie zastanowi się, jak to zrobić bezboleśnie.
musiał się zastanowić, bo montaż drugiej torebki już tak nie bolał.

PIĄTEK 14 września 2012
uzupełniam wpisy wstecznie – w niedzielę.

w piątkowe popołudnie dostałam wypis ze szpitala
specjalistycznego i skierowanie do szpitala powiatowego.
karetka zawiozła mnie do domu.
schowałam się w pościeli.

SOBOTA 15 września 2012
uzupełniam wpisy wstecznie – w niedzielę.

nie mam do napisania nic konstruktywnego.

jestem wcieleniem cierpienia i bezradności.
taka walka o życie to pomyłka medycyny.

NIEDZIELA 16 września 2012
dookoła prawie wszyscy wiedzą, jak mi pomóc.
chlipnięcia, westchnięcia, komentarze.
mimo zamkniętych drzwi pokoju czy szpitalnej sali głos się niesie.
leżę i słyszę. słucham i leżę.

musisz walczyć.
nie możesz się poddać.
jeszcze się przetoczy krew, dożywisz się i pójdziesz na kolejną chemię.
od początku źle się leczysz.
musi ci zależeć, dziecko masz.
bla, bla, bla.

* * *

gdy w piątek po południu Niemąż przyprowadził mnie
z karetki z trzema torebusiami, Syn – po wykonaniu
ostrożnego tańca radości – zapytał – *a kiedyś ci je wyjmą?*
zgodnie z prawdą odparłam: *nigdy.*
przysiadł na brzeżku łóżka i powiedział: *to znaczy chyba,*
że jesteś coraz bardziej chora, prawda? nie lubię, że jesteś
chora, bo pamiętam czasy, gdy byłaś zdrowa.
ale cieszę się, że jesteś z nami w domu, bo bardzo za tobą tęskniłem.
i cieszę się, że żyjesz.
i żyj, ile dasz radę, dopóki będziesz miała siłę, bo bardzo cię kocham.

* * *

za dwa tygodnie w „Wysokich Obcasach" ukaże się rozmowa
Alinki Mrowińskiej ze mną o Jasiu i o umieraniu.
a potem czekać będzie na Was przepiękny
film o mnie i mojej rodzinie.

a teraz – dobranoc.
śpijcie spokojnie.

PONIEDZIAŁEK 17 września 2012
Niemąż zawiózł mnie rano na konsultację do profesora.
na pytanie, co mamy dalej robić, profesor
powiedział: *nic już nie można. taka wredna choroba
do walki się akurat pani trafiła. trzeba czekać.*

jechaliśmy i gdy już minął ból po badaniu, było cudownie.
gorące jesienne słońce grzało mi nos przez
szybę auta, drzewa mieniły się tysiącem
odmian zieleni, żółci i rudości, zaróżowione
i poczerwieniałe bluszcze pięknie wiły się na pniach.
to była wspaniała przejażdżka.

a teraz wracam odwiedzić mój szpital.
bądźcie ze mną, z nami w myślach.

ps.
Niemąż powiedział mi właśnie, że mam
napisać, że On mnie kocha.
więc piszę: ludzie, Niemąż mnie kocha!

SOBOTA 22 września 2012
między poniedziałkiem a sobotą upłynęło kilka dni.
jak zauważyliście, zanikłam.
w tym czasie poleżałam parę godzin na stole operacyjnym,
wessałam hektolitry kroplówek oraz porobiłam różne zabawne
rzeczy według instrukcji lekarzy, pielęgniarek i salowych.

NIEDZIELA 23 września 2012
usprawniam się.
daję już radę powoli przekręcać się na boki w pościeli.
och, jakież to przyjemne!

* * *

złożyła nam dziś wizytę Lumpiata z Synem,
wczoraj była Wróbel z Miłym i Córeczką.

lubię takie spotkania, choć właściwiej byłoby
napisać, że t y l k o takie spotkania lubię.
lubię uczestniczyć w rozmowie, gdy ludzie
potrafią mówić i umieją słuchać.

cieszy mnie, że Syn też lubi rozmawiać.
pamiętam jednak, że kładzenie podwalin było
czasem dla mnie trudne emocjonalnie (chyba
nie pisałam do tej pory o tym na blogu).

w zamierzchłych czasach, będąc adeptem sztuki
mówienia, około szesnastego-siedemnastego
miesiąca życia, Pulpet ukochał kolejnictwo.
niestety w okolicy sieć kolejową mamy rozbudowaną.
prócz lokomotywy do ciągania na sznurku, drugiej –
gumowej – do obśliniania rozmiękniętymi chrupkami
kukurydzianymi zagadnienie było eksplorowane w realu.
sondowanie rozpoczynało się bezpośrednio po wejściu do auta
mantrą powtarzaną co dwie minuty: *czy zobaczymy dziś*
pociąg(i) osobowe czy towarowe, w jakich będą kolorach?
jeśli jechał pociąg, temat załatwialiśmy raz-dwa
– *pan dróżnik zamyka szlaban.*
– *tak synku, zamyka.*
– *zamyka. szlaban świeci i dzwoni.*
– *tak, synku, nadjeżdża pociąg.*
– *maa-ma, nie ma pociągu.*
– *zaraz nadjedzie.*
– *mama, nie ma pociągu.*
– *cierpliwości, synku, zaraz nadjedzie, dlatego pan dróżnik zamknął*
szlaban. stoimy przed zamkniętym szlabanem i czekamy.
– *pociąg, jedzie pociąg.*
– *tak, synku, jedzie.*
– *stoją samochody, pociąg jedzie, pan dróżnik zamknął szlaban.*
– *tak, synu, czekamy na otwarcie szlabanu.*
– *szlaban jest zamknięty.*
– *synku, czekamy na otwarcie szlabanów.*

– dróżnik szlaban otwiera, pociąg nie jedzie, samochód jedzie.
– tak, synu, samochody muszą poczekać
na otwarcie szlabanów przez pana dróżnika.
– nie wolno jechać, pan dróżnik szlaban zamknął.
– tak synku, nie wolno. dlatego szlaban został zamknięty.
– a kiedy teraz pan dróżnik zamknie szlaban?
– gdy będzie jechał pociąg.
– maa-ma, nie ma pociągu.
– synku, teraz nie jedzie, właśnie pojechał.
i takśmy sobie konwersowali przed każdym
przejazdem kolejowym – strzeżonym, niestrzeżonym
(maa-ma, gdzie jest pan dróżnik?), z dworcem
pasażerskim (mama, patrz, ludzie!), z uszkodzoną
sygnalizacją dźwiękową (a dlaczego nie działa?).
każdym!!!

szczęśliwy to był dzień, gdy pociąg nie nadjeżdżał.
– nie ma pociągu. dlaczego nie ma pociągu? – Syna
dopadało trans-rozczarowanie.
a mnie kamień z serca spadał, że udało się mi przemknąć
do Babci B. bez rozmawiania do ochrypnięcia
o pociągu, szlabanie i dróżniku.
hi, hi, hi.
zła matka, złaaa.

WTOREK 25 września 2012
– czy to nie zastanawiające, że gdy rodzi się człowiek,
płacze rozzłoszczony, zaś wszyscy wokoło się cieszą, a gdy
umiera: wszyscy płaczą, a on uśmiecha się spokojny? –
zapytała Ania, moja hospicyjna pielęgniarka.
i dodała: pomyśl, nie przechowujemy wspomnień
z pierwszych dwóch lat życia. ciekawe czemu.
może wówczas mamy jeszcze wspomnienie
tego, co działo się wcześniej?

ha! też się wiele razy nad tym zastanawiałam.

ŚRODA 26 września 2012
wieczorem jeden z Azorków przestał odbierać mocz.
przeraziłam się – od razu wyobraziłam sobie,
że wypadł albo zatkał się dren, że trzeba będzie
na urologię, pruć, łatać i cerować.
powstrzymałam emocje, pomerdałam
sznurkiem na boki, Azorek wypełnił się.
dren nie działał, bo – jak sądzę – dotykał do ścianki nerki.
wystarczyło trochę pokiwać sznurkiem
na boki, a Azorek wypełnił się.
nie obeszło się jednak bez cewnikowania.
z rąk przyjaciółki chirurga łatwiej znieść takie cierpienie.
jak ja wiedziałam, z kim się zaprzyjaźnić.

CZWARTEK 27 września 2012
dziś był dzień odwiedzin.
przyjemnie jest móc przyjmować gości na leżąco.
gości, którzy sami się obsłużą, a jeszcze
i mnie przyniosą herbaty z cukrem.
a do tego w każdej chwili można Im powiedzieć:
przepraszam, koniec audiencji, teraz będę spała!

prócz zamawianych i zaproszonych przyjaciółek
z niezapowiedzianą wizytą przybył ojciec
dyrektor mojego ośrodka hospicyjnego.
długo rozmawialiśmy.
powiedział, że widać po mnie, że jestem
szczęśliwa i pogodzona z życiem.
nie wiem, czy to można dostrzec.
ksiądz dyrektor pewnie jednak wie coś na ten
temat – pod Jego opieką pozostaje ponad czterystu
pacjentów, a hospicja prowadzi od wielu lat.

a tymczasem z każdym dniem jest lepiej.
szew na brzuchu już prawie nie dokucza, plastry
przeciwbólowe chronią wystarczająco, nie miałam

trudności z nauczeniem się, jak wymieniać wór.
a dziś wieczorem udało mi się towarzyszyć
Synowi w wieczornej kąpieli.
ale jestem z siebie zadowolona!

PIĄTEK 28 września 2012

mili Czytacze,

towarzyszycie mi od kwietnia 2010. wówczas
przypadkowo wykryto u mnie raka.

od tamtego czasu przeszłam cztery operacje, ponad
piętnaście kursów chemii, dwadzieścia jeden seansów
teleradioterapii, cztery zabiegi brachyterapii.

w efekcie guz pierwotny został wycięty, zaś przerzuty –
częściowo usunięte, częściowo – powstrzymane.

choroba jednak rozwija się nadal, zajmując kolejne obszary.

operacje, chemie i naświetlania sprawiły, że nadal tu jestem,
ale obiektywnie rzecz ujmując, jakość życia jest niska.

z każdym miesiącem jest gorzej. za jakiś czas będzie gorzej
z każdym tygodniem, a potem – z każdym dniem.

sprawdziłam: tak ta choroba wygląda.

tak jest i już.

czyli: któregoś wieczoru posta nie napiszę.

nie będzie go też nazajutrz ani dnia następnego.

tymczasem jestem.

i dziękuję, że co wieczór wpadacie mnie odwiedzić.

póki jestem, spędźmy pozostały nam wspólny czas w dobry sposób.

apeluję do Waszego rozsądku, nie żryjcie się.

NIEDZIELA 30 września 2012

piękna była dziś pogoda!

pomimo kończącego się w okolicy maratonu i związanych
z nim utrudnień w ruchu drogowym oraz bolicosiów
różnych udało się nam dojechać do Ogrodu Botanicznego.

na trawniku przed szklarniami Syn kręcił się
aż do zawrotów w głowie i turlania się po trawie.

potem posiedzieliśmy w grill barze, pożułam razem z Synem
pieczonego ziemniaka z folii, pochrupaliśmy słonych paluszków.

następnie chciałam dotrzeć do Tajemniczego Ogrodu, żeby

pohuśtać się, i do warzywniaka na oglądanie dyni, ale
rezerwa się włączyła – musieliśmy zawrócić do samochodu.
ledwo wsiadłam, zasnęłam.

było krótko, ale wspaniale.

* * *

wieczorem uczyliśmy się angielskiego. sprawdzian się zbliża.
uczeń pilny, pojętny, więc jak zwykle było miło.
do czasu.
do czasu aż przypadkowo zajrzałam do zeszytu korespondencji.
a tam jak wół stoi: *dary jesieni na poniedziałek.*
pytam się więc: *kolorowe liście mamy zbierać*
teraz, po ciemku? czy żołędzie?
a Syn na to skruszonym głosem: *to może*
ja warzywo jakieś zaniosę?

ŚRODA 3 października 2012
alejestemśpiącaponowychplastrach...

CZWARTEK 4 października 2012
senność nie mija.
powiedziałabym – wręcz odwrotnie.
wczoraj / dziś przespałam ciurkiem od 23.00 do 15.00.
deprymujące to – przykładam głowę
do poduchy i od razu zasypiam.

SOBOTA 6 października 2012
byliśmy dziś na grzybach.
z trudem przychodzi mi schylanie się,
więc panowie wyręczali mnie.

* * *

na obiadokolację upiekłam dwukilogramową
kaczkę z jabłkami i majerankiem.
musiała smakować, bo cała znikła.

* * *

dziś zaczęłam czytanie z Synem kolejnej szkolnej
lektury – *Z przygód krasnala Hałabały.*
poprzednią lekturę – *Jacka, Wacka i Pankracka* – przeczytał
sam, po cichu, właściwie za jednym posiedzeniem.
tym razem wymyśliłam sobie, że chcę razem z Nim czytać,
aby Go nauczyć odpowiedniej dykcji – intonacji, pauz itd.
kiedy tłumaczę Mu, co stanowi cel wspólnego czytania,
robi wielkie oczy i mówi: *ale mamo, pani tego nie wymaga,*
albo: *ale mamo, u nas są dzieci, które w ogóle słabo czytają.*

straszne to.
obserwuję, jak szkoła stopniowo zabija w Nim ciekawość,
jak równanie do przeciętnych jest wystarczające,
jak wykonanie minimum zaspokaja ambicje.

* * *

nadal jestem nieprawdopodobnie senna.
staram się jednak w dzień nie sypiać. w efekcie wieczorem,
gdy jest pora na pisanie posta, zasypiam na klawiaturze.

NIEDZIELA 7 października 2012
dziś spałam do 12.30.
pojechaliśmy na niedzielny obiad do Babci B.,
gdzie zamiast jeść, spałam od 16.30 do 18.30.
a teraz jest 23.00, a ja ziewam tak przeraźliwie,
że górna warga zachodzi mi na czoło.

znowu prawy worek przestał odbierać mocz.
po półgodzinnym międleniu moczokabelka
i terroryzowaniu spojrzeniem pustego
worka, zdecydowałam się zadzwonić
do urologa, który zakładał dreny.
ledwo przystawiłam słuchawkę do ucha, zanim
jeszcze zdążyłam się przedstawić, w worku już
było 100 ml; pod koniec rozmowy – 300 ml.

ewidentnie nerka przeraziła się ewentualnego
ponownego kontaktu z panem doktorem.

PONIEDZIAŁEK 8 października 2012
oddalam się do szpitala,

bo hemoglobina znowu spadła poniżej 9.

* * *

zastanawiam się, kim są osoby, które oddały mi część siebie.
stałam się częścią nich.

fajnie byłoby móc podziękować osobiście.

WTOREK 9 października 2012
dotarło do mnie.
w y r a ź n i e.

* * *

i skończył się optymizm.

ŚRODA 10 października 2012
dzień w dzień stajemy przed dramatycznym
pytaniem: *co jest zadane?*
nie pomaga prośba, groźba, odwoływanie się do rozsądku,
kuszenie łapówkami, łaskotanie ambicji, szarpanie sumieniem.
nul, nic, zero.
czasem pamięta, czasem nie pamięta.
czasem zaznaczy samoprzylepną karteczką,
czasem zakreśli ołówkiem.
czasem.
a czasem – nie.
wczoraj przeszedł sam siebie.

jedziemy na obiad do Babci B.
– *a tego to wam nawet nie mówiłem* – kontynuuje relację

z bieżących szkolnych wydarzeń Syn. *mnie staje serce
i sierść na grzbiecie – żeby dostać piątkę, trzeba było
przynieść liść octowca, a plusa stawiała pani za znalezienie
i wydrukowanie zdjęcia octowca z internetu.*
– *czy to znaczy, że dostałeś dwóję, bo niczego nie
przyniosłeś? dlaczego nam nie powiedziałeś o zadanej
pracy?* czuję podnoszące się ciśnienie, zaraz dostanę
herz-klekotek, ratunku, ludzie, czymajcie mnie.
– *bo to było tylko dla chętnych, nie było konieczne* – z godnością
odpowiada Syn i spokojnie zmienia temat – *a co będzie
u Babci na obiadek? bo jestem baaardzo głodny.*
a ja
jestem
zdumiona, skonfundowana,
więc
furda z *obiadkiem!*
chcę szczegółów o octowcu!
– *a ty nie chciałeś* – niewielkim kosztem – *dostać
piątki?* – wyduszam z siebie nieśmiałe pytanie.
– *nie, a po co?* – Syn łypie na nas podejrzliwym
spojrzeniem, by po chwili uzupełnić wyjaśnienia –
mnie wystarczają te oceny, które dostaję.
aha.
no jasne, to przecież logiczne.

CZWARTEK 11 października 2012
mała miseczka ryżu.
trzy czwarte mozzarelli z bazylią, średni
pomidor bez skórki, jajo w szklance.
trzy frytki, kotlet – czyt.: kotlecik – z piersi drobiowej, plamka
keczapu dla dzieci, dwa plastry pomidora malinowego.
nieduży kawałek szarlotki na kruchym cieście.
kubek kisielu poziomkowego.
siedem kubków herbaty.
że nie wspomnę o worku obowiązkowych tabletek
oraz fakultatywnych suplementów.

✻ ✻ ✻

obiad popełniłam.

Giancarlo pomagał przy smażeniu kotletów – *mamo,*
jak ja uwielbiam twoje kleciki! mamo, ja przepadam
za przygotowywaniem jedzenia z tobą!
oczywiście od razu rozpłynęłam się
w zachwycie i pogrążyłam w niemocy.

co więcej?
otóż wysiedziałam przy stole podczas wspólnego posiłku,
co zostało zauważone i docenione przez moich Panów.
mimo sprzeciwów Niemęża zmyłam obiadowe statki.
a potem dziecię odmeldowało się do odrabiania
lekcji, a my posiedzieli przy deserze.

ha! takie są efekty krwi toczenia!

PIĄTEK 12 października 2012
za mną siedem dłuższych lub krótszych hospitalizacji,
a Giancarlo nigdy nie odwiedził mnie w szpitalu.
Niemąż powtarza, że nie potrafi wyjaśnić Giancarlowi,
dlaczego tak robię, skoro Syn bardzo chciałby.
mówi mi, że pókim tutaj, należy się słowo
matczynych wyjaśnień, bo Niemąż ich nie ma.
jestem przeciwna, ot co.
lub – jak mawia Syn: *nie i już! wuwuwu kropka pe-el dot kom!*
otóż
Drogi Syneczku,
uważam, że szpital nie jest stosownym miejscem dla
pięcioletnich czy siedmioletnich robaczków.
tym bardziej niestosowne dla Twojej grupy wiekowej są
odwiedziny na oddziałach chirurgiczno-onkologicznych.
po wielokrotnym dokonaniu bilansu zysków i strat (ja też
za Tobą bardzo tęsknię!) doszłam do wniosku, że lepiej jest, byś
tęsknił przez telefon, niż patrzył na moje uprzedmiotowienie
w okablowaniu. ale przede wszystkim nie chcę, byś dostrzegł
bezradność, strach przed nieuchronnym, beznadzieję.

wolę zostać w Twoich wspomnieniach w wersji domowej.
w półmroku, z muzyką w tle, w kolorowej
pościeli, z wałkopoduszką żyrafką na ramionach,
z Viledą umoszczoną na kolanach.
mama domowa.
mama kibicująca Twojemu graniu na iksboksie,
poganiająca Cię do obiadu, lekcji czy kąpieli.
taka prawie „normalna" mama.

NIEDZIELA 14 października 2012
dziś po południu Syn był u szkolnego kolegi.
wrócił dumny i szczęśliwy: prócz wspólnej
zabawy w domu, byli s a m i (pod opieką
starszego brata kolegi) na placu zabaw.
haa! witaj, samodzielności!

* * *

nabieram wprawy w chorowaniu.
prócz lekarstw obrastam w osprzęt i doświadczenie.
i smutek.
bezbrzeżny smutek.
przerażają mnie jednokierunkowość drogi i tempo podróży.
niezachodząca apoptoza rozsadza ciało.
i duszę.

patrzę na Syna i chce mi się wyć.
polewam Go prysznicem, On opowiada bajkę
o Szalonym Ptaku Emu i Małym Dzielnym Maczku.
– *koniec mycia się, wycieraj się* – podaję
ręcznik, zakręcam kurek prysznica.
– *a możesz jeszcze popolewać mnie wodą*
po ciałku? to takie przyjemne...
– *mogę, jeśli tylko masz ochotę*
– *a dla ciebie nie będzie to strata czasu?* – pyta uprzejmie.
– *jasne, że nie, syneczku...* – potworna gula dławi gardło,
ledwo wstrzymuję łzy.

Kochanie, nie wiem, ile razy jeszcze dam radę wstać
z łóżka, by Ci towarzyszyć w myciu się, podać
ręcznik, ogrzać na kaloryferze piżamkę.
ale wiem, że nigdy nikt nie zrobi tego tak jak ja.
nikt tak jak ja nie umyje Ci plecków, nie nałoży pasty
na szczotkę, nie poprawi rękawów koszulki.
nikt tak jak ja nie okryje kołderką, nie wycałuje
i nie wyprzytula przed snem.
nikt.
nikt.
nikt.
więc póki jestem, póki mogę, zrobię, co zechcesz.
to nie jest strata czasu, jasne, że nie, Syneczku...

PONIEDZIAŁEK 15 października 2012
(ktoś tu, nomen omen, pisał o zielniku?)

Syn wrócił ze spaceru z Niemężem – zbierał rośliny do zielnika.
teraz odrabia pod okiem Babci B. lekcje, ale wiem,
że co rusz strzyże uchem, czy już się obudziłam.
a ja właśnie się obudziłam i wołam: *chodź do mnie,*
teraz ze mną poodrabiasz lekcje.
– mamusia! mamusia! moja mamusia się obudziła! –
sądząc po uderzeniach, biegnie do mnie zwierzątko
niesione kilkunastoma raciczkami.
– wskakuj do łóżka, opowiadaj, co słychać – zapraszam.
po opowiedzeniu, dlaczego pani od angielskiego
była dziś naprawdę wściekła, co nawyrabiał
Piotrek, *ten-Piotrek-co-rozrabia-ale-nie-ten-cichutki-*
tylko-ten-drugi-wiesz-który, raptem słyszę:
– a ja kupię taki malutki sejfik i jak umrzesz i będziesz już
sproszkowana, to zabiorę trochę tego proszku do mojego sejfiku.
– a po co, syneczku?
– żeby mieć ciebie na zawsze przy sobie. a jak będą tam twoje
włoski, też je wezmę do głaskania. i jakby można było, to twój

zapach i dotyk też tam schowam. będziesz zawsze ze mną i jak
będę chciał, to będę sobie otwierał mój sejfik i będę bliżej ciebie.
– dam ci do przytulania mojego Adolfa, chcesz? – Adolf jest
poduszkomaskotką; imię pochodzi od jej specyficznej miny.
deal done.
sądząc po minie, Syn jest zadowolony.
pobiegł po zeszyty do sprawdzenia.

* * *

wieczorem wpada na buziaka przed snem.
stojąca lampa koronka – kryształy – Francja
elegancja – funguje za stojak kroplówki.
– mamusiu, jeśli martwisz się kroplówką, to się nią nie martw.
zanim zdążę cokolwiek powiedzieć, kontynuuje: *bo to tylko*
kroplówka, a najważniejsze jest, że jeszcze żyjesz!

* * *

Syneczku,
notuję szczegóły dnia codziennego.
liczę, że czytając je, łatwiej będzie Ci przywołać
i osadzić w czasie poważniejsze rozmowy – takie,
o których nie sposób otwarcie pisać na blogu.
na przykład naszą dzisiejszą pościelową
nocną rozmowę o przemijaniu.
o tym, że nie chcesz rosnąć.
o tym, że chciałbyś mieć mnie zawsze przy sobie.
o tym, że martwisz się, co z Tobą będzie, gdy mnie zabraknie.
Syneczku,
udzieliłam Ci odpowiedzi – nie wiem, czy trafnych, ale szczerych.
nie powiedziałam Ci tylko, że: – ja też nie chcę „rosnąć",
– też chciałabym mieć Ciebie zawsze przy sobie,
– też martwię się, co z Tobą będzie, gdy mnie zabraknie.

WTOREK 16 października 2012
donoszę uprzejmie, że białko, hemoglobina i potas są już w normie.
teraz nad sodem pracuję – dożylnie kroplówkami

oraz dopaszczowo, obficie soląc zupki.
ból opanowany został solidną dawką matrifenu,
a w razie bólu przebijającego mam instanyl.
gdyby nie kilka niedogodności fizjologiczno-anatomicznych,
gdyby nie ogólna słabosilność, odbicie w lustrze oraz spadające
z tyłka spodnie, uznałabym siebie za całkiem zdrową.

ŚRODA 17 października 2012
– bo tak właśnie jest w świetle obowiązującego prawa.

nie umiem Ci tego inaczej wyjaśnić.
nie przechodzi mi przez gardło, że to będzie dla Twojego dobra.
nie dostrzegam korzyści w takim rozwiązaniu.
ani w rewolucjonizowaniu życia jednym ruchem – takie
historie to tylko u fryzjera: cięcie i od razu lepiej.
jestem zdania, że powinieneś przechodzić
przez moją śmierć stopniowo.
to nieludzkie, żeby do jednej traumy dokładać
drugą – związaną ze zmianą środowiska.
... środowiska, które znasz tylko od święta.

czuję się winna.
powinnam nauczyć Cię jeszcze tylu rzeczy.
kto Ci będzie obcinał paznokcie?
kto przypilnuje mycia zębów po każdym posiłku?
mycia i wycierania rąk i siusiaka po sikaniu?

kiedy myślę, jaką szkołę życia za chwilę
dostaniesz, sztywnieję z przerażenia.
koniec z codziennym śniadaniem – koniecznie takim, jakie lubisz.
nie dostaniesz już ulubionych parówek ani ulubionego żółtego sera.
koniec z paluchem serowym i piciem
do szkoły według Twojego wyboru.
koniec z codziennie świeżymi majtkami i skarpetkami,
ubraniem nagrzanym na kaloryferze.
czy ktoś Ci codziennie pomoże w odrabianiu lekcji?

pakowaniu plecaka?
kto zawiezie na czas do szkoły?
kto utuli do snu, gdy kołdra będzie wyglądała
jak groźna muchołapka?
kto obetrze łzy i ich nie wyśmieje?
kto cierpliwie wyjaśni raz jeszcze, jak się wiąże sznurowadła?

Synku, nie przechodzi mi przez gardło, że to będzie dla Twojego dobra.
takie jest prawo, a ja – bezsilna.

CZWARTEK 18 października 2012
pan doktor wygląda.
ma okulary, koszulę ralfalorena i wiarygodnie serdeczny uśmiech.
pan doktor jest specjalistą praktykiem, potrafi
dostosować się do pacjenta.
jestem energiczna i bezpośrednia, on więc też.
pytanie – odpowiedź – pytanie – odpowiedź.
punkt – gem – set – mecz.
ząb – zupa – dąb – dupa.

– proszę pani, hipertermia stanowi przede wszystkim
dodatek do właściwego leczenia chemioterapią.
och, oczywiście, gdybym w nią nie wierzył, wcale
bym jej nie proponował i nie stosował.
trzeba ogrzać i polać po całości.
u pani nie da rady bez ponoszenia ryzyka.
tyle operacji było.
duże dawki naświetlań pani przyjęła.
bałbym się perforacji.
i z tego samego powodu nie odważyłbym
się na chemioterapię doustną.
chemia dootrzewnowa też nie wchodzi w grę – wydaje
się, że jednak za mało ma pani płynu w otrzewnej.
proszę mnie źle nie zrozumieć, ja wcale się pani nie pozbywam.

* * *

na drzewie algorytmu mojego leczenia
nie ma wierzchołków końcowych.
przeważają zamknięte i wykluczające się możliwości.
chciałoby się powiedzieć – jesień jest, co się
więc dziwić – liści nie ma.
ale nie żywię do nikogo żalu ni pretensji.
wybierałam sama, wybierałam najlepiej, jak umiałam.
mimo braku znajomości zasad, mimo świadomości czekającej
mnie przegranej dokonywałam, dokonuję, wyborów
najlepiej, jak potrafię. a przynajmniej – staram się.
wszystko to nie byłoby możliwe, gdyby nie całkowite
oddanie i zaufanie Niemęża i Babci B.
dzięki Nim czas choroby stanowi
najwspanialsze chwile mojego życia.
pławię się w miłości.

powtórzę więc raz jeszcze: chwilo, trwaj.

PIĄTEK 19 października 2012
ha!
rozmawiamy.
w trójkę u Babci B.
zaznaczam: w trójkę! bez mediatora!
początek był fatalny – Syn postanowił
zabrać głos, co się nie spodobało.
(*od decydowania o tobie jestem ja z mamą*).
– *oooo, ładne rzeczy. a ja?! a ja?! a ja to niby kto? ja nie mam
prawa nic powiedzieć, co ja chcę dla siebie?* – i łuup!!! drzwiami.
wybiegł z pokoju.
stęknęła futryna.

tłumaczę
– *nie tak Go wychowujemy.
my Go słuchamy, ma prawo głosu.
jest pełnoprawnym członkiem rodziny.
jak każde z nas ma prawo wyrazić swoją opinię.*

wrócił.
scenografia nadal ta sama. bohaterowie – też.

leżę w pościeli, Syn przemierza marszowym krokiem
sypialnię, on siedzi na krześle, obgryzając pazury.
– *a może jutro ze mną psa wybierzesz? –* pyta.
– *nie! to był pomysł mamy. pieska chcę wybrać i kupić z mamą.*
– *a jaki ma być ten piesek? pamiętaj, nie może być duży, bo twój*
nowy pokój nie jest tak duży jak ten, co masz teraz – mówi.
– *powiedziałem już! piesek ma mi mamę przypominać. ma być nieduży,*
ma do mamy być podobny i chcę go wybrać z mamą. – dostrzegam
narastającą determinację, dolna warga drży coraz mocniej.
– *czy to znaczy, że chcesz pudla w okularach? –* pytam z głupia frant.
parsknięcie.
udało się.
rozśmieszony.

PONIEDZIAŁEK 29 października 2012
Joanna odeszła w poniedziałek 29 października.
spodziewałem się tego, ale tęsknota i tak jest dojmująca.
życzę każdemu, żeby doświadczył takiej miłości, zaufania i przyjaźni.
Piotr

czy Tobie przydała się Chustka?

pożegnanie

joanny czyli chustki

sobota 3.XI.2012

Kościół Św. Trójcy

9:00 Ząbki

Piłsudskiego 46 a potem pogrzeb

ubierz się **kolorowo**
lub **weź** pomarańczową **chustkę**
nie składaj **kondolencji** rodzinie
uśmiechaj się, bo tego **chciała**

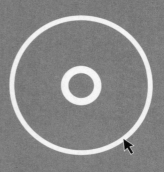

➤ *L'Absence*, Jean-Jacques Goldman
Adagio Tomasa Albinoniego gra Maurice André
The Afterlife, Paul Simon
Ain't No Sunshine, Selah Sue feat. Ronny Mosuse
Airdance, Andreas Vollenweider
L'amore verrà, Nina Zilli
Apassionata, Janusz Gniatkowski
Are you lonesome tonight, Norah Jones
Assassin's tango, John Powell
Astroblues, Triquetra
Autumn leaves, Joe Pass
Banana boat song, Harry Belafonte & Muppets
Bądź moim natchnieniem, Andrzej Zaucha
Bombonierka, Basia Stępniak-Wilk i Grzegorz Turnau
Buona notte, kołysanka Johannesa Brahmsa, Robertino Loretti
C'est moi, C. Jérôme
C'est si bon, Dean Martin
Calling you, Jevetta Steele
Cavallino Rampante, Yngwie Malmsteen
The cello song, Steven Sharp Nelson
Chromolę, Waglewski, Fisz, Emade
Close to you, Dj Tiësto
Co mi, Panie, dasz, Bajm
Co mi, Panie, dasz?, Czesław Mozil i Gaba Kulka
Count your blessings instead of sheep, Diana Krall
Czarny chleb i czarna kawa, Strachy na Lachy
Czumaczeczaja wiesna, Potap i Nastia
Delilah, Tom Jones
Don't chain my heart, Toto
Dream is destiny, No Clear Mind
Dreaming awake, Shadowlight
The edge of heaven, Wham
Enola Gay, Orchestral Manoeuvres in the Dark
Enola Gay, Pink Bazooka, cover Orchestral Manoeuvres in the Dark
Everlasting love, Jamie Cullum
Everything, Lifehouse
Father figure, George Michael
Femme like you, K-Maro
Les feuilles mortes, Yves Montand
First we take Manhattan, Leonard Cohen
G.I. Jane, ścieżka dźwiękowa z filmu, suita, Trevor Jones
Gettin' high, Gino Vannelli
Groszki i róże, Ewa Demarczyk
Hej, czy nie wiecie, Kult
Here without you, 3 Doors Down
Hey, Jude, The Beatles

High hopes, Pink Floyd
Hunger is the weapon, Hans Zimmer
Hydropiekłowstąpienie, Lao Che
I didn't know I was looking for love, E.B.T.G.
Idzie na burzę, idzie na deszcz, Lao Che
I go to sleep, Sia
I love your smile, Charlie Winston
I was here, Renan Luce
I've seen that face before, Grace Jones
If you know what I mean, Neil Diamond
Imagine, Etta James
In a bar, Tango with Lions
In exile, Lisa Gerrard
Injection, Hans Zimmer
It's not goodbye, Laura Pausini
Jamajka, 5'nizza
Je t'attends, Charles Aznavour
Je suis une feuille, Renan Luce
Jeśli ty nie istniałbyś, Krystyna Janda
Jest fantastycznie!, Krystyna Janda
Jesteś mój, Ewa Bem
Jeżozwierz, Lipali
Jó, ulice!, Daniel Landa
Just for you, Peter Green
Jutro rano, Kayah
Już, Raz, Dwa, Trzy
Kapali Slozy, Ruki Wwierch
Kiedy kitę odwalę, Jaromir Nohavica
Kolorowe jarmarki, Maryla Rodowicz
Kołysanka, Sumptuastic
Koza u rena, Wojciech Młynarski
The lady is a tramp, Tony Bennett & Lady Gaga
The last day of summer, The Cure
Let's dance, David Bowie
Limit to your love, James Blake
The look of love, Diana Krall
Love for the sake of love, Claudja Barry
Lubię wrony, Młynarski Plays Młynarski & Gaba Kulka
Lullaby from Rosemary's Baby, Frittata
Ma l'amore no, Gigliola Cinquetti
Magic, The Sound of Arrows
Memory, Elaine Paige
Mi va, Zaz
Morze Śródziemne, Yugopolis i Atrakcyjny Kazimierz
Na cześć księdza Baki, Stanisław Sojka i Czesław Mozil
Ne dis rien, Lulu Gainsbourg & Mélanie Thierry

Nie chcę więcej, Michał Bajor
Nie liczę godzin i lat, Andrzej Rybiński
Niech mówią, że to nie jest miłość, z oratorium *Tu es Petrus*
No more no more, Front 242
Obscured by clouds, Pink Floyd
Odna Kalyna, Sofia Rotaru
On tiebia celujet, Ruki Wwierch
One day, Hans Zimmer
One day, Matisyahu
Opowiadaj mi tak, Zbigniew Wodecki
Ordinary day, Dolores O'Riordan
Ore d'amore, Mike Patton (z albumu *Mondo Cane*)
The other woman, Jeff Buckley
Otwieram wino ze swoją dziewczyną, Sidney Polak feat. Pezet
Papaya, Urszula Dudziak
Paradise (Peponi) African Style, The Piano Guys feat.
Alex Boye, cover Coldplay, na fortepian i wiolonczelę
Parisienne walkways, Gary Moore
Pass the marijuana, Bob Marley & Sublime
Pieni ja hento ote, Dave Lindholm
Pieśń miłości, Maryla Rodowicz
Piłem w Spale, spałem w Pile, Artur Andrus
Piosenka na koniec świata, Andrzej Sikorowski i Maja Sikorowska
Pocałunek, Ulica Krokodyli
Pójdę boso, Zakopower
Poté, Kóstas Martákis
Prosta rzecz, Rojek, Nosowska, Grabowski
Protestsong, Daniel Landa
Quando sarò vecchio, Jovanotti
Radio Retro, album zespołu IncarNations
Recovery, Kosheen
Robbie Loe d'Amour
Rolling in the deep, Adele
'S wonderful, João Gilberto
Sacrum, Mezo
Sailing, Rod Steward
Save yourself, Hiatus
Secrets, OneRepublic
Sen o Victorii, Dżem
Senza parole, Vasco Rossi
Sex on Fire, James Morrison, cover Kings of Leon
Simple man, Lynyrd Skynyrd
Since I've been loving you, Led Zeppelin
Sleep safe and warm Krzysztofa Komedy gra Leszek Możdżer
SMS-y, Ewa Bem
Solitude, Ryūichi Sakamoto

Solo noi, Toto Cutugno
Starzy ludzie Jacques'a Brela, Michał Bajor
Still in love with you, Sade
Sto pensando a te, Vasco Rossi
Stop lovin you, Toto
Stój głuptasie, Pablopavo i Ludziki
suita na wiolonczelę nr 1 Jana Sebastiana Bacha, preludium, Jacques Bono
Tchinares, Levon Minassian & Armand Amar
This world, Selah Sue
Time, Pink Floyd
To, co czujesz, Brygada Kryzys
Toi et moi, Guillaume Grand
Touha, Daniel Landa, Lucie Vondráčková
Tu manques, Fredericks Goldman Jones
Tunglia, Ólafur Arnalds
Tutto l'amore che ho, Jovanotti
Two steps away, Patti Labelle
Twoja szansa II, TSA
Tylko tak miało być, Anna Maria Jopek
Urodziła mnie ciotka, Lao Che
Utalentowany Pan Ripley, utwór nr 5 ze ścieżki dźwiękowej filmu
Vai vedrai, Cirque du Soleil
La valse d'Amélie, wersja na orkiestrę
Volare, Laura Pausini & Eros Ramazzotti
Les voisines, Renan Luce
Wait for me, Moby, remix Villa
walc nr 10 h-moll Fryderyka Chopina, Chet Atkins
walc z filmu *Noce i dnie*, Magda Umer
What a wonderful world, Katie Melua & Eva Cassidy
Wherever you will go, The Calling
Wszystkie stworzenia duże i małe, Andrzej Zaucha i Ewa Bem
Yes Boss, Hess Is More
You are the sun, Marcin Nowakowski
You're the one that I want, Angus & Julia Stone
Zabiorę cię właśnie tam, Kancelaria
Zaczarowany dzwon, Lao Che
Zaopiekuj się mną, Rezerwat
Zapytaj mnie, czy cię kocham, Republika
Zemia Rodnô, hymn kaszubski
Zmiennicy, Przemysław Gintrowski
Znajdy mene, Viktor Pavlik

Opracowanie graficzne i łamanie
Wojtek Kwiecień-Janikowski

Fotografia na okładce i grafiki
Piotr Sałyga

Autorzy zdjęć

Pola Raplewicz przy postach z dni:
28 lipca 2010, 13 listopada 2010, 22 kwietnia 2011

Agnieszka Ruszczak przy postach z dni:
18 kwietnia 2010, 12 kwietnia 2012

Piotr Sałyga przy postach z dni:
2 czerwca 2010, 13 stycznia 2011, 20 marca 2011,
13 stycznia 2012, 29 czerwca 2012, 27 września 2012

Karol Tomaszewski przy postach z dni:
15 września 2010, 11 lipca 2011, 13 sierpnia 2011, 20 lutego 2012,
22 sierpnia 2012

Opieka redakcyjna
Karolina Macios

Adiustacja
Anastazja Oleśkiewicz

Korekta
Katarzyna Onderka

ISBN 978-83-240-2101-7

znak

Książki z dobrej strony: www.znak.com.pl
Społeczny Instytut Wydawniczy Znak, 30-105 Kraków, ul. Kościuszki 37
Dział sprzedaży: tel. (12) 61 99 569, e-mail: czytelnicy@znak.com.pl
Wydanie I, Kraków 2013. Printed in EU